ENGEL

Nancy Taylor Rosenberg

ENGEL

Uitgeverij Areopagus

Oorspronkelijke titel
California Angel
Uitgave
Dutton/Penguin Books USA Inc., New York
© 1995 by Creative Ventures, Inc.

Vertaling
Els Franci
Omslagontwerp
Sjef Nix
Omslagillustratie
Chris A. Butler

Voor Amy Rosenberg en Janelle Garcia:
wie in wonderen gelooft, zal ze ondervinden.
En voor mijn eigen kleine engel, mijn eerste kleinkind:
Rachel, moge jouw reis door het leven veilig en gladjes
verlopen.

Dankbetuiging

Veel mensen hebben me bijgestaan om dit boek te verwezenlijken en hen wil ik graag bedanken. Mijn literair agent, Peter Miller, van PMA Literary and Film Management, Inc., die meteen enthousiast was toen ik hem op een avond dit verhaal vertelde; mijn redactrice en heel bijzondere vriendin, Michaela Hamilton, van Dutton/Signet, die het idee opperde om van mijn engel een onderwijzeres te maken en die van het begin af aan achter dit project heeft gestaan; en mijn man, Jerry Rosenberg, die zich over de kinderen, de zaak en alle kleine dingen van ons dagelijks leven heeft ontfermd, toen ik dag en nacht zat te werken. Mijn dank gaat ook uit naar Jennifer Robinson, van PMA, voor haar nimmer aflatende steun en adviezen, en naar mijn lieve moeder, LaVerne Taylor, die de eerste is geweest die me ooit iets over engelen heeft verteld. Ik dank Barbara King, lerares aan de Willard Middle School in Santa Ana, die model heeft gestaan voor Toy Johnson en al die fijne leerlingen op Willard die me ervan overtuigd hebben dat ze het best zullen redden in deze wereld, ondanks de obstakels die ze moeten overwinnen. Natuurlijk moet ik ook de man daarboven danken dat hij me de inspiratie heeft geschonken om dit verhaal te creëren. En rabbi Bernard King die in onze synagoge het 'Adopteer een school'-project heeft opgezet en me heeft doen geloven dat ik een waardevolle bijdrage kan leveren.

Maar degene die me het meest heeft geïnspireerd was Janelle Garcia, een meisje dat ik de afgelopen drie jaar goed heb leren kennen. Janelle lijdt aan een zeldzame ziekte die

MMA heet, en is op het moment de oudste nog levende patiënte die door die ziekte is getroffen. Op een dag, toen ze erg ziek was en het bed moest houden, heb ik haar en haar jongere zusje, Nettie, dit verhaal verteld. Ik werd beloond met stralende glimlachjes op hun verwachtingsvolle en verrukte gezichtjes. Diezelfde dag besloot ik van *Engel* een boek te maken en ik was er zeker van dat de pagina's van dat boek een bijzonder soort magie zouden bevatten – niet de mijne, natuurlijk, maar die van Janelle. Op haar kamer, in haar huis, rondom haar persoontje zijn altijd engelen die haar helpen tegen haar ziekte te vechten. Janelle maakt het trouwens goed, al vormt iedere dag een nieuwe strijd. Ik ben er van overtuigd dat Janelle door haar verbetenheid, moed en levenslust, en met de hulp van haar liefhebbende familie en vrienden en de steun van haar hemelse helpers een rijk en bevredigend leven zal mogen genieten.

Ik ben dankbaar dat ik zelf ook zo'n fantastische familie heb: Forrest en Jeannie, Chessly en Jimmy, Hoyt, Amy en Nancy Beth. En er zijn nog meer fijne mensen die me bij mijn werk helpen: Alexis Campbell, mijn publiciteitsagente en assistente; Elaine Koster, mijn uitgeefster; Peter Mayer, Marvin Brown, Judy Courtade, Maryann Palumbo, Leonida Karpik, Arnold Dolin, Alex Holtz, Lisa Johnson, Neil Stuart en het volledige personeel van Penguin USA. Ik stel jullie harde werk en steun bijzonder op prijs.

Ik dank u, trouwe lezers van mijn misdaadromans, dat u dit korte uitstapje met me wilt maken en ik hoop dat u het leuk en betekenisvol zult vinden. Ik houd me meestal bezig met de negatieve kanten van het leven en wilde een poosje aan de andere kant van het hek spelen voor ik terugkeer naar mijn vertrouwde terrein. Want moeten we, ondanks alle ellende in de wereld, geen hoop blijven koesteren voor een betere toekomst?

Proloog

29oktober 1982: De bladeren van de reusachtige esdoornen rond de doopsgezinde kerk in Hill Street in Dallas begonnen al bruin te worden. De familie Gonzales was weer eens laat en het parkeerterrein was dan ook al vol, zodat ze voor hun tien jaar oude Ford Fairlane in de straat een parkeerplaats moesten zoeken.

Hij zat op de achterbank en staarde naar de glimmende chroomrand van het portier. Hij keek er eigenlijk niet naar maar erdoorheen, in het chroom zelf. Gisteren had hij de glanzende rand met zijn duim aangeraakt en nu was hij gefascineerd door zijn vingerafdruk – wazig en melkwit aan de buitenkant, glanzend en weerspiegelend vanbinnen. In zijn verbeelding werd de vingerafdruk iets anders, net zoals alles dat hij aanraakte of zag iets anders werd. Hij keek naar een grote sneeuwvlok, hard bevroren, met een dikke laag sneeuw eromheen. De hemel erboven was grijs, dikke wolken stonden op het punt nog meer sneeuw naar beneden te storten en een harde wind striemde over het bevroren landschap. Er waren geen mensen in zijn fantasieland. Er waren nooit mensen.

Geluiden zweefden langs zijn oren. Hij voelde de trilling ervan op zijn wang. Op de voorbank van de auto zochten zijn ouders gejaagd naar hun gebedenboeken. Ze hadden haast want ze wilden niet de Kerk binnenkomen nadat de dienst al was begonnen.

'Rosie,' zei zijn moeder. 'Schiet eens op. Haal Raymond uit de auto. We zijn laat.'

Madonna Gonzales was een magere, donkere vrouw die

altijd haast scheen te hebben, altijd laat was, altijd onrustig. Ze heette tegenwoordig niet meer Madonna, zelfs haar man mocht haar niet zo noemen. Toen ze twee jaar geleden de rooms-katholieke Kerk de rug had toegekeerd, had ze iedereen verzocht haar voortaan Donna te noemen. Ze hield niet van de associaties van de naam Madonna, had ze gezegd. Het klonk te katholiek; Donna was nu doopsgezind.

Rosie liep om de auto heen naar het achterportier en keek door het raampje naar haar broer. Hij was dertien en zij elf, en ze was veel kleiner en kinderlijker dan hij. Haar goudbruine huid had een warme, gezonde gloed en ze was net zo tenger en kwiek als haar moeder. Ze legde haar hand op het handvat van het portier en zuchtte toen ze naar het gezicht van haar broer keek, naar de afwezige blik in zijn ogen, zijn eeuwige gestaar. Waarom kon hij niet met haar praten? Waarom kon hij niets met haar delen? Waarom kon hij niet net als zij naar school gaan, met haar meelopen naar de bushalte?

Zolang ze zich herinnerde had Rosie haar ouders die vragen gesteld. 'Raymond is ziek,' zei haar moeder dan. Voor Rosie was dat moeilijk te bevatten. Het lichaam van haar broer was sterk en goed ontwikkeld. Hij was groot voor zijn leeftijd, terwijl Rosie klein en tenger was. Hij hoestte nooit en hoefde nooit over te geven. Hij had nog nooit koorts gehad of allemaal rode pukkeltjes op zijn lichaam gekregen, zoals Rosie vorig jaar toen ze de waterpokken had. Maar toch was Raymond ziek. Rosie wist dat hij ziek was. Hij was ziek binnen in zijn hoofd.

'Kom, Raymond,' zei Rosie zachtjes. Ze pakte zijn hand en trok eraan, maar hij bleef naar de rand van het portier staren. Ze wapperde met haar hand voor zijn ogen om het oogcontact te verbreken. Soms werkte dat. Dan volgden zijn ogen haar hand en kwam zijn lichaam met zijn ogen mee. Vandaag lukte het niet. Ze hield zijn hand vast en leunde met haar volle gewicht achterover. 'Mamma,' riep ze met een gefrustreerde en geërgerde klank in haar jonge stem. 'Het lukt niet. Hij wil er niet uit.'

Roberto Gonzales was uitgestapt, maar bleef bij het voorportier staan, met zijn armen slap langs zijn lichaam en een neutrale uitdrukking op zijn gezicht, terwijl zijn vrouw om de auto heen liep om te proberen haar zoon eruit te krijgen. Haar ogen flitsten naar die van haar man en vernauwden zich, alsof ze wilde zeggen: Waarom help je me niet? Toen trok ze zo hard als ze kon aan Raymonds arm. 'Toe nou, Raymond,' zei ze. 'Kom uit de auto. We zijn laat. Wil je niet naar de zondagsschool? Daar mag je plaatjes kleuren. Je houdt toch van kleuren?'

Hij gaf geen antwoord. Ze had ook geen antwoord verwacht. Haar man wierp een schampere blik op haar, zoals altijd wanneer ze probeerde haar zoon aan de praat te krijgen. Hij had dat allang opgegeven.

De vijver verdween uit zijn gedachten als een dia uit een projector en hij zag meteen een nieuw beeld: een bos, een waas van heldergroen gemengd met het zachte bruin van cacao. Zijn lippen trokken tot een glimlach toen hij in de kleuren dook. Hij voelde de warmte van het bruin zijn huid strelen, hoorde het ruisen van het groen als water in een beek. Toen sperde hij zijn ogen open en werd zijn ademhaling sneller. Geluiden echoden rondom hem, maar hij hoorde ze niet.

'Raymond,' zei zijn moeder. Ze sprak nu op luide, aandringende toon. Ze was erin geslaagd hem uit de auto te krijgen, maar hij bleef staan en weigerde zich te bewegen. Hij hield zijn hoofd achterover en keek naar het dichte gebladerte van de esdoorn.

In de boom zat een blauwe vogel. Hij had nog nooit zoiets lieflijks, iets zo fascinerends, zo blauws gezien. De vogel zat volkomen stil, zonder zich iets aan te trekken van de mensen onder de boom. Raymond liet het blauw over zich heen vallen als een deken op een koude winterdag. Opeens veranderde het blauw in vele kleuren die allemaal fladderden. Het groen ruiste en knisperde, het bruin huppelde, het blauw schudde toen de vogel de tak losliet en wegvloog.

'Help nou even, Roberto,' smeekte zijn moeder. Dit keer reageerde haar echtgenoot. Hij kwam langzaam naar hen toe en sloeg zijn arm om het middel van zijn zoon. Roberto Gonzales was een grote, zwaargebouwde man die met zijn lichaamskracht zijn brood verdiende als verhuizer bij Bekins Van Lines. Zijn gezicht had iets weg van een bloedhond, lang en droevig, met zijn grote bruine ogen als schijven in het uitdrukkingsloze gelaat. Hij hield zijn ogen beschaamd neerge-slagen toen hij te midden van de andere kerkgangers met zijn zoon als een zak aardappelen onder zijn arm naar de zon-dagsschool liep en hem daar op de stoep zette. Zonder iets te zeggen liep hij weg. Roberto had zijn plicht gedaan. Hij had gedaan wat zijn vrouw wilde. Tot meer was hij niet in staat. Hij had verlangd naar een zoon die hem kon helpen het gezin te onderhouden, net zoals hijzelf had gedaan toen hij dertien was, een zoon met wie hij kon lachen en dingen bespreken die een man alleen met zijn zoon kon bespreken. Soms, wan-neer hij niet in slaap kon komen, kon hij nauwelijks geloven dat dit vreemde wezen echt zijn zoon was. Hij had zijn vrouw er zelfs een keer van beschuldigd hem ontrouw te zijn geweest.

Rosie had haar mooiste jurk aan, de witte met de rode cein-tuur die ze alleen zondags aan mocht. Hij was haar nu bijna te klein; ze had hem twee jaar geleden gekregen van de sociaal werkster die voor Raymond kwam. En haar magere benen werden langer. Ze probeerde de rok naar beneden te trekken terwijl ze achter haar moeder en Raymond aan liep. Haar vader was al doorgelopen naar de kerk. Ze zouden Raymond naar het klaslokaal brengen en dan moest Rosie mee naar de kerk. Ze was liever op de zondagsschool gebleven, maar haar moeder vond dat ze naar de dominee moest luisteren. Daar zou het gebeuren, zei haar moeder steeds. Als het gebeurde, zou het in de kerk zijn, tijdens het gebed.

Rosie had het in hun oude kerk veel fijner gevonden. Ze hield van de geur van de wierook en de gewaden van de pries-ters, ze hield ervan om met gevouwen handen naar het altaar te lopen om bij het hekje de heilige communie te ontvangen. Vlak nadat ze haar eerste communie had gedaan en zo trots en gelukkig was geweest, had haar moeder plotseling besloten dat ze voortaan naar de doopsgezinde kerk zouden gaan. Ze had Rosie en haar vader op een goede dag bij zich geroepen en hun verteld waarom.

'Ik heb zo verschrikkelijk veel gebeden,' zei ze tegen hen terwijl er tranen over haar wangen liepen. 'Ik heb God ge-vraagd voor Raymond een wonder te doen. Ik heb de priesters gevraagd om een wonder te bidden, maar ze zeiden alleen dat ik dit moet aanvaarden, dat hij zo is, dat het de wens van God

12

is. Dat kan ik niet,' zei ze. Ze hief met een ruk haar hoofd op en er kwamen geen nieuwe tranen. 'Ik kan niet aanvaarden dat dit de wens van God is, dat God wil dat mijn kind zo is.'

Een week later kwam er een dokter die door de sociale dienst was gestuurd. Hij vertelde hun wat Raymond mankeerde en gaf de ziekte een naam waarvan ze nog nooit hadden gehoord: autisme. Rosie kon het niet uitspreken. Haar vader schudde zijn hoofd; zijn zoon was niet in orde. Dat is het enige dat hij wist. Namen zeiden hem niets. Maar zijn moeder was ervan overtuigd dat de kwaal van haar zoon een vloek was, dat hij bezeten was van kwade geesten en alleen bevrijd kon worden van de duivels die zijn ziel gevangen hielden als ze dicht bij godsdienstige mensen bleven en hard voor hem baden. Als ze erin geloofden, zei ze tegen hen, als ze om een wonder baden, zou dat misschien gebeuren. De mensen van deze kerk geloofden in wonderen. Ze geloofden ook in de duivel en zijn macht om onschuldige levens te vernietigen. Raymonds moeder was ervan overtuigd dat ze binnen deze muren God zou vinden en dat Hij Raymond zou genezen.

Nadat ze Raymond naar de zondagsschool hadden gebracht, liepen Rosie en haar moeder naar de kerk. Haar moeder zat graag op de eerste rij. Het was de taak van haar vader om plaatsen voor hen vrij te houden. Een van de diakens van de kerk kwam hun richting uit en knikte tegen hen. Hij was vergezeld van een vreemd uitziende jonge vrouw. Donna Gonzales bleef staan en keek naar haar. Een kort ogenblik ontmoetten haar ogen die van de vrouw en ze voelde een huivering door zich heen trekken. Ze hield Rosies hand nog steviger vast en sloeg haar andere arm om haar eigen lichaam. Ze had deze vrouw nog nooit gezien. Ze kende de meeste leden van de kerk, want ze deed haar best om aan alle evenementen deel te nemen: de gebedsbijeenkomsten op woensdagavond, de koffieavonden voor het altaargilde, de bijeenkomsten op vrijdagochtend die speciaal op healing gericht waren. Ze had zelfs geleerd hoe ze om een wonder moest bidden. Men had haar verteld dat ze er niet om moest vragen, maar God juist moest danken alsof het wonder al was gebeurd. Dat was een bekrachtiging, had dominee Whiteside gezegd, en een bewijs van haar geloof.

Rosie trok haar mee naar de deur van de kerk. Op het kerk-orgel werd al een psalm gespeeld, maar Donna bleef naar de jonge vrouw en de diaken staren. De vrouw was niet op een kerkbezoek gekleed. Zelfs op haar jeugdige leeftijd kon ze dit niet maken. Ze droeg een spijkerbroek, pantoffels en een donkerblauw T-shirt waar met grote letters 'California Angels' op gedrukt stond. De hoofdletter A was versierd met een aureool. De vrouw zag er heel anders uit dan de vrouwen en meisjes die iedere zondag in hun mooiste jurk, op hun nette schoenen en met hun beste tas naar de kerk kwamen. Ze had licht-rood haar dat wijduit stond, alsof ze tegen de wind in liep, en een interessant gezicht. Donna bleef naar haar kijken en zag haar lippen bewegen, maar kon niet verstaan wat ze zei.

De huid van de jonge vrouw was zacht en roze, zonder rimpels of vlekken; haar ogen waren uitgesproken groen, niet blauwgroen of grijsgroen of bruingroen, maar zuiver groen. Ze had een hoog voorhoofd en haar haarlijn had in het midden daarvan een V-vormig puntje. Donna vond het op een pijl lijken die naar de rest van haar mooie gezicht wees. Haar neus was recht en klein, als het ware afgeknipt onderaan. Het was het soort neus dat de blanken soms een hooghartige uitdruk-king gaf, alsof ze zich boven de rest van de wereld verheven voelden. Haar mond had net als de rest van haar gelaat een lichtroze kleur en was zo compact en perfect gevormd als een roos. Hoge jukbeenderen gaven haar gezicht een delicate vorm en in het midden van haar kin zat een kuiltje.

'Mam,' zei Rosie smekend. Ze trok haar moeder mee. 'De dominee is al begonnen. Nu kijkt iedereen naar ons wanneer we naar voren lopen. Kom nou mee.'

Donna maakte haar ogen los van de vrouw en liep met haar dochter de kerk in.

Diaken Miller wenkte mevrouw Robinson nadat hij de jonge vrouw op een van de kleine stoeltjes voor de kinderen had laten plaatsnemen. 'Wie is dat?' vroeg de onderwijzeres, een hoge borst opzettend omdat ze dacht dat diaken Miller een nieuwe leerkracht wilde introduceren.

'Ze heeft niet gezegd hoe ze heet,' zei hij. 'Ze was er opeens en liep doelloos rond. Ze zegt dat ze uit Californië komt. Ze wilde de kinderen zien.'

'Je laat haar hier toch niet achter?' Mevrouw Robinson hoorde de kinderen lachen en kabaal maken in het klaslokaal. Ze moest snel terug voor het helemaal een rommeltje zou worden. Ze was een bejaarde vrouw, een gepensioneerde onderwijzeres van tegen de zeventig. Ze gaf nu al meer dan vijftien jaar les op de zondagsschool van de doopsgezinde kerk aan Hill Street en had nog nooit een zondag overgeslagen.

'Je ziet toch zelf wel hoe ze gekleed is? Ik kan haar moeilijk zo in de kerk toelaten. Misschien is ze weggelopen uit een inrichting of zo. Ze praat een beetje wartaal. Het enige wat ze heeft gezegd is dat ze uit Californië komt en dat ze niet weet waarom ze hier is, maar ze vroeg me herhaalde malen of ik haar naar de kinderen kon brengen.'

'Nou,' zei mevrouw Robinson met een zucht, haar hand op de deurknop naar het klaslokaal, 'ik hoop niet dat ze aan de drank of drugs is. Hoe oud zou ze zijn? Ze ziet er zo jong uit. Waarom bel je de politie niet?'

Het gezicht van diaken Miller versomberde. De lange, broodmagere, negenenzestigjarige man zag er in zijn donkere pak uit als een begrafenisondernemer. Zijn huid was dof, bijna wasachtig. 'Dit is een kerk, Mildred. Als de mensen niet hier kunnen aankloppen wanneer ze hulp nodig hebben, waar moeten ze dan naar toe?'

'Heb je haar geld aangeboden?'

'Ja,' zei hij, met zijn vingers zijn dunne grijze haar kammend. 'Ze zei dat ze geen geld wil. Ze wil alleen een poosje bij de kinderen zijn.'

Mevrouw Robinson sloeg haar armen over elkaar onder haar zware boezem en keek diaken Miller aan met de blik die ze gebruikte wanneer een kind erg ondeugend was. 'Als ze geestelijk gestoord is, mogen we haar juist niet bij de kinderen laten. Je bent niet erg redelijk, Bob. Vooruit, neem haar mee. Zet haar maar ergens anders neer.'

'Je kunt haar toch in de gaten houden? Wat zou ze kunnen doen? Ze ziet er niet gevaarlijk uit, alleen maar verloren en verward. En haar adem ruikt niet naar alcohol.'

'Zoals je wilt,' zei ze op scherpe toon. Het lawaai in het

15

klaslokaal werd steeds groter. Ze ging naar binnen en mompelde binnensmonds: 'Hoe krijg ik ze ooit weer stil?'

Ze klapte hard in haar handen om de klas tot de orde te roepen. Ze wierp een blik op de jonge vrouw, maar wendde meteen haar ogen van haar af. Als ze er per se bij wil zijn, dan moet dat maar, dacht ze, toen ze de starende blik in haar ogen zag. Ze was geen psychiater. Ze had geen idee wat ze tegen een geestelijk gestoord iemand moest zeggen en vond het vervelend dat de diaken haar lesuur had verstoord. 'Ga in een kring zitten,' beval ze de kinderen, 'dan zal ik jullie een verhaal voorlezen. Vandaag is Jonas aan de beurt.'

'Jonas en de walvis,' riep een jongetje dat blijkbaar erg veel van dat verhaal hield en snel op de eerste rij op de grond ging zitten.

De jonge vrouw zat achter in het lokaal naast Raymond Gonzales. Een paar apart, dacht Mildred Robinson. De jongen had zijn hoofd onder een onnatuurlijke hoek opzij getrokken om de motieven van het behang te kunnen bekijken, terwijl zijn handpalmen kleine cirkels beschreven. Ze verwachtte ieder moment dat de vrouw hetzelfde zou doen: naar het behang staren. Ze zag er verdwaasd en verward uit en haar ogen waren gezwollen, alsof ze had gehuild. Mildreds blik werd onwillekeurig steeds naar de rare pantoffels, het baseball T-shirt en de wilde bos rood haar getrokken. Gewone vrouwen kleedden zich hier in Dallas niet zo, zeker niet wanneer ze naar de kerk gingen, naar het huis van de Heer.

'Goed,' zei ze. Ze sloeg het boek met bijbelverhalen open en begon te lezen. 'Jonas was…' Algauw ging ze helemaal in het verhaal op, de gezichten van de kinderen geboeid naar haar opgeheven, de vrouw vergeten. Mildred had dit verhaal al honderden keren voorgelezen, maar kreeg er nooit genoeg van.

Toen Raymond naar de onbekende vrouw keek, kreeg hij een vreemd gevoel. Het was alsof hij en de vrouw opeens omwikkeld waren door zachte, witte watten, alsof ze de enige mensen in het lokaal waren. Een van de kinderen in de cirkel liet een kreetje horen. Het geluid was opeens niet snerpend en angstaanjagend meer, maar een perfecte noot in een prachtige serenade die alleen Raymond kon horen. De adem die hij door zijn neusgaten naar binnen zoog en uitblies werd een instrument, samen met het bekende geluid van zijn hart dat in zijn borstkast klopte. Maar het ritme klonk anders dan normaal en Raymond kende dat geluid heel goed. Zijn hartslag was het enige geluid dat nooit veranderde, dat constant en herkenbaar was.

Hij hield zijn adem in en luisterde om uit te zoeken waarom het anders was. Toen hoorde hij het. Na iedere hartslag hoorde hij een tweede, identieke slag, alsof er iemand vlak achter hem liep in een met kinderhoofdjes bestrate steeg. Raymond werd een beetje bang en voelde zich slecht op zijn gemak.

Niemand kon zijn wereld binnenkomen, hield hij zichzelf voor. Het was onmogelijk. Het was nog nooit mogelijk geweest. Maar Raymonds instinctieve aandrang om zich in zichzelf terug te trekken verdween toen hij in het heldere rood van het haar van de vrouw dook, gefascineerd door de manier waarop de lokken tot glanzende, losse krullen werden gedraaid, zo luchtig en licht dat het leek alsof ze gewichtloos rond haar hoofd zweefden. Naarmate hij zich sterker concentreerde, werden zijn pupillen groter en zag hij een mengeling van glanzende, dansende kleuren. De vrouw staarde recht voor zich uit, maar hij zag haar gezicht naar hem kijken en voelde het groen van haar ogen over hem heen spoelen. Op de een of andere manier wist hij het. Hij wist dat hij niet naar haar uiterlijk keek, maar naar het gezicht van haar ziel. Hij wilde het indrinken, aanraken, ruiken, bewaren. Het was zo rein, zo perfect. Zijn lippen trilden. Zijn mond ging open en dicht. Het kloppen in zijn borst was nu sterker en hij kon de tweede hartslag niet meer horen. Hij had zich nog nooit zo gevoeld, nog nooit iets zo gezien, nog nooit op deze manier dingen gehoord. Zijn vreugde werd een borrelend, stuwend gevoel onder in zijn maag, een enorme, zoemende machine die hem dwong te spreken, te doen, te zijn.

Zijn ogen vlogen naar het plafond en wat hij zag waren niet de vochtplekken, noch de vuile kap van de TL-buis met het vliegenkerkhof erin. Hij zag prachtige, adembenemende dingen waar hij wel eeuwig naar wilde blijven kijken. Hij wilde ze bestuderen en nieuwe beelden toevoegen aan de bestaande. Maar opeens stond zijn visioen stil en vervaagden de kleuren. Er is iets mis, dacht hij bedroefd, terwijl een enkele traan ontsnapte en over de zijkant van zijn wang rolde. Hij zag gekartelde scheuren en had het gevoel dat de beelden voor zijn ogen verschrompelden en doodgingen. Zware lagen verf kwamen over de tere beelden te liggen. Microscopische stofdeeltjes werden erin opgenomen en verwrongen de voorheen zo perfecte voorstellingen. Veel van de kleuren waren nu te fel, te hard, zo schel dat ze pijn deden aan zijn ogen en hem dwongen ervan weg te kijken.

Toen Mildred Robinson bij het deel was gekomen waar Jonas door de walvis wordt ingeslikt, keek ze even naar de vrouw die naast Raymond op de grond zat. Tot haar verbazing meende ze hen met elkaar te horen praten. Raymond keek niet naar de vrouw maar zijn lippen bewogen en er schenen woorden uit zijn mond te komen. Mildred sprong overeind, liet het boek en de kinderen in de steek en snelde het lokaal door naar de jonge vrouw en het kind. Ze duwde haar bril recht op haar neus, zich afvragend of haar ogen haar hadden bedrogen. Ze wist dat Raymond Gonzales autistisch was. De enige geluiden die ze de jongen tot nu toe had horen maken, waren gegrom en gekreun. Hij sprak niet, keek je niet aan en scheen niet te luisteren wanneer je iets tegen hem zei.

'Hij praat,' stamelde ze, alsof God uit de hemel was gekomen en een wonder had verricht. 'Ik heb hem gehoord. Het is toch zo? Hij praatte toch? Wat zei hij?'

De vrouw met het rode haar negeerde de lerares, gehypnotiseerd als ze was door het kind. Ze ging languit op de grond liggen, pakte een handvol kleurpotloden en een vel papier. Terwijl de lerares stomverbaasd toekeek begon ze met de kleurpotloden tekeningen te maken. Raymonds hoofd draaide naar links en toen naar rechts, maar hij keek geen enkele keer naar zijn nieuwe speelmakkertje en er kwam nu geen enkel geluid uit zijn mond.

'Alstublieft,' zei de lerares, 'praat nog een keer met hem. Hij heeft iets gezegd, hè? Hij heeft nog nooit eerder gesproken.'

De vrouw keek naar de lerares op alsof ze zelf een kind was, boog toen haar hoofd weer en tekende nog meer figuurtjes die ze stuk voor stuk inkleurde. De lerares liet teleurgesteld

18

haar schouders zakken. Ze had zich blijkbaar vergist. De vrouw moest weggelopen zijn uit een inrichting voor geestelijk gehandicapten, of had een of andere tic, en het kind was nog net zo als voorheen.

Ze keerde zich om naar de nu lawaaierige groep kinderen die ze in de steek had gelaten en nam zich voor diezelfde week nog haar ogen en oren te laten nakijken.

Zodra ze het tweetal de rug had toegekeerd, hoorde ze dezelfde geluiden weer. Ze draaide zich vliegensvlug om. Dit keer was er geen vergissing mogelijk. Niet alleen hoorde ze een stem die alleen van de jongen kon zijn, maar hij keek de vrouw recht in de ogen, van een paar centimeter afstand. De lerares ging op haar knieën naast hen zitten. Wat ze hoorde, verbijsterde haar volkomen.

'Mijn naam is Michelangelo,' zei de jongen volkomen duidelijk tegen de jonge vrouw. Hij griste de potloden uit haar handen en begon cirkels binnen cirkels te tekenen. Toen gaf hij de vrouw een potlood terug. Ze vulde de cirkels op met rood, toen blauw, toen groen, al naar gelang de jongen de potloden in haar uitgestrekte hand legde, als een chirurg die een scalpel aangereikt krijgt. Mevrouw Robinson was met stomheid geslagen. Ze zei niets, bang als ze was dat ze het wonder dat zich voor haar ogen voltrok, kapot zou maken. Tijdens haar lange loopbaan als onderwijzeres had ze wel meer autistische kinderen meegemaakt. Ze wist precies wat Raymonds handicap was en welke beperkingen hem daardoor waren opgelegd.

'Hier,' zei Raymond tegen de vrouw. Hij trok een oranje plastic ring in de vorm van een pompoen van zijn pink af.

De vrouw deed alsof dit een normale gang van zaken was, trok prompt een ring van haar eigen vinger en schoof hem aan die van Raymond. Even nonchalant schoof ze de pompoenring aan haar pink en ging ze door met kleuren. Raymond liet meteen een stralende glimlach zien, een glimlach die kleine speekselbubbeltjes veroorzaakte in zijn mondhoeken. 'Ik hou van je,' zei hij door de bubbeltjes heen.

'Ik hou ook van jou,' zei de vrouw. Haar blik gleed in een zachtvloeiende beweging naar de zijne en toen sloeg ze haar ogen weer neer. 'Maar ik moet nu gaan.' Terwijl de onderwijzeres toekeek, nog steeds op haar knieën op de grond naast hen, stond de vrouw op, klopte het stof van haar broekspijpen en liep het klaslokaal van de zondagsschool uit.

De ogen van de onderwijzeres vlogen van de vrouw naar Raymond. Aan de andere kant van het lokaal zaten de kinderen elkaar gillend en krijsend achterna. 'Raymond,' zei ze. 'Kun je me horen? Begrijp je wat ik zeg? Je hebt gesproken. De Heer zij gezegend. Je hebt toch gesproken?'

'Ja,' zei hij rustig en hij keek haar diep in de ogen.

'O, Raymond!' riep mevrouw Robinson uit. 'Je kunt praten. Je kunt me horen.' Weinig of geen autistische mensen kijken je ooit recht in de ogen. Dit was een enorme stap vooruit, dacht Mildred, een spectaculair bewijs van goddelijke tussenkomst. Het móest een wonder zijn, vooral omdat het in een kerk was gebeurd, in Gods huis, op haar eigen zondagsschool.

Opeens zag ze Raymonds hand met aan zijn vinger de ring die er waardevol uitzag: een kleine robijn omgeven door diamanten. Het hart van de onderwijzeres sloeg een slag over. Ongeacht wat er was gebeurd, ze mocht de jongen zoiets kostbaars niet laten houden. Ze stond op en liep weg om de vrouw te zoeken, nadat ze de ring zachtjes van Raymonds pink had getrokken. 'Ik kom zo terug,' zei ze tegen hem. 'Blijf maar mooi kleuren. Ik ga je ouders halen.'

De vrouw was verdwenen. De onderwijzeres zocht het hele gebouw af, maar kon haar nergens vinden. Met de ring in haar vuist geklemd ging ze meneer en mevrouw Gonzales waarschuwen, alsmede de dominee en een paar diakens van de kerk en nam hen mee naar het klaslokaal om getuige te kunnen zijn van het wonder.

Gedurende de zes maanden die daarop volgden, ging Raymond met sprongen vooruit. Hij sprak: eerst in losstaande zinnen van een paar woorden en daarna in goed samengestelde volzinnen met werkwoorden en bijvoeglijke naamwoorden. En hij tekende. Cirkels werden voorstellingen: bomen, wolken, gras, bloemen. Van potloden ging hij over op het pastelkrijt dat een lid van de kerk had gedoneerd. Daarmee maakte hij prachtige tekeningen van pastorale scènes met subtiele kleuren. De scènes waren bijna bovennatuurlijk en adembenemend mooi. De geestelijken van de kerk, zijn ouders en hun vrienden en familie waren allemaal stomverbaasd.

Aangezien ze niet wisten hoe ze de vrouw moesten achterhalen om haar de ring terug te geven, werd besloten dat hij van Raymond was. Ze had hem aan Raymond gegeven, dus mocht hij hem houden. In het begin werd er nog gesuggereerd dat ze de ring beter konden verkopen en het geld gebruiken voor Raymonds schoolopleiding en toekomstige geneeskundige behandelingen, maar meneer en mevrouw Gonzales wilden daar niets over horen. Ze waren de vreemde vrouw gaan beschouwen als een afgezant van God, als een bezoek van de Maagd Maria, en voor hen was de ring het tastbare bewijs van het bestaan van het goddelijke.

De kerk was met al haar leden, zelfs Mildred Robinson, weliswaar bijzonder verheugd dat Raymond opeens genezen leek en zich zo snel ontwikkelde, maar deed de zaak algauw af als een vreemde kronkeling in het onbekende ziektebeeld van het autisme. Er was bij Raymond gewoon iets geklikt.

Hij droeg de ring iedere dag: naar school, onder de douche, in bed. Zijn ouders hadden de binnenkant ervan omwikkeld met plakband, zodat hij strakker kwam te zitten en Raymond hem niet zou verliezen. Raymond tekende en schilderde als een bezetene.

Na twee jaar stond hij met lezen en schrijven bijna op hetzelfde niveau als zijn leeftijdgenoten. Aangezien hij op een gewone, openbare school zat, was die vooruitgang opmerkelijk. Maar de snelle vooruitgang in taal en rekenen was niets vergeleken bij zijn ontwikkeling als artiest.

Raymond werd, zij het nog in beperkte kring, nu al beschouwd als een groot schilder. Veel van zijn excentrieke schilderijen hingen in de klaslokalen en op de gangen van de school, ingelijst en achter glas, met zijn handtekening onder in de hoek.

Op zijn achttiende kreeg Raymond een beurs voor het beroemde Willard Art Institute. De ring met de robijn en de diamanten was groter gemaakt toen hij krap begon te zitten en Raymond deed hem nog steeds nooit af. In het begin zei hij dat hij zich de vrouw helemaal niet herinnerde, noch de oranje pompoenring die hij haar had gegeven, maar na een aantal jaren kreeg haar gezicht een vaste plaats op zijn schilderijen.

Raymond schilderde nu geen landschappen meer, maar mensen, en in het bijzonder de roodharige vrouw in het T-shirt van de California Angels.

1

15oktober 1994: De gangen van de Thomas Jefferson Middle School in Santa Ana waren leeg. Na het oorverdovende lawaai van honderden luidruchtige tieners die aan het eind van de dag duwend en stompend de deur uit waren gedromd hing er een onheilspellende stilte. De bewaker van de school, Adam Leonard, een robuuste man van achter in de twintig die aan een avondstudie bezig was omdat hij zelf ook het onderwijs in wilde, stond bij de voordeur geduldig op de laatste leerkrachten te wachten. Toen hij de tengere, fijngebouwde vrouw met het rode haar zag aankomen, rechtte hij zijn schouders en streek hij snel met een hand zijn haar glad. Hij wist dat ze getrouwd was en het was ook niet zijn bedoeling indruk op haar te maken, maar Toy Johnson had iets, iets unieks waardoor ze anders was dan de andere leerkrachten. Het waren niet alleen de leerlingen die beïnvloed werden door haar charisma en doelbewustheid. Bijna iedereen die met haar in contact kwam, voelde het. Wanneer zij in de buurt was, kreeg Adam een vreemde aandrang om rechtop te gaan staan, te glimlachen, en een zachtere en geduldiger toon tegen de leerlingen aan te slaan. Aan de ene kant deed het hem goed wanneer ze in de buurt was en aan de andere kant gaf ze hem, en niet alleen hem, het gevoel dat hij tekortschoot, dat hij niet genoeg deed.

Hij bekeek haar vanuit een ooghoek toen ze, druk pratend met een collega, langzaam zijn richting uit kwam. Haar rode krullen dansten om haar gezicht. Ze deed hem denken aan een fee uit de sprookjesboeken die zijn moeder voor hem had gekocht toen hij klein was. Ze droeg geen make-up en haar gelaatstrekken waren zo zacht en teer dat ze eruitzagen alsof ze met een potlood getekend waren en zó uitgegumd konden worden. In Adams ogen was Toy Johnson zowel ongelooflijk mooi als pijnlijk gewoon. Wanneer ze zich met de leerlingen bezighield, straalde haar gezicht en kregen haar ogen een elektrische, bijna gloeiende tint groen. Maar zodra de kinderen weg waren, zag ze eruit als een gewone jonge vrouw, wel aardig om te zien, maar geen schoonheid naar wie je omkeek.

'Geen wapens vandaag,' zei Toy opgewekt toen ze samen met haar vriendin en collega Sylvia Goldstein bij de dubbele deur aankwam. Op school maakte men graag grapjes over de hechte vriendschap tussen de twee vrouwen, omdat ze uiterlijk zo volkomen verschillend waren. Toy was lang en slank, had een blanke huid en een zachte, zangerige stem, terwijl Goldstein klein en donker was, nooit een blad voor de mond nam en haar mening uitte met een luid, krassend Newyorks accent. Toy droeg meestal eenvoudige katoenen jurken die tot over de knie vielen en die ze, naar hij had gehoord, zelf maakte, terwijl haar vriendin er de voorkeur aan gaf met de mode mee te doen: getailleerde jasjes, broeken, platformschoenen, af en toe een ensemble met een designerlabel. Ze waren zozeer elkaars tegenovergestelde dat veel mensen het komisch vonden dat ze onafscheidelijk waren. Termen als 'Jut en Jul' en de 'Sledge Sisters' waren niet van de lucht.

'Nee, geen wapens vandaag,' antwoordde Adam, Toy's glimlach beantwoordend. 'Maar morgen is er weer een dag.'

'Ja,' zei Sylvia snel. 'Was jij al hier toen dat joch vanuit een flat aan de overkant op ons heeft geschoten?' Ze bleef staan en wees naar een huizenblok. 'Hij stond op dat balkon daar op de tweede verdieping en hield met een geweer de voordeur van de school onder schot.'

De bewaker schudde zijn hoofd. Hij trok een zware ijzeren ketting door de beugels aan de deur en hing er een hangslot aan. 'Ik werk hier pas een half jaar. Dat heb ik dus niet meegemaakt, maar wel die messentrekkerij op het jongenstoilet.'

'Tot morgen, Adam,' zei Toy abrupt. Ze trok aan de arm van haar vriendin om haar mee te krijgen.

'Waarom doe je dat toch?' vroeg ze toen ze naar de parkeerplaats liepen.

'Wat doe ik?' vroeg Sylvia.

'Je weet wel,' zei Toy. Ze bleef staan en hield haar hand boven haar ogen tegen de zon. 'Aldoor over nare dingen praten.'

Sylvia was veel te zwaar voor haar lengte en het grootste deel van dat overtollige gewicht zat rond haar middel. Haar donkere, steile haar hing in pagestijl om haar gezicht, dat daardoor nog dikker leek dan het was en het afgelopen jaar was zich op haar bovenlip een vage snor gaan ontwikkelen. 'Die dingen gebeuren nu eenmaal,' zei ze, haar vlezige gezicht in rimpels trekkend. 'Wat wil je daarmee zeggen?'

'Dat je er niets mee opschiet als je er steeds over praat,' zei Toy ernstig. 'Daardoor creëer je alleen maar negatieve energie. Als je aldoor over nare dingen praat, is het net alsof je ze oproept.'

Sylvia hief haar handen op en liet ze terugvallen tegen haar dijen. 'Negatieve energie?' zei ze sarcastisch. 'En een geweer op iemand richten is niet negatief? Doe me een lol, Toy. Je leeft in een droomwereld. L.A. verkeert in staat van oorlog.'

'Het zijn kinderen,' hield Toy vol. 'Het zijn nog maar kinderen, Sylvia. Kinderen apen na wat ze om zich heen zien en moeten zich aan hun omgeving aanpassen, anders overleven ze het niet.'

'En wat wil je daaraan doen?' vroeg Sylvia. 'Ze allemaal een geweer geven zodat ze op ons kunnen schieten?' Ze zweeg en smakte met haar lippen. 'De meesten hebben trouwens al een vuurwapen.'

'Dat is niet waar,' zei Toy. Ze was niet van plan zich door haar vriendin op stang te laten jagen. Ze had Sylvia Goldstein op de UCLA leren kennen. Sylvia was met haar ouders naar de Westkust gekomen toen ze op de middelbare school zat. Twee jaar geleden had Toy haar eindelijk over weten te halen de spiksplinternieuwe school in een van de luxe buitenwijken te verruilen voor Jefferson. Ze wist dat haar vriendin een goed mens en een toegewijd onderwijzeres was, maar Sylvia was er in tegenstelling tot Toy niet in geslaagd door het harde vernislaagje van de kinderen heen te dringen. De donkere

25

gezichten die haar in de klas aanstaarden, stonden over het algemeen vijandig en veel van de tieners hadden met grote problemen te kampen.

'We moeten ze liefdevol tegemoettreden,' zei Toy. 'We moeten ze laten zien dat we om ze geven, dat we ze aanvaarden zoals ze zijn. De jongen die ze gearresteerd hebben was een leerling van me. Ik ken hem goed. Ik weet wat hij allemaal al heeft doorstaan, wat voor soort leven hij leidt. Hij had het geweer van zijn vader gepikt. Hij was alleen maar een beetje aan het donderjagen en nu zit hij in de jeugdgevangenis.' Ze zweeg en haalde diep adem. 'Ze hadden beter zijn vader kunnen oppakken en opsluiten, want die heeft dat geweer in huis gehaald, maar ik neem aan dat die rustig roofovervallen blijft plegen terwijl zijn zoon ervoor boet.'

'Donderjagen?' zei Sylvia onthutst. 'Neem me niet kwalijk, maar als iemand een geweer op iemands hoofd richt, noem ik dat geen donderjagen.'

'Zie je wel,' zei Toy snel, 'dat is nu precies wat ik bedoel. Kinderen spelen met de dingen die ze thuis voorhanden hebben. Deze kinderen zien thuis wapens, ze groeien ermee op, dus…'

Sylvia onderbrak haar met een grimmig gezicht. 'Doe maar geen moeite, Toy. Ik heb al naar een andere baan gesolliciteerd.'

Toy sloeg haar blik neer en zweeg. Een windvlaag lichtte de zoom van haar gebloemde jurk op, maar ze had er geen erg in. Eerder die week was ze door een groep leerlingen per ongeluk omvergelopen en de schaafwonden op haar knieën waren nog niet helemaal geheeld.

'Hou op,' jammerde Sylvia. Haar gezicht werd rood van ergernis. 'Je geeft me altijd zo'n schuldig gevoel wanneer je dat doet.' Toen steeg haar stem een octaaf. 'Ik kan het niet aan. Ik heb het geprobeerd, maar ik kan het echt niet. Ik wil lesgeven, Toy. Ik wil lesgeven aan normale kinderen uit normale gezinnen die in staat zijn iets te leren. Ik wil geen gevangenbewaarster zijn. Ik wil niet verplicht zijn mezelf tijdens de pauzes in het klaslokaal op te sluiten uit angst dat een van mijn leerlingen me anders zal verkrachten of neerschieten.' Toen ze de teleurgestelde blik van haar vriendin zag, deed ze er nog een schepje bovenop. 'En ik wil ook niet de hele dag naar vreemde talen luisteren. We leven in Amerika. De helft van de kinderen hier spreekt niet eens Engels, maar Spaans of Vietnamees of weet ik wat nog meer.'

'Je moet doen wat je denkt dat goed is,' zei Toy zachtjes. Ze haalde langzaam haar schouders op en sloeg haar ogen op. 'Maar de kinderen mogen je graag, Sylvia, ook al laten ze dat niet altijd blijken. Je bent goed met ze. Je zou hier veel goed kunnen doen.'

Sylvia stak haar vingers in haar haren en trok eraan. Toen ze haar hand terugtrok zaten er een paar haren tussen haar vingers. 'Zie je dat?' riep ze, terwijl ze met haar hand voor Toy's gezicht fladderde. 'Ik hoef niet eens mijn haar uit te trekken van ellende, het valt vanzelf al uit. Als ik nog een maand in deze beerput blijf, ben ik kaal. Het is al erg genoeg dat ik dik ben en gescheiden, maar als ik ook nog kaal word, sla ik nooit meer een man aan de haak.'

Toy moest lachen toen ze zich haar vriendin met een kaal hoofd voorstelde en daarmee was de spanning verbroken. Sylvia lachte met haar mee. 'Ik ga ervandoor,' zei Toy. 'Ik was van plan om nog even bij Margie langs te gaan.'

Sylvia werd meteen weer serieus. 'Hoe is het met haar?'

Toy maakte een schommelend gebaar met haar hand. 'Ze zit momenteel in een remissie, maar ze is zo verzwakt door de chemotherapie dat ze niet naar school kan. Eerlijk gezegd ben ik bang dat ze het niet zal halen als de leukemie weer de kop opsteekt voor ze de kans krijgt om aan te sterken.'

'Geef je haar ouders nog steeds geld?'

Toy verbleekte en begon achteruit naar haar Volkswagen te lopen die een eindje verderop stond. 'Zo af en toe,' zei ze onbehaaglijk, want ze wist waar dit gesprek op uit zou lopen.

'Weet Stephen dat?' vroeg Sylvia.

Toy was bij haar auto aangekomen, maakte het portier open en stapte snel in. 'Tot morgen,' zei ze door het open raampje.

'Hij weet het dus niet,' zei Sylvia met een frons.

Toy startte de motor en stak haar hand op naar haar vriendin, in de hoop dat die bij de auto weg zou stappen, zodat ze kon vertrekken.

'Dit is niet goed, Toy,' waarschuwde Sylvia. Ze hief haar

wijsvinger op alsof Toy een van haar leerlingen was. 'Hij komt er beslist achter. Als ik met zo'n knappe dokter getrouwd was, zou ik het wel uit mijn hoofd laten om mijn huwelijk in gevaar te brengen.'

'Hoor eens,' zei Toy, op luidere toon dan normaal, wat voor haar met schreeuwen te vergelijken was. 'Jij moet doen wat jij denkt dat goed is, net zo goed als ik moet doen wat ik in mijn hart voel.' Ze reed langzaam achteruit waardoor ze haar vriendin dwong opzij te gaan.

'Het is helemaal niet leuk om gescheiden te zijn,' riep Sylvia haar na. 'Neem dat maar van mij aan.'

Toy reed het kleine stukje naar Dorado Street en parkeerde de Volkswagen voor een bescheiden witgepleisterde woning. De verf bladderde af en de voortuin bestond uit een massa welig tierend onkruid. Een kleine Mexicaanse vrouw liep over de stoep met een kinderwagen vol boodschappen en een aantal jongens in oude auto's reed langzaam de straat door terwijl rapmuziek keihard uit de raampjes schalde.

Toy verbaasde zich er weer over dat de wijk in korte tijd zo was veranderd. Santa Ana ligt in Orange County, maar een paar kilometer bij Disneyland vandaan. In het begin had de bevolking uit blanke protestanten bestaan, maar dat was nu helemaal veranderd. Er woonden nu hoofdzakelijk Latijns-Amerikanen, maar er was ook een grote Aziatische gemeenschap die uit Vietnamezen en Koreanen bestond, onder wie veel bootmensen, die hun eigen land ontvlucht waren in de hoop dat Amerika hen een beter leven kon bieden. Toen Toy nog klein was, had er op de snelweg geen bord gestaan met 'Little Saigon' erop, zoals nu.

Ze wilde al uitstappen en naar het huis lopen toen ze zich opeens ontmoedigd voelde en haar hoofd op het stuur liet zakken. Sylvia's woorden echoden in haar hoofd. Ze wist dat haar vriendin gelijk had. Stephen had haar ten strengste verboden de familie Roberts nog meer geld te geven. De vader werkte niet, zei hij, en hij was niet van plan andermans kinderen te onderhouden, vooral omdat Toy en hij geen kinderen konden krijgen. Ze had geprobeerd hem de trieste situatie van het gezin uit te leggen: als de vader vast werk had, zou het gezin niet meer in aanmerking komen voor overheidssteun en zouden ze Margies medische verzorging niet kunnen betalen. En de moeder was er nog erger aan toe dan de vader, want ze leed aan gewrichtsreumatiek en was aan een rolstoel gekluisterd. Ze hadden zelf genoeg onkosten, had Stephen gezegd, en hij had haar herinnerd aan de enorme leningen die hij had moeten afsluiten om zijn studie te betalen, leningen die nog niet waren afbetaald, ook al had hij nu zijn eigen kliniek en was het geld dat hij per maand verdiende in Toy's ogen een klein kapitaal. Waarom konden ze een deel daarvan niet gebruiken om mensen te helpen die er zo hard aan toe waren? Een paar maanden geleden had Stephen een nieuwe Mercedes gekocht. Toen hij ook voor Toy een nieuwe auto had willen kopen, had ze kalmpjes nee gezegd. Ze was dik tevreden met haar tien jaar oude Volkswagen, had ze hem uitgelegd. Er waren kinderen die honger leden. Toy had geen enkele behoefte aan de geur van nieuw leer die hij zo onweerstaanbaar vond, en was met veel minder tevreden dan hij.

Toy snapte niet waarom haar man zo krenterig was wanneer ze andere mensen wilde helpen. De leningen waar hij het altijd over had, stonden nu al tien jaar uit. Daar was toch geen haast bij? Ze gaf dit gezin geen luxueuze dingen, alleen het broodnodige: etenswaren, kleren, onderdak. Wat ze eigenlijk wilde, was dat ze daardoor nieuwe hoop zouden krijgen. Hoop voor een stervend kind. Hoop voor haar toekomst en die van de andere kinderen die nog thuis woonden. Hoop dat ze door een nieuwe, martelende dag heen zouden kunnen komen.

Toy hief haar hoofd op en keek in het spiegeltje. Ze zag een bleke, sombere vrouw die ze niet herkende. Ze moest maar eens wat make-up gaan gebruiken en meer om zichzelf denken. Misschien hadden ze gelijk. Was ze hopeloos idealistisch? Liet ze haar eigen leven door haar vingers glijden in haar pogingen anderen te helpen? Kon ze daarmee ophouden? Ze schudde haar hoofd in antwoord op haar eigen vraag. Sylvia kon op een andere school gaan lesgeven, zelfs helemaal uit het onderwijs stappen als ze dat wilde, maar voor Toy bestond dat alternatief niet. Er was iets dat haar voortdreef, iets dat haar vriendin niet kon bevatten en dat ze haar nog steeds niet had kunnen of willen uitleggen.

Het was voor het eerst gebeurd toen Toy in de eindexamen-klas van de middelbare school zat. De ziekte had onverwachts en scherp toegeslagen. In het begin dacht iedereen dat ze griep had, maar toen haar conditie midden in de nacht opeens erg verslechterde, hadden haar ouders haar in allerijl naar het plaatselijke ziekenhuis gebracht, waar de artsen hadden vast-gesteld dat ze aan pericarditis leed, een ontsteking van het hartzakje. Ze was nauwelijks in het ziekenhuis aangekomen toen ze een hartverlamming kreeg. Haar moeder was er zeker van dat ze het niet zou hebben overleefd als ze niet in het ziekenhuis was geweest op het moment dat haar hart tot stil-stand was gekomen. Maar Toy dacht zelden aan dat aspect van haar ziekte. In Toy's ogen had haar ziekte een doel en dat doel had haar leven radicaal veranderd. In die korte ogen-blikken, toen ze klinisch dood was geweest, had ze zich ener-gieker en vitaler gevoeld dan ooit tevoren. Ze had zich ver-bonden gevoeld met de wereld, de bomen, de wind, de aarde, alsof ze deel uitmaakte van dat alles.

Op dat moment had ze geweten dat er een taak voor haar was weggelegd: voor hulpbehoevende kinderen zorgen.

Terwijl de artsen alles op alles zetten om haar hart weer op gang te krijgen, had Toy zichzelf in een kamer vol kinderen gezien. Een van de jongens had met haar gepraat en zich voor haar opengesteld. Ze herinnerde zich de pijn en eenzaamheid die om hem heen knisperden. Ze had het gevoel gehad dat hij gevangenzat op een plaats waaruit hij niet kon ontsnappen. Voor de droom ten einde was gekomen, had Toy de aanwe-zigheid van grenzeloze hoop en onbegrensde schoonheid ge-voeld, met zulke ontzagwekkende afmetingen en van zo'n reikwijdte dat ze het nooit zou vergeten en er hoogstwaar-schijnlijk haar hele leven naar zou blijven zoeken. Ze wist niet wie de jongen was, maar ze was er zeker van dat ze hem op de een of andere manier had geholpen.

Het vreemde van de zaak was dat Toy van haar uitstapje naar die andere wereld was teruggekeerd met iets tastbaars: de ring die ze op haar zestiende verjaardag van haar ouders had gekregen, was verdwenen en ze herinnerde zich heel dui-delijk dat ze die in de droom aan de jongen had gegeven. In plaats daarvan droeg ze een plastic ring, het soort dat men in dozen cornflakes stopte, en het waardeloze prulletje werd meteen haar dierbaarste bezit. Wanneer ze het moeilijk had, ging ze naar de badkamer en haalde ze de ring uit de onderste la waar haar toiletartikelen lagen. Dan deed ze hem om haar vinger en wachtte ze. Ze wist nooit waar ze op wachtte, misschien om teruggevoerd te worden naar dat moment. Voor Toy was de ring als een talisman die op een mysterieuze wijze uit de hemel was gevallen. Er moest een betekenis achter zitten, een mystieke bijbetekenis. Ze was ermee teruggekomen van de rand van de dood. Ze wist niet hoe en ze wist niet waarom, maar ze wist dat ze zich altijd meteen beter voelde, kalm en vredig, wanneer ze de ring omdeed. En wanneer ze de oranje plastic pompoenring dan weer afdeed en in de la teruglegde, had ze het gevoel dat ze de hele wereld aankon.

Haar ouders waren zo blij geweest dat hun dochter de angstaanjagende beproeving had overleefd, dat ze het vreemde incident hadden afgedaan als iets onbelangrijks. Ze hielden het erop dat de ring in de verwarring verloren was geraakt, misschien zelfs door het personeel op de eerstehulpafdeling van haar vinger was gehaald. Maar Toy wist dat het niet zo was gegaan. Ze had in kritieke toestand verkeerd toen ze bij het ziekenhuis was aangekomen en was regelrecht naar het team van artsen gebracht dat haar had behandeld. Ze was er zeker van dat ze de ring om had gehad, en ze was er net zo zeker van dat haar die avond iets wonderbaarlijks was overkomen, iets dat ze niet kon uitleggen noch volledig bevatten. In de jaren die daarop volgden had ze veel gelezen over de ervaringen van mensen die klinisch dood waren geweest en over fenomenen die daarmee te maken hadden, om te zien of haar eigen ervaring ermee te vergelijken was, maar in de artikelen en autobiografieën die ze las hadden de mensen allemaal visioenen van Christus gezien, of lange tunnels en verblindend licht. Sommigen beweerden dat ze overleden familieleden en geliefden hadden gezien.

Het enige wat Toy had gezien, waren kindergezichten.

Ze maakte zich los uit haar gedachten, deed het portier open en liep over het pad naar de voordeur. Het was de vijftiende van de maand. Toy wist dat de rekeningen die op de eerste van de maand waren binnengekomen nog niet betaald waren en nu over tijd waren. Als het gezin morgen de huur niet betaalde, werd het uit het huis gezet. Een zwaar ziek kind had geen schijn van kans in een smerig, overvol opvanghuis waar hoofdzakelijk alcoholisten en geestelijk gestoorden zaten. Toy had ooit een groot gezin in een opvanghuis laten opnemen en later tot haar ontsteltenis gehoord dat de jongste zoon uit het gezin was gemolesteerd. Ze wilde niet dat Margie of een van haar broers of zusjes zoiets zou overkomen. Dit gezin had het al moeilijk genoeg. Wat ze nodig hadden was een kans om uit hun benarde situatie los te komen, maar Toy wist niet bij wie ze daarvoor konden aankloppen, behalve bij haar.

Voor ze aanbelde maakte ze haar portefeuille open en keek ze in haar chequeboekje wat het saldo van haar rekening was. Ze verweet zichzelf dat ze niet naar de bank was gegaan. Stephen zou er onherroepelijk achter komen dat ze een cheque had uitgeschreven. Ze had contant geld moeten halen. Met een verslagen gevoel klapte ze de portefeuille dicht. Maar ze liet zich niet van haar besluit afbrengen en belde aan. Als Stephen een nieuwe Mercedes belangrijker vond dan een mensenleven, moest hij haar maar inruilen voor een opzichtiger model.

Ze kon haar kapsel voor hem veranderen en het zich zelfs laten aanleunen dat hij dure japonnen voor haar kocht voor de exclusieve feestjes die zijn collega's en hun vrouwen gaven, maar ze kon niet veranderen wat ze in haar hart voelde.

Toy was eerder thuis dan haar man en liep snel naar de keuken om het eten op te zetten, nadat ze haar schoenen in de hal had uitgedaan en op het matje gezet dat daar speciaal voor dat doel lag. Stephen had het huis per se in zwart met wit willen inrichten en het was een heidens werk om de dikke vloerbedekking te onderhouden. Toen ze op haar blote voeten door de woonkamer liep en de laag stof op de glanzende, zwarte oppervlakten zag, vroeg ze zich af of ze tijd zou hebben om de boel te stoffen voor haar man thuiskwam. Soms, wanneer ze echt kwaad op hem was, had ze zin om een pot inkt op dat witte tapijt om te keren en het zwartgelakte meubilair met een vleesmes te bewerken. Ze haatte haar huis. Ze wilde een thuis, een gezellig, gerieflijk huis dat warmte uitstraalde, in plaats van deze steriele, strenge architectuur. Ze wilde hier en daar gezellige spulletjes neerzetten, ze wilde meubels van warm hout met gekleurde bekleding, maar Stephen hield niet van snuisterijen en had een hekel aan felle kleuren. Ze had ook een hond gewild, maar Stephen zei dat dat geen doen was vanwege de witte vloerbedekking.

Soms had ze het gevoel dat ze in een operatiekamer woonde.

In de witte keuken schilde ze een paar aardappelen en begon ze die op de snijplank in blokjes te snijden, maar in gedachten was ze nog bij Margie en de korte tijd die ze samen hadden doorgebracht. Het kankergezwel was verdwenen en het meisje maakte het nu goed, maar ze was zo teer, zo verzwakt dat ze niet eens haar bed uit kon. Vandaag had ze haar angsten onder woorden gebracht. Ze had met Toy over de dood gepraat en over haar gevoel dat ze eerdaags zou sterven.

'Maar je wordt al beter,' had Toy volgehouden. Ze was op de rand van het bed gaan zitten. 'Je gaat niet dood, Margie. Je zult dit te boven komen en een heerlijk leven krijgen.'

'Dat denk ik niet,' had ze zachtjes gezegd. 'Ik voel het. Ik weet dat hij op me wacht.' Het meisje had haar stem tot een fluistering laten dalen en haar hoofd dicht bij dat van Toy gebracht. ''s Nachts, wanneer iedereen slaapt,' zei ze, 'is het net alsof ik hem bij mijn bed zie staan. Het is net een grote, donkere schaduw die naar me staat te kijken.'

'Dat is je angst,' zei Toy op zachte, sussende toon. 'Dat is niet de dood, Margie. De dood is mooi en pijnloos, een soort tovertruc. Snap je? Wat moeilijk voor ons is, is het leven. De dood is onze beloning.'

'Dat weet ik wel,' had het meisje zwakjes geantwoord. 'Dat heb je me al eens verteld, maar ik geloof er niet in.' Ze hield op met praten en keek uit het raam naast haar bed. Even later keek ze weer naar Toy. 'Ik heb een cadeautje voor je. Het is eigenlijk een kerstcadeautje, maar ik wil het je nu alvast geven.'

'Bewaar het maar,' zei Toy. 'Ik maak het liever samen met jou open op eerste kerstdag. Ik heb je immers beloofd dat ik dan bij je kom? Net als vorig jaar.'

Het meisje klemde haar lippen op elkaar en schudde haar hoofd. Ze hoefde Toy niet te vertellen wat er in haar hoofd omging: dat ze de kerst niet zou halen, dat het dan voor haar allemaal voorbij zou zijn.

'Zulke dingen moet je niet denken,' zei Toy snel. Zachtjes streelde ze Margies magere arm. 'Ik heb je nog niet verteld wat ik laatst heb gedroomd. Ik droomde dat ik je in een prachtige witte jurk zag, een bruidsjurk. En weet je wat?' zei ze. 'Je was de mooiste bruid die ik ooit heb gezien.'

Het meisje likte over haar droge, gebarsten lippen en haar stem klonk amechtig toen ze zei: 'Pak het cadeautje nu maar. Het ligt boven op de kast.'

Zich losmakend uit haar gedachten liet Toy het mes op het aanrecht liggen en liep naar de slaapkamer, waar ze het pakje openmaakte dat het meisje haar had gegeven. Liefdevol betastte ze wat er in zat. Margie had haar een baseball-shirt met California Angels erop gegeven, precies zo een als ze had aangehad toen ze die avond ziek was geworden. Ze was destijds met haar vriend naar een wedstrijd van de Angels geweest en hij had het T-shirt voor haar gekocht. Toy had het later als pyjama gebruikt. Wat toevallig, dacht ze, dat Margie haar hetzelfde T-shirt had gegeven. Maar, dacht ze, ze had het natuurlijk niet speciaal voor haar gekocht. Ze had het waarschijnlijk van iemand gekregen en had het op haar beurt aan Toy willen geven. Opeens had ze zin om het aan te doen. Ze trok haar jurk uit en hing die in de kast. Toen trok ze het T-shirt over haar hoofd en haalde ze een verschoten spijkerbroek uit de kast. Toen ze op haar blote voeten terugliep naar de keuken, moest ze opeens denken aan de pantoffels die ze had aangehad toen ze naar het ziekenhuis was gebracht en vond ze het jammer dat ze die niet meer had. Het waren van die malle pantoffels geweest die de vorm van dieren hadden. Die van haar waren pinguïns geweest. Ze besloot volgende week van die pantoffels voor Margie te kopen. Dat zou ze wel leuk vinden en momenteel was een glimlach van het meisje goud waard. Toy moest proberen haar op te vrolijken zodat ze niet meer aan de naderende dood zou denken.

'Wat krijgen we nou?' zei Stephen vanuit de deuropening. 'Is het eten nog niet klaar?'

'Nog niet,' zei Toy opgewekt en liep naar hem toe om hem te omhelzen. Toy was een meter zeventig lang, maar haar man torende met zijn een meter negentig boven haar uit. Hij had het pezige, harde lichaam van een atleet, donker haar, donkere ogen en er straalde altijd zelfvertrouwen van zijn knappe gezicht. Ze snoof de muskusachtige geur van zijn after-shave op en wreef haar hoofd tegen zijn borst. 'Heb je een goede dag gehad, lieveling? Ben je moe?'

'Praat me er niet van,' zei hij nors. Hij duwde haar van zich af en rukte zijn stropdas los. 'Weet je nog dat ik drie maanden geleden bij een vrouw de galblaas heb verwijderd? Dat stomme mens heeft me nu aangeklaagd. Ik heb haar leven gered en het enige waar ze zich zorgen over maakt is hoe ze eruitziet in een bikini. Ze vindt het litteken te groot.'

'Wat naar voor je,' zei Toy. Ze kuste hem teder op zijn wang. 'Maak je geen zorgen. Je weet dat de rechters niet van dit soort aanklachten houden.' Maar ze wist dat Stephen goede reden had om zich ongerust te maken. Iedere keer dat iemand een dergelijke aanklacht indiende, ging zijn verzekeringspremie omhoog en de laatste tijd waren die aantijgingen aan de orde van de dag.

'Hoe lang duurt het nog voor het eten klaar is?'

'Een half uurtje,' zei ze. Ze draaide zich om en liet de aardappelen in de pan glijden, terwijl ze haar best deed niet te reageren op de geïrriteerde uitdrukking op zijn gezicht. Toen ze elkaar voor het eerst hadden leren kennen, was hij nog intern arts geweest en de gangmaker op alle feestjes. Hij wist de beste moppen te tappen en maakte Toy altijd aan het lachen. Ze hadden urenlang over hun dromen en plannen zitten praten, over hoe ze van de wereld een mooiere plaats wilden maken. Nu praatten ze bijna nooit meer. Toy wist dat een chirurg geen gemakkelijk leven had. Zelfs wanneer je je uiterste best deed, werd dat door de mensen soms niet gewaardeerd en na verloop van tijd was Stephen stug en gespannen geworden. De zorgeloze jongeman op wie ze verliefd was geraakt, bestond niet meer. Hij was veranderd in een norse, veeleisende man die thuis net als in de operatiekamer de orders uitdeelde. Hij scheen zich nooit meer te kunnen ontspannen. Zelfs wanneer ze de liefde bedreven, bleef de spanning door zijn lichaam stromen.

'Je weet dat ik om zes uur aan tafel wil,' beet hij haar toe.

'Ik moet mijn eten verteren voor ik naar bed ga. Is dat te veel gevraagd?'

'Nee, Stephen,' zei Toy. Ze deed het gas onder de wok aan om de groenten te bereiden. 'Ik ben zelf net thuis. Ik had na school nog iets te doen.'

'Wat dan?'

'Boodschappen,' loog ze. Toen schonk ze hem een stralende glimlach. 'Als je erge honger hebt, wil ik wel wat toostjes voor je maken.'

'Ik eet geen tussendoortjes,' zei hij botweg en verdween.

Vijf minuten later kwam hij terug. 'Er is vandaag iets vreemds gebeurd. Ken jij ene Rachel McGuffin?'

Toy verstijfde. Rachel McGuffin was een van Margies tantes, degene die meestal de cheques incasseerde omdat meneer Roberts geen bankrekening had. 'Hoezo?'

'Waarom geef je niet gewoon antwoord op mijn vraag, Toy?'

Haar ogen gleden door de kamer. 'Welke vraag?' Toen lachte ze. 'Ik dacht dat we zomaar wat praatten. Ik wist niet dat het een ondervraging was.'

'Hou op,' zei hij op luide toon. 'Ken je die vrouw of niet? Ik kreeg vanmiddag een telefoontje van de bank. Die vrouw probeerde een cheque van ons voor zeshonderd dollar te incasseren. Ik heb gezegd dat het waarschijnlijk om een vervalsing gaat.' Toy liet de theedoek op de grond vallen. 'Wat? Hoe heb je zoiets kunnen doen? Stel dat ze haar arresteren! Ik heb haar die cheque gegeven, Stephen. Ze heeft helemaal niets verkeerds gedaan.' Ze liep naar de telefoon aan de muur om de Robertsen te bellen en zich te verontschuldigen voor het misverstand. Ze hoopte tenminste dat de bank de politie niet had gebeld. Maar haar man hield haar tegen.

'Niemand,' zei hij kwaad, 'en daarmee bedoel ik *niemand*, krijgt van mij ook maar een cent zonder dat ik dat goedvind. Is dat duidelijk, Toy? Wie is die vrouw en waarom geef je haar cheques? Vooruit, vertel op.'

Toy's onderlip trilde en ze zag spierwit, zo wit als de muur achter haar. Ze had een hekel aan ruzie en onaangename situaties als deze. Iedere keer dat Stephen en zij ruzie kregen, liep ze de kamer uit en ging ze in de slaapkamer zitten wachten tot hij was afgekoeld. Ze verhief zelden haar stem en kon fricties niet uitstaan. Maar dit keer kon ze er niet omheen. De tijd was aangebroken om spijkers met koppen te slaan.

'Het is niet alleen jouw geld,' zei ze zonder haar ogen neer te slaan voor zijn strenge blik. 'Ik verdien ook. Het geld dat je vandaag op je geliefde bankrekening hebt weten te houden, was bedoeld om Margie Roberts uit een opvanghuis te houden. Maar daar komt ze dank zij jou nu misschien toch in terecht.'

Hij hief zijn handen op. 'Ik had het kunnen weten,' zei hij. 'Die verdomde Robertsen weer. Snap je nu werkelijk niet dat ze misbruik van je maken, Toy? Hoe kun je zo naïef zijn?'

Ze liet zich niet uit het veld slaan. 'Hoe kun jij zo harteloos zijn?'

'Dat slaat nergens op,' beet hij haar toe. Ze voelde zijn hete adem op haar gezicht. 'Ik verbied je die mensen nog een keer geld te geven. Geen rooie cent krijgen ze meer. Jij zorgt voor het huishouden, ik zorg voor het geld. Dat heb ik je al verteld voor we zijn getrouwd.'

Toy liep met grote stappen naar het gasfornuis en deed het vuur onder de pannen uit. Zo dadelijk begon hij weer te zeuren dat er 'maar één baas in het gezin kon zijn'. Toy kwam tot de conclusie dat de psychologen gelijk hadden. Iedereen probeerde zijn ouders te evenaren, of het nu goede ouders waren of niet. Stephens vader was ook chirurg geweest en had met ijzeren vuist over zijn gezin geregeerd. Ondanks dat Stephen in opstand was gekomen tegen de strenge regels en dominerende houding van zijn vader, voelde hij zich nu gedwongen op dezelfde manier over zijn eigen huishouding de baas te spelen.

Ze pakte haar tas en liep langs hem heen naar de deur.

'Waar moet dat heen?' vroeg hij autoritair.

'Ik ga ze een nieuwe cheque brengen. Ze moeten vanavond de huur betalen. Ze zijn al een keer bijna uit hun huis gezet.'

'Dat is niet jouw probleem,' zei hij. Hij liep achter haar aan naar de voordeur.

'Het is het probleem van de hele maatschappij,' zei Toy. Ze draaide zich om en keek hem aan. 'Wanneer een kind ziek is en hulp nodig heeft, zijn we daar allemaal verantwoordelijk voor. Jij bent arts, Stephen. Ik dacht dat je dat wel wist.'

Hij greep haar arm en kneep er zo hard in dat ze haar gezicht vertrok. 'Als je nu weggaat, Toy... dan... dan hoef je niet meer terug te komen.'

Opeens voelde ze zich alsof ze in een angstaanjagende cocon van stilte zat. Stephen had de televisie aangezet toen hij thuis was gekomen, maar ze hoorde die niet. Buiten reden auto's langs, maar die hoorde ze ook niet. Het enige wat ze hoorde was haar eigen hart dat in haar borst klopte. Op fluistertoon zei ze: 'Meen je dat echt?'

'Ja, dat meen ik echt,' siste hij. 'Ik ben niet van plan de hele stad te onderhouden.' Hij begon vlak voor haar heen en weer te lopen. 'Ik was vanochtend om vijf uur al in de operatiekamer en weet niet of ik vanavond niet weer wordt weggeroepen. Ik werk hard voor mijn geld. Dit soort mensen... zijn parasieten... leeglopers. Ze laten anderen voor hun onkosten opdraaien. Daar gaat het in dit land naar toe: mensen die van andere mensen verwachten dat ze hen onderhouden. Nou,' zei hij, een hoge borst opzettend, 'van mijn bankrekening blijven ze af en ik wil niet hebben dat ze mijn vrouw uitbuiten. Ik wil het gewoon niet hebben!'

Hij hield op met ijsberen en vond zijn zelfbeheersing terug toen hij de ontdane blik op het gezicht van zijn vrouw zag. Toy draaide altijd bij, dacht hij, ervan overtuigd dat hij het probleem had opgelost. 'Snap je het nu?' zei hij op normale toon. 'Het komt gewoon omdat we geen kinderen kunnen krijgen. Je hebt een soort psychose ontwikkeld wat kinderen betreft. Net als die rare dromen waar je het altijd over hebt, waarin je je inbeeldt dat je allerlei kinderen voor de vreselijkste dingen behoedt. Ik geloof dat je aan een vorm van hysterie lijdt. Misschien moet je je onder behandeling laten stellen.'

Toen Stephen eenmaal zijn kliniek had geopend, had hij gezegd dat hij nu graag kinderen wilde. Maar Toy kon geen kinderen krijgen, al was er geen lichamelijke oorzaak voor haar onvruchtbaarheid. Dat had haar man grondig laten onderzoeken. Ze was helemaal binnenstebuiten gekeerd. Ze had zelfs een onderzoeksoperatie moeten ondergaan. Stephen had ook zichzelf laten onderzoeken. Alles was in orde. Zijn sperma

was normaal. Dus moesten ze gewoon wachten. Op een gegeven moment, had de specialist gezegd, kwam het vanzelf.

'Dat is dus geregeld. Kunnen we nu eten?' zei Stephen. Hij
liep naar de keuken. 'Ik heb honger.'

Bij de deur van de keuken bleef hij staan en keek hij om.
Hij verwachtte Toy achter zich te zien, maar de voordeur stond
open en een kille wind blies naar binnen en deponeerde een
paar dorre blaadjes in de marmeren hal.

2

Tegen negen uur had Toy een nieuwe cheque afgegeven bij
de Robertsen en zat ze bij Sylvia Goldstein thuis in Mission
Viejo, dat een half uur rijden ten zuiden van Santa Ana lag.
Toy woonde zelf een paar kilometer dichter bij de school, in
Laguna Beach, in een veel welgesteldere buurt. Haar huis was
een vrijstaande villa, terwijl haar vriendin in een wijk met niet
te dure rijtjeshuizen woonde. Maar Toy voelde zich bij Sylvia
altijd op haar gemak. Het was er een rommeltje en iedere
beschikbare plek stond vol souvenirs en foto's. Sylvia had
twee Siamese katten die zich neervlijden waar ze wilden plus
een zwarte kat die ze Simon had gedoopt en die nu op de
rugleuning van Sylvia's stoel zat.

'Ik kan er niet mee ophouden,' zei Toy. Tranen stroomden
over haar wangen. 'Ik wil niet dat ze Margie in een opvanghuis
stoppen. Ze heeft misschien nog maar een paar maanden te
leven. Dat kan ik haar toch niet aandoen?'

'Waarom laten ze haar niet in een ziekenhuis opnemen?'
vroeg Sylvia.

'Omdat ze in remissie is. Ziekenfondspatiënten worden alleen opgenomen wanneer de ziekte actief is.'

'Dat wist ik niet,' zei Sylvia langzaam. Ze had haar handen
om een mok dampende koffie gevouwen en zat op de leren
bank tegenover Toy. Ze was gekleed in een zwart trainingspak
en gymschoenen omdat ze op het punt had gestaan naar haar
aerobicsklas te gaan toen Toy opeens in tranen op de stoep
had gestaan met de mededeling dat ze nergens naar toe kon.
'Is het nooit bij je opgekomen dat hij gelijk heeft?' zei ze. 'Het

40

gaat niet alleen om Margie, Toy, en dat weet je best. Ik zie je iedere dag in dat malle plastic ding dat je een portemonne noemt, duiken. Je geeft je geld weg alsof het snoepgoed is. Waarom denk je nooit eens om jezelf? Hoe oud zijn die schoenen? Je hebt die oude, zwarte instappers al zolang ik me kan herinneren. Volgens mij had je ze op de universiteit al.'

'Ik geef niet zomaar geld weg,' zei Toy verdedigend, haar tranen wegvegend met de rug van haar hand. 'Ik geef ze geld voor jassen en schoenen, dingen die ze nodig hebben voor school.'

Sylvia leunde naar voren en zette de mok op de lage tafel. 'Jassen? Dit is Californië, Toy. Er zal hier heus niemand doodvriezen. Als we nou in Idaho woonden, waar je twee meter sneeuw hebt, dan zou ik er nog in kunnen komen.' Ze zakte weer achterover op de bank en lachte meesmuilend, met haar onderkin op haar borst. 'Als ik me niet vergis heb je Jesus Fernandez laatst geld gegeven. Had hij je met een zielig gezicht ingefluisterd dat hij een nieuwe winterjas nodig had?'

Toy knikte bedremmeld, strengelde haar vingers in elkaar en legde haar handen op haar schoot.

'En heb je gezien wat hij met jouw geld heeft gekocht? Een leren jas, uilskuiken. Een leren jas is niet iets waar je niet buiten kunt. Een gewone jas of een jack, dat is nog tot daar aan toe. Dat joch is een gangster, Toy. Hij heeft misbruik van je gemaakt.'

'Hij is twaalf,' zei Toy. 'Misschien geeft die jas hem een goed gevoel. Misschien gaat hij nu niet iemand beroven of vermoorden om te krijgen wat andere kinderen hebben.'

Sylvia schudde haar hoofd. 'Je bent een hopeloos geval. Hoe moet het nou met Stephen? Ga je echt niet terug naar huis?'

'Nee,' zei Toy met klem. 'Hij wil me niet. Dat heeft hij vanavond meer dan duidelijk gemaakt.'

'Heeft hij dat letterlijk gezegd?' vroeg Sylvia. Ze hield haar hoofd schuin en keek Toy scherp aan. 'Heeft hij gezegd: "Ik wil je niet meer, Toy"?'

'Niet met zoveel woorden.'

'Net wat ik dacht,' zei Sylvia, in de veronderstelling dat Toy de ernst van de situatie had overschat. 'Hoor eens, Toy, jullie hebben gewoon ruzie gehad. Ga naar huis en verleid hem. Dat lukte bij Sidney altijd.' Ze zag de uitdrukking op Toy's gezicht en voegde eraan toe: 'Nou ja, niet altijd. Gezien het feit dat zijn we gescheiden.' Opeens begon ze te lachen. Het was een heerlijk, rondborstig geluid dat de hele kamer vulde en de lampen leek te laten trillen. 'Kijk toch niet zo sip. Ik maakte vanmiddag maar een grapje. Zelfs als jullie gaan scheiden, heb je zo weer een andere man. Je bent niet alleen mooi, maar nog dun ook. Meer heb je niet nodig. Die lange stelten die bij jou voor benen doorgaan, geven altijd de doorslag.'

'Ik wil geen andere man,' zei Toy. Ze stond op en liep naar het toilet. Even later kwam ze terug met wat toiletpapier om haar neus te snuiten. Toen ze dat had gedaan, vervolgde ze: 'Eerlijk gezegd weet ik niet wat ik wil. Alleen dat ik iets belangrijks wil doen, iets goeds.'

'Ik heb wel papieren zakdoekjes,' zei Sylvia. 'Je hoeft je neus niet in toiletpapier te snuiten.'

Toy keek haar verbaasd aan. 'Het is goedkoper en dunner. Waarom zou ik papier verkwisten? Iedere keer dat je papier gebruikt, wordt er weer een boom geveld.'

'Wauw.' Sylvia rolde met een overdreven gebaar haar ogen ten hemel. 'Dat wist ik niet. Maken ze papier dan van bomen? Waarom heeft niemand me dat ooit verteld?'

Toy trok een gezicht en lachte toen. 'Jij maakt ook overal een grapje van.'

'Je blijft dus logeren?' zei Sylvia. 'Is dat de bedoeling?'

'Als je het goedvindt.'

'Natuurlijk,' zei Sylvia. Met een opgewonden gezicht sprong ze overeind. 'Ik heb een fantastisch idee. Ga mee naar New York voor de bar mitswa van mijn neefje. We hebben maandag en dinsdag sowieso vrij vanwege de districtsvergaderingen, dus als we morgenavond vertrekken, hebben we een heel lang weekend voor onszelf. Ik zie het helemaal zitten. Kun je meteen kennismaken met mijn broer en zijn vrouw, en mijn neefjes en nichtjes. De enige verplichte dag op het programma is zaterdag, de dag van de bar mitswa.'

'Ik dacht dat je met Louise ging,' zei Toy. Het idee om in

een vliegtuig te stappen en ergens naar toe te vliegen was erg aantrekkelijk.

'Die heeft vandaag opeens afgezegd. Ze zegt dat ze zich niet lekker voelt, maar ik weet dat ze liegt. Ze loert al maanden op een tandarts en nu heeft die haar eindelijk mee uitgevraagd. Daarom gaat ze niet mee.' Sylvia zweeg en nam een slok koffie. 'Ik vond het wel een rotstreek. We hebben de tickets al besteld en je krijgt je geld niet terug. Ik wil wedden dat ze je het hare voor een appel en een ei aan je overdoet.'

'Oké,' zei Toy enthousiast. 'Ik ga mee.' Misschien was dit net wat ze nodig had. Als ze er een paar dagen tussenuit ging zouden Stephen en zij allebei tijd hebben om na te denken en alles weer in het juiste perspectief te krijgen.

Sylvia sloeg haar mollige armen om haar vriendin heen en trok haar overeind. 'Joepie! Reken d'r maar op dat we het leuk zullen hebben. We gaan lekker naar Manhattan en ik zal je de hele stad laten zien.'

In plaats van zich uit de omhelzing van haar vriendin los te maken, liet Toy haar hoofd op Sylvia's schouder rusten. Ze was zo moe, zo emotioneel uitgeput. 'Ik hou van je,' zei ze tegen Sylvia. 'Je bent mijn allerbeste vriendin.'

'Jij ook,' zei Sylvia. Ze streelde Toy's haren alsof ze een klein kind was. 'Alles komt best in orde. Laat dat maar aan Sylvia over. Wij gaan pret maken. Laat die opgeblazen druiloor van een man van je maar een poosje over zijn zonden nadenken. Tegen de tijd dat we terug zijn, zal hij je op zijn blote knieën smeken terug te komen.'

'Denk je?' vroeg Toy weifelend.

'Ik weet het zeker,' zei Sylvia en drukte Toy nog steviger tegen zich aan. 'Wie laat een engel als jij nu zomaar gaan? Dan moet je wel stapelgek zijn.' Ze duwde Toy van zich af en keek met een brede glimlach naar haar kleding. 'Je hebt zelfs een bijpassend T-shirt. Nou, engeltje, maak nu je borst maar nat. Vanwege jou kon ik niet naar aerobics en als je nu niet vijf rondjes met me om het blok holt, vergeef ik je dat nooit.'

'Ik weet niet wat ik zonder jou zou moeten beginnen,' zei Toy, huilend en lachend tegelijk.

'Net wat Sidney heeft gedaan: verhuizen, een miljoen dollar verdienen en net doen alsof ik niet besta.' Ze trok aan Toy's arm. 'Vooruit. Tijd om te zweten.'

Toen Toy later de slaap niet kon vatten, bleven de twee vrouwen in het donker op de grond in de woonkamer tot diep in de nacht zitten praten. 'Doet dit je niet denken aan de goeie ouwe tijd op de universiteit?' zei Sylvia. Ze zat een zakje chips te verorberen. 'Wil je ook?' vroeg ze, Toy het zakje toestekend.

'Nee, ik heb geen trek.'

'Je hebt nooit trek. Denk je soms dat hongerige kinderen meer krijgen als jij maar mondjesmaat eet? Af en toe heb ik het idee dat je volkomen geschift bent.' Ze gooide het halfvolle zakje chips opzij, kwaad op zichzelf dat ze er niet af kon blijven. 'Je bent de enige magere persoon die ik vertrouw. Magere mensen zijn vreemd. Ze zitten anders in elkaar dan dikke mensen. Toen ik klein was, was ik nog dikker dan nu. Ik was ervan overtuigd dat alle magere kinderen op school van Mars kwamen of zo. Bij mij in de familie is iedereen dik. Ik wist niet beter.'

'Je bent niet dik,' zei Toy afwezig. Haar gedachten gleden terug naar haar eigen jeugdjaren. 'Heb ik je wel eens verteld dat ik als kind vaak net deed alsof ik een non was?'

'Hoe oud was je toen?'

'Dat weet ik niet meer precies. Een jaar of dertien.'

'Wat deed je dan? Bidden?' Sylvia grinnikte. 'Of liep je de hele dag psalmen te galmen? Vooruit, vertel op.'

'Ik had een soort habijt gemaakt van een groot laken dat ik eerst om mijn hoofd wond en daarna om mijn lichaam, met een koord eromheen. Om mijn nek had ik een groot ijzeren kruis dat ik voor een dollar op de markt had gekocht.'

'Je hebt me nooit verteld dat je ouders katholiek waren,' zei Sylvia. Ze pakte het zakje chips weer, stopte een handvol in haar mond en begon luidruchtig te kauwen. Wilskracht: nul komma nul, dacht ze en vroeg zich af of het zou helpen als ze op de plaats hardliep terwijl ze de chips at.

'Dat zijn ze ook niet,' antwoordde Toy. 'Mijn vader is een agnosticus. Ik ben mijn hele leven maar één keer in een kerk geweest en dat was vanwege een bruiloft. Ik weet niet of mijn moeder gelovig is. Daar praten we nooit over.'

'Wat vonden je ouders ervan toen je je als non verkleedde?

Vonden ze dat niet een beetje vreemd?' En ze voegde eraan toe, ook al wist ze dat ze beter haar mond kon houden: 'Misschien hadden ze je indertijd naar een psychiater moeten sturen, dan was je nu normaal geweest. Onbetrouwbaar en ongeïnteresseerd in je medemensen, zoals iedereen.'

'Ze wisten er niets van,' zei Toy, terugdenkend aan de dag dat haar moeder was thuisgekomen en haar als non had gezien. 'Ik deed het altijd wanneer er niemand thuis was. Toen mijn moeder op een dag onverwacht thuiskwam en me zag, dacht ze dat ik een carnavalskostuum aan het maken was.'

'Waarom wilde je je als non verkleden? Ik heb nooit aandrang gevoeld me als rabbijn te verkleden.'

'Dat weet ik niet,' zei Toy. Ze tilde haar dikke haar weg van haar nek. Het was vochtig en plakkerig. Sylvia was geen voorstander van open ramen. Ze was altijd bang dat er iemand binnen zou komen en haar in haar bed zou vermoorden. 'Ik was nog maar een kind. Het was een spel, net zoals jongens cowboytje spelen. Op de hoek van onze straat was een katholieke kerk en de nonnen droegen toen nog van die ouderwetse habijten. Ik verstopte me vaak in de struiken om naar ze te kijken.'

Ze zwegen allebei en algauw kwamen er bij Toy andere herinneringen aan haar jeugd naar boven. Ze was een blijmoedig, onstuimig kind geweest, altijd uitbundig en energiek. Toen ze acht was, besloot ze de koorddansers van het circus na te doen en had ze een waslijn tussen de palen van de schommel gespannen. Ze was er voorzichtig opgestapt, met haar armen uitgespreid om zich in evenwicht te houden, maar toen was het touw geknapt. Ze was op de grond gevallen en had haar arm gebroken. Dat was het eerste van een lange reeks ongevallen geweest: gebroken botten, blauwe plekken, verzwikte enkels en wat dies meer zij. Haar moeder noemde haar een kwajongen. Haar vader ging nog verder en noemde haar Roy. 'We hebben je naam verkeerd gespeld, boef,' zei hij. 'We hadden je Roy moeten noemen in plaats van Toy.' Het was trouwens van het begin af aan een vergissing geweest om dit onstuimige meisje Toy te noemen. Als ze al op een stuk speelgoed leek, was dat beslist geen pop. Eerder een draaitol.

Toen Toy nog klein was, had haar moeder een keer tegen

de kerst bij het Leger des Heils een partij kostuums op de kop getikt die iemand had weggedaan. Bijna iedere avond trok Toy 's avonds na het eten een van de kostuums aan en speelde ze toneel voor haar ouders, compleet met tapdans- en balletvoorstellingen. Ze hadden geen geld voor balletles. Haar vader was postbode en haar moeder werkte niet, zodat ze zich niet veel extraatjes konden veroorloven. Toy wist niet eens dat er zoiets als balletles bestond of dat je ergens kon leren wat zij van nature deed.

Maar rond haar dertiende verjaardag begon alles te veranderen. Toy werd stiller en meer in zichzelf gekeerd. Haar moeder nam aan dat het door de puberteit kwam en dat ze zelf aanvoelde dat ze nu te groot was om in malle kostuums door het huis te dansen. Zodra Toy haar huiswerk af had, ging ze naar haar kamer om een boek te lezen of alleen maar te zitten denken, maar ze begon op school ook zo dromerig te worden en het gevolg was dat haar prestaties achteruitgingen. Toen ze in de eindexamenklas ziek werd, was ze niet meer dan een middelmatige leerlinge, maar na haar ervaring in het ziekenhuis had ze zich weer op haar schoolwerk gestort en was ze als een van de besten van de klas voor haar eindexamen geslaagd.

'Denk je dat ik aan een diepgewortelde, verborgen psychose lijd omdat ik het ooit leuk vond om me als non te verkleden?' vroeg Toy na een lange stilte.

'Welnee,' zei Sylvia met halfgesloten ogen. Het zakje chips was inmiddels leeg. 'Weet je wat ik denk? Dat we beter naar bed kunnen gaan om nog een paar uur te slapen. God, ik heb zoveel zout naar binnen gekregen dat ik naar New York zou kunnen zweven als een zeppelin.'

Toy negeerde haar en zei: 'Stephen is geen slecht mens, Sylvia. Hij is alleen een typische chirurg geworden: hij denkt dat hij God is, commandeert me en behandelt me alsof ik minderwaardig ben. Wanneer ik met hem wil praten over iets dat me interesseert, loopt hij weg.'

Sylvia stak haar hand in haar glas ijswater en wreef haar gezicht om wakker te blijven. 'En hoe sta je daar tegenover?'

'Ik vind het niet leuk,' zei Toy. 'Niemand vindt zoiets leuk.'

'Dan is het met je huwelijk gedaan,' verklaarde Sylvia op

gedecideerde toon. Ze hees zich overeind en liep naar haar slaapkamer voor ze op de grond in slaap zou vallen.

Toy voelde zich ellendig en zo leeg, alsof ze vier kiezen had laten trekken. Ze liep achter haar vriendin aan de donkere gang door naar de logeerkamer en liet zich languit op haar buik op het bed vallen.

Waarom was ze van huis weggelopen? Ze had dat nog nooit gedaan, al hadden ze nog zo'n ruzie gehad. Toy geloofde niet in kwaad naar bed gaan en dwong zichzelf altijd om het goed te maken, zelfs als ze zich daarvoor naar de wensen van haar man moest schikken. Het leven was te kort om kwaad te zijn, hield ze zichzelf altijd voor. En bij iedere relatie moest een van de twee compromissen sluiten, zich neerleggen bij de behoeften van de ander. Het kon haar niets schelen als zij die compromissen moest sluiten, zolang Stephen zich niet bemoeide met haar bezigheden.

Maar dit keer was het anders en Sylvia had gelijk. Het ging om meer dan Margie Roberts en de behoefte die ze voelde om goed werk te doen. Stephen had de dromen ter sprake gebracht en wel op zo'n manier dat Toy er nu spijt van had dat ze hem er ooit iets over had verteld. Ze had beter moeten weten, maar hij was nu eenmaal haar man. Hoe kon je getrouwd blijven met iemand die je zo intimideerde dat je ervoor terugdeinsde hem deelgenoot te maken van je intiemste gedachten, je dromen? Ze had altijd gedacht dat dàt het doel was van het getrouwd zijn, maar dat vond haar man blijkbaar niet.

Was ze boos geworden omdat hij iets over de dromen had gezegd? vroeg ze zich af. Nadat ze het aan Stephen had verteld, waren de dromen uitgebleven. Het was nu al meer dan een half jaar geleden dat ze er een had gehad en ze verlangde naar het gelukzalige gevoel dat ermee gepaard ging, het gevoel dat ze het leven van een kind had gered. Ze wist dat het alleen maar dromen waren, fantasieën, hoogdravende waanvoorstellingen, zoals Stephen ze noemde. Ze had hem niet verteld hoe echt ze leken en wat een fijn gevoel ze haar gaven.

Gaf ze Stephen er de schuld van dat de dromen waren uitgebleven? Dacht ze diep in haar hart dat de betovering was verbroken omdat ze het hem had verteld?

Er stond een telefoon in de hoek van de kamer, maar Toy

besloot haar man niet te bellen. Het kon haar niet schelen of ze kinderachtig, dom en naïef was, zoals iedereen zei. Ze wilde toverkunst, wonderen, kant-en-klare oplossingen. Ze wilde leven in een wereld waar nog hoop bestond. Haar oogleden zakten dicht. Ze probeerde zich de details van een van haar dromen voor de geest te halen. Toen dat niet lukte, probeerde ze zichzelf te dwingen een nieuwe droom te creëren. Maar er gebeurde niets, er kwam geen droom en ze kon ook de slaap niet vatten. Haar hart klopte razendsnel en ze kon er niets tegen doen.

Uiteindelijk nam ze een plechtig besluit. Ze zou met Sylvia naar New York gaan en met een schone lei beginnen, een nieuw leven opzetten. In plaats van te proberen één kind te redden, zou ze proberen ze allemaal te redden. Als er wonderen en een goddelijk wezen bestonden, zou ze niet rusten voor ze die had gevonden. Ze had lang genoeg door het ondiepe water van de wereld gewaad. Als het niet anders kon, zou ze er uitstappen. Ze had dat al eerder gedaan, dacht ze, en kon het nog wel een keer doen.

Maar algauw stroomden de tranen over haar wangen en bleef ze ineengedoken liggen, vervuld met woede en zelfverachting. Ze was precies wat iedereen zei: een dwaas, een onnozele hals, een dromer. Hoe kon een intelligente, rationele persoon zulke belachelijke dingen bedenken? Waarom dacht ze in vredesnaam dat ze in haar eentje wonderen kon verrichten? Misschien had Stephen gelijk en was ze niet belangrijker of opvallender dan een vis die te midden van miljoenen andere vissen tegen de stroom in probeerde te zwemmen.

Toen dacht ze aan alle kinderen, die geen eten en geen huis hadden, geen ouders die voor hen zorgden. Kinderen die aan afgrijselijke ziektes doodgingen zoals de kleine Margie Roberts, en zoveel pijn moesten lijden. In de halfdonkere kamer zag ze hun trieste ogen smekend naar haar kijken. En vanuit het middelpunt van haar ziel hoorde ze hun zwakke stemmetjes huilen. Gezichten die ze op het nieuws had gezien filterden door haar geest: kinderen die afgeslacht waren bij zinloze gewelddaden. Hoe kon je als intelligent, rationeel mens toekijken en niets doen terwijl de wereld langzaam ten onder ging?

Ze was niet krankzinnig, besloot ze. Degenen die net deden of ze het niet zagen, waren krankzinnig. Bij die gedachte kon ze zich eindelijk ontspannen en viel ze binnen een paar seconden rustig en vredig in slaap.

3

Francis Hillburn was lang en had geen grammetje overtollig vet op zijn lichaam. Hij beschouwde zichzelf als dè ontdekker in de wereld van de kunst, een man die veel onbekende jonge artiesten begeleid had op hun weg naar erkenning en roem. Hij was midden veertig en kleedde zich onveranderlijk in het zwart. Zwart overhemd, zwarte broek, een smalle, zwarte, zijden das. Zijn haar was ooit lichtbruin geweest, maar hij liet het nu al een paar jaar bleken tot bijna wit. Hij droeg een metalen bril en in zijn linkeroor prijkte een diamanten oorknopje.

Hij had Raymond Gonzales een jaar of twee geleden ontdekt, toen die nog aan de kunstacademie van Dallas studeerde, en had meteen beslist dat de jongeman beter naar New York kon komen zodat hij, Hillburn, niet alleen toezicht kon houden op zijn werk, maar ook zijn manieren kon bijschaven en hem helpen zijn techniek te perfectioneren. Het was echter niet zo gegaan als Hillburn had gewild en nu stond hij op de zolderverdieping in TriBeCa die zijn eigendom was, en stelde hij Raymond een ultimatum. 'Ik heb nooit gezegd dat je hier eeuwig kon blijven wonen,' zei de agent tegen de artiest terwijl hij zijn ogen over de doeken liet glijden die tegen de muren stonden. 'We hadden afgesproken dat je hier kon wonen tot je eerste tentoonstelling, maar hoe kan ik een tentoonstelling van je werk organiseren als ik niets anders heb dan vijftien vrijwel identieke schilderijen?'

Raymond staarde voor zich uit en zei niets.

'Goed,' zei Hillburn met een zuur gezicht. Hij duldde Raymonds sombere buien en langdurige stiltes nu al twee jaar. Hij had er geen idee van wat de jongen mankeerde, maar als hij niet snel veranderde, zou hij hem afstoten. 'Ben je doof?' zei hij op luide toon. 'Dat heb ik je allang willen vragen.'

Ook daarop kreeg hij geen antwoord.

'Je hebt nog drie dagen de tijd,' zei Hillburg botweg. 'Als je in die drie dagen niet iets nieuws produceert, of in ieder geval aan een ander onderwerp begint, zul je een ander atelier moeten zoeken. Ik heb een artiest uit Frankrijk op het oog, die ik hierheen wil halen.'

Raymond zat er niet aan te denken waar hij heen moest of hoe hij zich in leven kon houden als Hillburg hem dwong de zolderverdieping te verlaten. De knappe, donkere jongeman met de gekwelde ogen staarde naar de grond en dacht aan de vrouw, haar rode haar, haar stralende groene ogen. Hij zag haar weer zoals ze languit op de vloer van de zondagsschool had gelegen, met haar zachte, engelachtige gezicht, haar kin op haar ene hand en een groen potlood in haar andere hand. Raymond wist niet wat er die dag precies was gebeurd. Hij wist alleen dat hij wou dat hij haar kon vinden. Ze beheerste zijn wezen volkomen. In al zijn schilderijen keerde ze terug. Het maakte niet uit wat hij van plan was geweest te schilderen wanneer hij een nieuw doek op de ezel zette, want uiteindelijk schilderde hij altijd haar gezicht, haar rode krullen, haar ogen. Hij was zo geobsedeerd door deze vrouw, dit ene monumentale incident in zijn leven, dat zijn creativiteit erdoor werd gesmoord en zijn carrière in gevaar dreigde te komen.

Hij zag een zwarte flits toen Hillburn langs hem heen liep en werd omgeven door de sterke geur van diens eau de toilette.

'Tussen haakjes, Raymond,' zei Hillburn, 'heb je al een pseudoniem bedacht? Als je een nieuw soort schilderij voor me maakt, zal ik volgende maand een tentoonstelling voor je organiseren, maar dan moet je echt een andere naam verzinnen. Raymond Gonzales is te etnisch, te algemeen. Het klinkt niet goed. We moeten iets exotisch hebben, iets mysterieus, iets dat niets onthult.'

'Black,' zei Raymond, die niets liever wilde dan dat de man weg zou gaan en hem met zijn gedachten alleen zou laten.

'Black,' zei Hillburn. 'Niet gek.' Hij speelde met het slotje

51

van zijn oorbel, waardoor de diamant in het rond draaide. Toen hij Raymonds ogen naar de edelsteen zag flitsen, hield hij op met frunniken. Hij kende zijn pappenheimers. Raymond was dol op dingen die het licht weerkaatsten. Hij hield ook van draaiende dingen. En Hillburn had al een paar keer meegemaakt dat hij zich diep in zichzelf had teruggetrokken, volkomen gehypnotiseerd door een eenvoudig object en dat hij wekenlang niet in staat was geweest iets te zeggen of te werken. 'Oké,' zei hij, Raymond met een ruk uit zijn droomwereld losmakend. 'Maar het moeten twee namen zijn. Je kunt jezelf niet alleen maar Black noemen.'

'Stone,' zei Raymond, nog steeds naar de oorbel starend. 'Stone Black.'

'Mmmmm,' zei Hillburn, zijn vlezige lippen getuit. 'Stone Black, zeg je? Dat is niet onaardig. Klinkt goed. Een beetje Indiaans. Mysterieus, sterk, opwindend.'

'Ik moet nu aan het werk gaan,' zei Raymond zachtjes.

'Da's goed, *Stone*,' zei Hillburn met een tevreden glimlach. Dit was een stuk beter. Hun gesprek had wonderen verricht. Raymond zat te popelen om aan een nieuw schilderij te beginnen en hij kon Stone Black veel makkelijker verkopen dan Raymond Gonzales. 'Van nu af aan heet je Stone Black. Zo moet je je nieuwe werk ook tekenen.' Hij staarde nog even naar Raymond en liep toen naar de deur. 'Bel me wanneer je het af hebt,' zei hij. 'Drie dagen. Vergeet dat niet.'

Zodra Hillburn weg was, pakte Raymond zijn jas en holde hij de trap af naar de straat. Het was geen onaardige naam, dacht hij, hoewel hij niet snapte wat zijn naam te maken had met het feit of de mensen zijn schilderijen wel of niet zouden kopen. Symbolisch gezien was het toepasselijk. Raymond vond zelf dat hij gevangen had gezeten in een zwarte steen waar hij niet uit had gekund. De steen was van glas geweest en hij was deel gaan uitmaken van het glas. Hij had de buitenwereld niet kunnen bereiken. In de wereld waarin hij had geleefd vóór de vrouw was gekomen, waren geen mensen geweest, alleen kleuren en vormen.

Hij keek op zijn horloge, schrok en ging sneller lopen want het was al over halfvier en hij moest om vier uur op zijn werk zijn. Onder zijn jas droeg hij zijn werkkleding, een zwarte broek en een wit overhemd en hij had zijn lange, steile haar volgens de voorschriften tot een staartje gebonden. Hij vond het niet erg om als hulpkelner te moeten werken, hoewel hij liever de hele dag zou schilderen. Een hulpkelner hoefde in ieder geval niet met de gasten te praten en niemand bemoeide zich ooit met hem. Een paar minuten later had hij West Street bereikt en zag hij het uithangbord van Delphi Fine Foods. Hij stapte naar binnen en liep meteen door naar achteren. Hij hing zijn jas op, stak zijn kaart in de prikklok en bond zijn schort voor.

'Hallo. Hoe heet je?' vroeg een donkerharig meisje hem toen hij naar de grote zaal van het restaurant wilde lopen om te zien of er een tafel afgeruimd moest worden.

'O,' zei hij verlegen, 'ik ben maar hulpkelner. Die vrouw daar is een serveerster. Misschien kan die u van dienst zijn.'

'O ja?' zei ze met een stralende glimlach. 'Ik ben ook serveerster.' Ze wees op haar uniform en vroeg zich af waarom de knappe jongeman dat niet had gezien. 'Ik ben hier vandaag voor het eerst.' Ze zweeg en stak haar hand uit. 'Sarah Mendleson,' zei ze. 'En jij bent...'

Woorden schenen als bakstenen op hem af te komen en hij had opeens een barstende hoofdpijn. Wat zei ze? Waarom verstond hij haar niet? Soms werd hij gek van zijn ziekte. Hij had dagen dat hij iedereen moeiteloos begreep, dagen waarop alles perfect ging. Maar hij had ook dagen... dagen dat hij zich zo afgezonderd en verward voelde dat hij wou dat hij dood was. 'Ik... ik...' stamelde hij. Hij kon onmogelijk op de juiste woorden komen. Hij kon beter weglopen, besloot hij, dat was het enige wat hij kon doen wanneer hij zo was.

Opeens bereikte een vleugje van haar opvallende geur zijn neus. Ze rook naar chocola en citroen, iets ongelooflijk lichts en verrukkelijks. Hij sloeg langzaam zijn ogen op en keek niet naar haar lichaam maar naar de ruimte eromheen. Groen. Raymond was dol op mensen die een groene aura hadden. Die kleur duidde op gulheid, frisheid, goedheid. Toen hij de vrouw die dag op de zondagsschool had gezien, had ze te midden van wolken groen licht gezeten. Maar dit meisje was niet zijn onbekende vrouw, ook al leek ze een beetje op haar. Lang, zijdeachtig, zwart haar hing op haar rug. Haar lippen waren heldderrood gestift en vormden het middelpunt van haar gezicht, maar haar ogen waren niet opgemaakt, net zomin als de rest van haar gezicht. Een zeer aparte stijl, vond hij. Ze droeg zwarte, hoge schoenen met veters en rubberen zolen, niet erg gebruikelijk schoeisel voor een serveerster.

Hij glimlachte weer en zijn ogen gleden van haar opvallende mond naar haar ogen en zagen nu tot zijn verbazing dat ook die groen waren. Groen. Smaragdgroen, trillend groen. Hij kende die ogen. Hij kende dat groen. Bij de meeste mensen was het niet de moeite waard te proberen met hen te communiceren, maar Raymond voelde opeens een brandend verlangen om te praten met het meisje dat voor hem stond.

Hij staarde haar met een intense blik aan. Sarah Mendleson streek haar donkere haar achter haar ene oor en zag tot haar ontsteltenis dat Raymond het gebaar imiteerde. Om er zeker van te zijn dat ze het zich niet had verbeeld, wreef ze haar handen en zag ze dat hij ook dat gebaar herhaalde. Ze vond hem erg knap om te zien, maar begreep meteen dat er iets mis was. 'Waarom doe je dat?' vroeg ze abrupt. Toen hij haar zonder iets te zeggen bleef aanstaren, voegde ze eraan toe: 'Waarom doe je me na?'

'Dat weet ik niet,' zei hij met een hoge stem die niet de zijne was, maar de hare min of meer imiteerde.

'Kun je praten, kun je me zeggen hoe je heet?'

'Raymond,' zei hij met dezelfde kopstem en toen schudde hij verward zijn hoofd. 'Nee, ik heet Stone.' Hij zuchtte en liet gegeneerd zijn hoofd hangen. 'Sorry.'

'Geeft niets,' zei ze. Ze legde een hand op zijn arm en glimlachte. 'Raymond is een mooie naam en als je het niet erg vindt, zal ik je zo noemen. Stone vind ik nogal vreemd klinken, niet menselijk.'

Voor hij iets kon zeggen liep ze weg om bij een van de tafeltjes de bestelling op te nemen. Hij voelde zich diep ongelukkig. Voor het eerst had hij iemand gevonden die hem iets deed, maar was hij niet in staat geweest met haar te communiceren.

Het had sowieso geen zin, dacht hij triest. Hoe kon hij het haar uitleggen? Hoe kon hij haar vertellen dat hij soms gebaren en stemmen moest lenen om te kunnen praten? Ongeacht wat de geleerden dachten wist hij dat de meeste autisten over spraakvermogens beschikten, maar hun taal was voor normale mensen onbegrijpelijk, omdat die uit fluit- en pieptonen, grommen en andere ongeformuleerde geluiden bestond. Wanneer mensen spraken waren dàt de klanken die Raymond hoorde in plaats van woorden. Als een man in een vreemd land had hij zichzelf geleerd de onbekende woorden en de vreemde geluiden van een normaal gesprek om te zetten in zijn eigen woordenschat. Maar vaak slaagde hij daar alleen in door net te doen alsof hij de persoon was met wie hij sprak en diens stem en lichaamstaal na te doen.

Raymond keek het lieftallige meisje verlangend na. Hij wist dat ze anders was dan de anderen. Hij had al veel meisjes gehad en geleerd van de seks en het lichamelijk genot dat daarmee gepaard ging, te genieten. Maar hij kon geen emotioneel contact met hen krijgen en alhoewel Francis wilde dat hij een ander onderwerp zou zoeken, kon hij die meisjes eenvoudigweg niet schilderen. Ze waren te oppervlakkig, hun gezichten te afgestompt, hun lichaamsgeuren te weerzinwekkend, hun stemmen snerpend en schril. Hoewel ze over het algemeen jong waren, zat er geen leven in hen en waren ze oud voor hun tijd. Hun haar glansde door onnatuurlijke middelen. Hun ogen waren vlak en hadden doffe kleuren. Degenen die erin waren geslaagd het meer dan een nacht bij hem vol te houden, hadden zonder uitzondering een irrationele afgunst ontwikkeld voor het model dat hij steeds opnieuw schilderde.

'Wie is die vrouw?' vroegen ze keer op keer. 'Is ze je vaste vriendin? Waarom kun je mij niet schilderen? Waarom schilder je alleen haar?'

Het duurde niet lang voor ze verdwenen. Meestal was hij blij dat ze weggingen. Hij had het er moeilijk mee wanneer ze zich in zijn wereld bevonden: hun aanwezigheid en veeleisendheid ergerden hem en stoorden hem in zijn werk. De laatste tijd had hij er steeds vaker voor gekozen zijn tijd in zijn eentje door te brengen, maar hoe meer hij zich opsloot, hoe meer hij aan zijn mysterieuze vrouw dacht.

Wat hij zich herinnerde was vaag en door de jaren heen verwrongen. Hij deed zijn uiterste best om de herinneringen zuiver te houden, maar wist dat dat onmogelijk was. Het werd steeds moeilijker om de scheidslijn te trekken tussen wat hij had gevoeld en ervaren en wat hij had gehoord van zijn moeder, diaken Miller en de oude mevrouw Robinson. In haar laatste brief had zijn moeder hem geschreven dat de onderwijzeres van zijn zondagsschool was gestorven. Diaken Miller was jaren geleden al overleden. De enigen die nu nog herinneringen aan die dag konden ophalen waren Raymond, zijn ouders en zijn zusje.

Maar het bleef een feit dat er die dag iets was gebeurd en brokstukken van die wonderbaarlijke gebeurtenis zaten stevig verankerd in de ziel van de jonge schilder.

'Het was net alsof er een zilveren draad in mijn leven binnenkwam,' zei hij vaak tegen zijn moeder. Iedere keer dat hij bij haar was, dwong hij haar naar zijn verhaal te luisteren. 'Mijn wereld was een eenzame wereld van glas. De draad wist op de een of andere manier door dat glas heen te dringen. Ik zag hem om me heen kronkelen en probeerde hem te pakken. Zoals een draad die door het oog van een naald wordt gestoken, raakte de draad mij aan en drong in mijn lichaam door. Het deed geen pijn. In het begin was ik bang, toen ik die draad voor het eerst daar binnenin zag, binnen in het glas, samen met mij. Toen hij zich terugtrok, nam hij een deel van me mee. En opeens was ik buiten het glas, alsof het door een explosie was verbrijzeld. Geluiden klonken veel harder dan voorheen en ik werd overweldigd door de kleuren en geuren en alles wat ik voelde. Toen zag ik haar gezicht en veranderde alles.'

Gedurende de twee jaar die hij nu in New York woonde had hij het grootste deel van zijn schrale inkomen besteed aan zijn pogingen de roodharige vrouw te vinden. Soms gaf hij er zelfs zijn laatste cent aan uit en at hij dagenlang niet.

De ring was het enige tastbare bewijs dat ze had bestaan. Het was niet een erg opvallende ring: een robijn van een karaat omgeven door twintig kleine, ieder afzonderlijk ingelegde diamanten. De privé-detective die hij had gehuurd had uiteindelijk ontdekt dat hij afkomstig was van de firma Weisman, een grote juweliersketen met het hoofdkantoor in Israël. Het nieuws waarmee hij was teruggekomen, was echter niet gunstig geweest. De firma had meer dan honderd identieke ringen gemaakt en die via filialen over de hele wereld verkocht. Het was onmogelijk de eigenaresse van deze ring op te sporen.

'Kunnen ze de robijn niet bekijken om te zien wie hem heeft geslepen?' had Raymond smekend gevraagd. 'Iedere diamantslijper heeft toch zijn eigen stijl?'

'Dat is waar,' had de detective gezegd, 'maar bij Weisman bewerken alle diamantslijpers de stenen op dezelfde manier. Ze worden allemaal door dezelfde mensen opgeleid. En het gaat hier om een steen van één karaat, niet om de Hopediamant. Het is onmogelijk om deze vrouw op te sporen. Zet het van je af. Je hebt nog een heel leven voor je. En geen handvol, maar een landvol, zeg ik altijd maar.'

Raymond zag dat de mensen aan een van de tafeltjes hun voorgerecht op hadden en liep er snel naar toe om de borden weg te halen, zijn gedachten nog steeds bij de vrouw en de ring. Iedereen zei dat hij het van zich af moest zetten, dat hij de vrouw en de hele zaak moest vergeten.

Maar dat kon hij niet. Hij was een drenkeling geweest en zij had hem gered. Ze was een mystiek, magisch wezen. Om hem heen zag hij niets dan gewelddaden en wanhoop, sirenes die de hele nacht gilden, nieuwsberichten op de televisie die zo bloederig en afgrijselijk waren dat hij laatst een lamp had gegrepen en het scherm kapot had geslagen. De vrouw was de sleutel en Raymond wist dat hij haar moest vinden. Als ze bestond, was er nog hoop voor iedereen, hoop voor de toekomst.

Zij wist vast alle antwoorden.

Op dat moment rook hij de lieflijke geur weer die Sarah Mendleson omlijstte. Ze liep met een zwaar blad in haar handen langs hem heen. 'Tafel drie moet afgeruimd worden,' zei ze. Op haar voorhoofd stonden zweetdruppeltjes. 'Ik wil je schilderen,' flapte Raymond eruit zonder erbij na te denken.

'O ja?' zei ze sarcastisch, omdat ze dacht dat hij een of andere bizarre hobby had, zoals het beschilderen van lichamen. 'Van top tot teen? Bedoel je dat? In wat voor kleur?'

Raymond voelde iets heerlijks onder in zijn maag kriebelen. Zijn nervositeit was helemaal verdwenen. Hij was in staat met haar te praten, door haar heen te kijken naar het deel dat belangrijk was. Hij was er zeker van dat hij haar kon schilderen. Hoe langer hij naar haar keek, hoe meer hij vond dat ze op de vrouw leek. 'Groen,' zei hij schaapachtig.

Sarah hield het zware dienblad met gemak op schouderhoogte, zette haar vrije hand op haar heup en bekeek Raymond Gonzales eens goed. Ze had het kunnen weten, dacht ze bij zichzelf. Hij was niet achterlijk of krankzinnig, hij was gewoon een van de vele vreemde artiesten die hier rondliepen. Ze had al in meer restaurants met ze samengewerkt: ambitieuze kunstenaars en toneelspelers. Wat ze altijd tegen haar vriendinnen zei, was waar: een restaurant was helemaal geen gekke plaats om mannen te ontmoeten. Raymond was erg knap om te zien. Stel dat hij echt talent had?

'Ben je dan kunstschilder?' vroeg ze.

'Ja,' zei Raymond. 'Wil je voor me poseren?'

'Misschien,' zei ze met een knipoog. 'Maar als ik jou was, zou ik eerst die tafel gaan afruimen.'

Ook zonder haar man in bed had Toy goed geslapen. Ze was eraan gewend dat hij er niet was; al die telefoontjes midden in de nacht die hem halsoverkop naar het ziekenhuis riepen. Ze werd tegen zessen wakker, pakte haar tas van de vloer en haalde er een zwart boekje uit. Het was een episcopaals gebedenboekje dat ze onlangs had gekocht toen ze een kathedraal in was gelopen om de glas-in-loodramen te bekijken. Ze las iedere ochtend een paar gebeden, maar dat deed ze pas wanneer Stephen de deur uit was. Stephen was net als haar vader een agnosticus. Toy werd echter door het begrip godsdienst aangetrokken. Ze wilde niet haar hele leven nergens in geloven. Wanneer ze het boekje pakte, kreeg ze meteen een rustig gevoel, ook al wist ze zelf niet goed waar ze in geloofde. Het feit dat ze onlangs dit gebedenboek had gekocht, was misschien een van de redenen waarom ze aan Sylvia had bekend dat ze zich als kind soms had ingebeeld dat ze een non was.

Ze las een paar gebeden en stopte het boekje weer in haar tas. Daarna liep ze de badkamer in die aan haar kamer grensde om onder de douche te gaan en haar haar te wassen.

In plaats van onder de douche te stappen, bleef ze echter

even naar haar eigen gezicht in de spiegel staan kijken. Door het kijkglas heen, dacht ze en ze geloofde op dat moment werkelijk dat als ze maar lang genoeg keek, ze dwars door de spiegel heen zou kunnen kijken en zien wat er aan de andere kant was. De afgelopen drie, vier jaar was er iets met haar gebeurd, wat niet alleen een bedreiging vormde voor haar huwelijk, maar voor haar hele leven. Ze was altijd zo gelukkig geweest, zo tevreden, zo voldaan. Op school en later op de universiteit hadden veel van haar vriendinnen depressieve perioden doorgemaakt vanwege slechte cijfers, uitgemaakte verkeringen en angst voor de toekomst, maar daar had Toy nooit last van gehad. Ze was altijd evenwichtig geweest en had precies geweten wat ze wilde. Afgezien van de vele kleine ongelukjes in haar jonge jaren en die ene keer dat ze ernstig ziek was geweest, had ze nooit ergens last van gehad, hooguit verkoudheid of een lichte griep.

Ze dacht aan haar angsten. Ze was niet voor veel dingen bang. Ze was niet bang voor de dood, zoals de meeste mensen. Haar ervaring in het ziekenhuis had die angst geëlimineerd. Zoals ze had geprobeerd Margie duidelijk te maken moest de dood het laatste mysterie zijn, het grootste avontuur van al. Toen haar hart stil had gestaan en ze klinisch dood was geweest, had ze geen pijn gevoeld, geen angst. Ze dacht nu aan Margie Roberts en wenste dat die datzelfde zou ervaren. De eerstvolgende keer dat ze bij haar was, besloot ze, zou ze het haar vertellen.

Ze was ook niet bang voor armoede, zoals Stephen. Ze wist dat hij hoofdzakelijk werd gemotiveerd door zijn behoefte aan een invloedrijke en gerespecteerde plaats in de gemeenschap. Als hij zich niet belangrijk voelde of wanneer iemand kritiek had op zijn werk, al was het maar iemand als die vrouw die had geklaagd dat Stephen haar een lelijk litteken had bezorgd, werd hij dol van woede of liep hij wekenlang te mokken en maakte hij Toy het leven zuur.

Voor Toy was geld onbelangrijk. Het maakte haar niet uit waar ze woonde, wat voor kleren ze had, in wat voor auto ze reed. Zolang ze een dak boven haar hoofd had en eten op tafel, was het haar allang goed.

Het enige waar ze bang voor was, dacht ze, was dat ze op

een goede dag 's ochtends wakker zou worden en tot het besef zou komen dat haar leven bijna voorbij was en dat ze meer had genomen dan haar ten deel viel.

Toy wilde graag dat de aarde niet onder haar verblijf erop zou lijden. Ze was uiterst zuinig met water, reed in een auto die weinig benzine verbruikte en zelfs wanneer het over de dertig graden was, deed ze de airconditioning niet aan teneinde elektriciteit te besparen. Wanneer ze naar de kruidenier ging, nam ze een boodschappentas van thuis mee, en ze droeg haar kleren meerdere malen voor ze ze waste.

Maar hoe ze ook haar best deed het milieu te beschermen en ondanks de vele offers die ze bracht voor haar leerlingen voelde ze zich soms toch onbeduidend. Het enige waar ze altijd naar had verlangd, was haar niet gegund – een kind. Zou iemand zich haar herinneren nadat ze was gestorven? Zou ze een nalatenschap achterlaten – al was die nog zo klein – die haar leven op aarde de moeite waard maakte?

Ze stapte onder de douche, liet het water een paar seconden stromen en deed de kraan weer dicht terwijl ze haar haren waste. Toen deed ze de kraan weer open en spoelde snel de shampoo uit. Ze hield zichzelf voor dat de enige echt traumatische ervaring die ze ooit had gehad de situatie was waarin ze zich nu bevond. Afgezien van de problemen met Stephen voelde ze zich goed, hetzelfde als altijd: gelukkig, geborgen, blij met het leven. Moest ze zich echt bij een psychiater onder behandeling laten stellen? Stephen vond van wel en zelfs Sylvia had er gisteravond op gezinspeeld.

Ze stapte onder de douche vandaan, droogde zich af en bond de handdoek toen om haar natte haar. Ze besloot Stephen te bellen zodra ze zich had aangekleed. Toen ze het T-shirt van de California Angels en haar spijkerbroek zag die netjes opgevouwen op de stoel lagen, drong het opeens tot haar door dat ze niets anders had om naar school aan te trekken. Sylvia's kleren zouden om haar heen slobberen.

Bovendien, dacht ze, maakte Stephen zich vast zorgen en dat was niet goed. Ze keek op de klok en zag dat het bijna zeven uur was. In de kamer ernaast ging Sylvia's wekker af. Toy wilde niet dat Sylvia haar zou overhalen Stephen niet te bellen. Hij had waarschijnlijk de eerste operatie van die dag al afgerond en was terug in zijn kantoor om zich op andere patiënten voor te bereiden.

'Ik ben het, Toy,' zei ze tegen de receptioniste. 'Denk je dat hij tijd voor me heeft?'

'Hij heeft een vroege patiënt bij zich,' antwoordde de vrouw, 'maar als je wilt, geef ik hem een seintje.'

Normaalgesproken zou Toy dat aanbod hebben afgeslagen. Ze stoorde haar man niet graag wanneer hij aan het werk was. Meestal kon dat wat ze hem wilde vertellen wel wachten tot later. 'Graag, Karen,' zei ze. 'Ik wacht wel even.'

Even later kwam de vrouw weer aan de lijn. 'Ik... ik weet niet wat ik moet zeggen. Hij wil niet met je praten. Misschien is de operatie niet goed gegaan en kun je beter straks terugbellen. Je weet hoe hij is. Als er iets misgaat, is er geen land met hem te bezeilen.'

'Daar komt het niet door,' antwoordde Toy met een diepe zucht. Stephen had besloten voet bij stuk te houden en probeerde haar te straffen voor wat ze gisteren had gedaan. Hij wilde op deze manier weer de bovenhand krijgen. 'Karen,' zei ze, 'ik vind het heel vervelend, maar zou je een boodschap van me willen overbrengen? Ik ga een paar dagen op reis. Zeg er maar bij dat ik van hem houd en hem zal missen, maar dat we volgens mij het beste een paar dagen afstand van elkaar kunnen nemen.' Ze wachtte even en haalde diep adem. Het was gênant om buitenstanders bij hun problemen te moeten betrekken, maar vanwege Stephens gedrag had ze geen keus. 'Wil je dat voor me doen? Dat zou ik heel fijn vinden. We hebben momenteel wat problemen, zoals je waarschijnlijk al hebt begrepen.'

'Ik zal het doorgeven,' zei Karen. 'Kan ik verder nog iets voor je doen, Toy?'

'Nee, dank je,' zei Toy.

Nadat Toy had neergelegd bleef ze roerloos op de rand van het bed zitten, rouwend om wat de ontbinding van haar huwelijk scheen te zijn. Ze moest tussen de middag maar even naar huis gaan om wat kleren te halen.

Op dat moment kwam Simon de kamer binnenstappen. Hij sprong meteen op haar schoot. Ze nam de dikke kat in haar armen en hield hem voor zich omhoog. 'Ik wou dat ik zo'n lekkere, zachte lieverd als jij had,' zei ze, haar gezicht langs zijn zachte vacht strijkend. 'Het zou jou niets kunnen schelen hoeveel geld ik uitgeef, nietwaar Simon?'

Sylvia's omvangrijke gestalte vulde de deuropening. Haar haar zat in de war en haar ogen waren dik van de slaap. Ze geeuwde met overgave. 'Maak jezelf niets wijs,' zei ze toen tegen Toy. 'Simon is net als alle andere exemplaren van het mannelijk geslacht. Hij zou het liefst hebben dat je al je geld aan de dierenbescherming gaf.'

'Nou, Simon,' zei Toy met een tuitmondje tegen de kat, 'op het dierenbescherming heb ik niets tegen, hoor.' Ze keek glimlachend op naar Sylvia. 'Zolang hij geen Mercedes verlangt, ben ik tevreden.'

'Ik hoorde je telefoneren. Heb je Stephen gesproken?'

Toy schudde haar hoofd en zette de kat op het onopgemaakte bed. 'Hij wilde niet met me praten, maar ik heb aan zijn receptioniste doorgegeven dat ik een paar dagen op reis ga.'

'Halleluja,' zei Sylvia theatraal. 'Ik was al bang dat je naar hem terug zou gaan en mij in mijn eentje naar New York zou laten vliegen. Ik vind het heerlijk dat je meegaat. Reken er maar op dat we het reuze gezellig zullen hebben.' Ze zweeg even en keek Toy indringend aan. 'Als je nu naar hem teruggaat, zul je nooit kunnen doen wat je zelf wilt. Je moet voor jezelf opkomen, Toy, en hem laten zien dat het deze keer ernst is.'

Toy knikte alleen maar. Ze had zich al voorgenomen voor zichzelf op te komen. En daarmee zou ze haar huwelijk vernietigen en verwikkeld raken in een nare echtscheidingsprocedure. Ze kende haar man. Hij zou vechten voor ieder meubelstuk, iedere cent die ze hadden. Toen Sylvia naar de keuken liep om koffie te zetten, kamde Toy haar warrige haar voor de lange spiegel aan de kastdeur. Haar ogen gleden naar het embleem op het donkerblauwe T-shirt. California Angels, dacht ze, toen ze naar de grote witte *A* keek met het aureool eromheen. Jammer dat het alleen maar een sportploeg was, dacht ze triest. Ze kon nu best een paar engeltjes gebruiken.

Toen trok ze tegen zichzelf een gezicht en legde ze de kam op het bureau. Engelen en sprookjesfiguren bestonden alleen in haar verbeelding. De harde werkelijkheid was dat ze eerdaags gescheiden zou zijn. Als er wèl engelen bestonden, zou de wereld er heel wat beter uitzien.

Raymond had de hele nacht geen oog dichtgedaan. Hij had naar het plafond liggen staren, was af en toe naar het raam gelopen en had op de vensterbank zitten roken en denken. Om vier uur was hij gaan schilderen. Wild had hij dikke klodders verf aangebracht op een groot nieuw doek, maar na een poosje had hij het in een hoek gegooid en was hij opnieuw begonnen met houtskool. Hij schetste het gezicht, het eerste gezicht dat hij ooit had getekend dat niet het gezicht uit zijn dromen was, niet het gezicht van de mysterieuze roodharige vrouw. Toen de zon opkwam en de zolderverdieping in een wazige gouden gloed zette, zocht hij het stukje papier dat Sarah Mendleson hem de vorige avond had gegeven en toetste hij haar nummer.

'Zou ik Sarah even kunnen spreken?' zei hij toen een vrouw de telefoon opnam.

'Een ogenblikje, ik geloof dat ze nog niet op is.'

Een paar minuten later hoorde hij haar slaperige stem. 'Met Sarah.'

'Je spreekt met Raymond Gonzales,' zei hij. 'Was dat je moeder?'

'Nee,' zei ze lachend. Aan haar stem was te horen dat ze opgewonden was dat hij haar belde. 'Dat was een van mijn huisgenoten.'

'Gisteravond heb je gezegd dat je bereid was voor me te poseren. Ik had graag dat je bij me kwam.'

'O ja? Wanneer?'

'Nu.'

'Nu?'

'Ja. Kun je naar mijn kamer komen?'

'Dat... weet ik niet. Waar woon je?'

'In TriBeCa,' zei hij.

'Ik weet het niet,' zei ze een tikje nerveus. Ze kende hem helemaal niet. Hij intrigeerde haar, maar hij was een beetje eigenaardig, deze donkere vreemdeling, en ze was er niet gerust op dat hij haar in alle vroegte belde. Wanneer iemand zo gretig was, moest je op je tellen passen. 'Misschien een andere keer,' zei ze. 'Ik wil je liever eerst wat beter leren kennen.'

'Neem een taxi. Ik betaal.'

'Meen je dat?'

'Ja.'

Het bleef stil op de lijn terwijl ze nadacht. Ze nam een besluit. Je leefde maar een keer en knappe vrijgezelle mannen lagen niet voor het opscheppen. 'Goed. Als je even wacht, zal ik pen en papier pakken om het adres op te schrijven.'

Toen ze een poosje later op de bel drukte, holde hij de trap af en betaalde hij de taxi. Toen wachtten ze op de lift. Hij wilde niet dat ze de urine en andere viezigheid op de trap zou ruiken en ook niet dat ze de vier trappen op moest lopen naar de zolderverdieping. Zelf ging hij bijna nooit met de lift. Hij werd niet graag gedwongen zo dicht bij andere mensen te zijn. 'Waar woon je?'

'In Queens,' zei ze zachtjes en een beetje nerveus. 'Ik heb samen met drie andere meisjes een flat. Op die manier is dat betaalbaar.'

'Hier is het.'

De lift kwam rechtstreeks uit in de open ruimte van de zolder. 'Wat mooi,' zei ze. Ze liep naar het midden van de grote kamer en draaide zich om en om. Tegen alle muren stonden schilderijen en nog lege doeken. Ze liep naar een van de schilderijen en bekeek het. Zijn stijl was heel apart. Ze had nog nooit zoiets gezien. Hoewel de vrouw op het schilderij van een afstand driedimensionaal en levensecht leek, zag Sarah van dichtbij dat ze bestond uit miljoenen stipjes, allemaal verschillend van kleur, als een mozaïek. Toen ze er lange tijd naar keek begonnen de kleuren zich te bewegen en rond te draaien op het doek alsof ze een eigen leven hadden gekregen. Het deed haar denken aan de plaatsjes van celstructuren die ze tijdens de biologielessen op school onder een microscoop had bestudeerd.

Gefascineerd hield ze haar hoofd schuin en probeerde ze erachter te komen wat hij ermee probeerde te bereiken. Toen besefte ze dat ze er te dicht bij stond. Ze deed een stap achteruit en zag nu dat de vrouw eruitzag alsof ze vleugels had. Maar de vrouw leek niet op de engelen die Sarah op plaatjes had gezien en toen ze het schilderij aandachtig bekeek, kwam ze tot de conclusie dat het niet zijn bedoeling was geweest vleugels te schilderen. De zorgvuldig gekozen kleurstipjes schenen licht uit te stralen, alsof de vrouw vanbinnen gloeide.

Sarah liep naar de andere kant van de kamer en zag een groot houten bord dat aan kettingen was opgehangen. Eerst dacht ze dat het iets te maken had met elektronische apparatuur en dat de kleine, felgekleurde, ronde vlekjes schakelaars waren. Toen ze dichterbij kwam zag ze dat het een reusachtig palet was. Voor zover ze kon beoordelen, had hij verf gemengd in meer variaties dan ze voor mogelijk had gehouden. Op de vloer naast het palet lagen tubes gewone verf, maar het palet was bedekt met onvoorstelbaar exotische kleuren.

Nu keek ze naar het doek op de schildersezel waar hij die ochtend aan begonnen was. In plaats van de klompachtige, zwarte schoenen van de dag daarvoor droeg ze zwarte balletschoentjes en liep met kleine babypasjes naar het schilderij, alsof ze zich schrap zette voor wat ze te zien zou krijgen.

Lange tijd bekeek ze het doek. Het enige wat er te zien was, was de omtrek van een gezicht en een paar brede vegen waar hij de beweging in zou brengen, zijn oorspronkelijke concept. 'Wie is die vrouw? Is ze je vaste model?'

'Ja,' zei Raymond, die een sterke aandrang voelde om achter haar te gaan staan en zijn handen hun eigen gang te laten gaan. En zijn handen wilden haar middel vastpakken, de stof van haar blouse aanraken, de warmte voelen die haar lichaam uitstraalde. 'Jij bent het, Sarah. Jij zult het zijn wanneer het af is. Nu is ze alleen nog maar een geest, een schaduw. Zo dadelijk komt ze tot leven.'

Sarah drukte haar hand tegen haar mond en leunde achterover tegen hem aan. Ze was zich er volledig van bewust wat ze deed, dat ze hem nu aanraakte, zijn adem in haar nek voelde, zijn sterke geur van verf en terpentine en zweet rook die haar licht in het hoofd maakte. Ze snoof de geur diep in haar longen en voelde haar hart bonken. Hij ging haar schilderen. De meeste mannen met wie ze uit was geweest, waren arrogante beesten geweest en hadden haar niets anders gegeven dan onaangename herinneringen. Deze man, die zo heel verschillend was, ging haar voor eeuwig vastleggen.

'Ik voel me zo gevleid,' zei ze. 'Ik had nooit gedacht...'

Ze had een groen met geel bedrukte blouse aan en een zwarte lange broek. Raymond kon de bloemen erop bijna ruiken. Groen. Geel. Gras en pompoenen. Een vijver vol wier en een geel veld zonnebloemen, de zonnebloemen van Van Gogh. Die nu van hem waren, dacht hij. 'Verlaat me niet,' zei hij.

Ze had de ogen van zijn engel. Ze had alle geuren en kleuren met zich meegebracht en die draaiden rond haar hoofd als een aureool. 'Ze was een engel. Je lijkt op haar. Misschien ben jij ook een engel.'

'Dat denk ik niet,' zei ze. Ze wendde haar hoofd af en vond zijn woorden nogal vreemd. Niemand had haar ooit een engel genoemd. Wel andere dingen. 'Heb je soms champagne of wijn of bier?'

Het was pas tien uur 's ochtends, maar Raymond gaf daar geen commentaar op. Voor hem waren dagen en nachten precies hetzelfde, afgezien van het licht. Hij had het licht nodig om te schilderen. 'Ik heb geen champagne,' zei hij, 'maar wel een fles wijn.' Hij liep vlak langs haar heen de kamer door naar de koelkast en droeg haar geur nu op zijn huid, in zijn kleren, tussen de lokken van zijn haar. Al haar geuren waren samengesmolten en hij kende haar meteen. Hij wist precies hoe haar onderarm rook, het donkere, vochtige plekje tussen haar benen, de holte van haar hals, de ronding van haar rug, de binnenkant van haar dij. Groen. Ze had een groene geur.

Hij pakte twee glazen van de vloer, schonk er wijn in en stak haar met zijn lange arm een glas toe. Toen bleef hij doodstil en zwijgend staan kijken hoe ze dronk, hoe de bubbeltjes en het vocht even op haar lippen bleven liggen, die vandaag niet felrood waren, maar roestbruin. 'Waarom alleen je lippen?' vroeg hij.

'Wat?' zei ze.

'Waarom doe je alleen lippenstift op?'

'O,' zei ze. 'Waarom niet? Ik vind mijn ogen mooi genoeg.'

'Dat vind ik ook,' zei Raymond. 'Je hebt heel mooie ogen.'

'Echt waar?' zei ze. Een roze tong gleed over haar onderlip, ontdekte druppeltjes vocht en nam ze mee naar binnen.

'Vind je je lippen niet mooi?'

'Niet zo mooi als mijn ogen.' Ze stak hem met uitgestrekte armen het glas toe.

Hij stond twee meter bij haar vandaan, tegen de muur geleund. Hij boog zich naar voren, vulde haar glas en leunde weer tegen de muur.

'Waarom niet?'

'Dat weet ik niet. En dat zijn genoeg vragen. Vertel me eens iets over jezelf. Hoe lang schilder je al?'

'Mijn hele leven. Hoe lang ben jij al mooi?'

Ze glimlachte koket. 'Mijn hele leven.'

Hij voelde zijn voeten niet bewegen en zag haar niet naar zich toe komen. Ze waren gewoon opeens bij elkaar en hij liet zijn voorhoofd tegen het hare rusten. 'Mag ik je aanraken?'

'Is dat net zoiets als me ten dans vragen?'

'Dat zou kunnen.'

Zijn armen gleden om haar middel en hij trok haar tegen zich aan, met zijn gezicht in haar haar. Het was donker, dik, vochtig en steil. Het deed hem denken aan het haar van zijn moeder, al was dat donkerbruin terwijl dat van Sarah bijna blauwzwart was. 'Is je vader van Aziatische afkomst?'

'Nee, hij komt uit Argentinië. En de familie van mijn moeder is oorspronkelijk Engels.'

'Mijn ouders komen uit Mexico.'

'Latijns,' zei ze met een smakgeluidje. 'We zijn allebei van Latijnse afkomst. Dat kan problemen opleveren.'

Het praten vermoeide hem. Hij wilde haar stem niet meer horen noch de zijne, noch iets anders, afgezien van de geluiden die werden voortgebracht door de kleuren die om haar heen draaiden. Hij duwde haar van zich af, liep naar de schildersezel en pakte zijn penseel. Ze bewoog zich niet. Toen hij haar intens bekeek met half toegeknepen ogen en zijn penseel in de verf op zijn hangende palet doopte, hief ze haar hoofd op en ging ze in een verleidelijke houding staan.

De tijd verstreek. Op de zolderverdieping was geen ander geluid te horen dan het verkeer op straat, de luide stemmen van mensen en het tikken van Raymonds wekker. Een uur ging voorbij, twee uur, drie uur. Ze bewoog zich. Ze had kramp in haar been, zei ze. Hij legde zijn penseel neer en staarde naar het doek. Hij wist meteen dat het een prachtig schilderij was, dat het misschien zijn allerbeste werk was. De vrouw die hij had geschilderd was ongrijpbaar, wonderschoon, het slanke jonge lichaam, de kleine, perfect gevormde borsten, nauwelijks zichtbaar onder haar dunne groen met gele blouse.

'Hoe ga je het noemen?' vroeg ze. Haar stem echode in de grote kamer.

'Dat... dat weet ik niet,' stamelde hij, opeens geagiteerd en geprikkeld. Door het geluid van haar stem was de betovering verbroken. Zijn gezicht vertrok tot een grimas toen hij zijn penseel in de verf op het palet doopte en het met wilde, rukkerige bewegingen heen en weer haalde over het doek. Binnen een paar seconden was het schilderij waar hij zo hard aan had gewerkt, bedekt met lelijke strepen zwarte verf. Hij kon deze vrouw niet schilderen. Ze was zijn engel niet. Ze was net als alle anderen, een onaangenaam ruikend, irritant, brutaal menselijk wezen. Wat had het voor zin haar onsterfelijk te maken? Er waren er miljoenen zoals zij.

'Wat doe je nu?' zei Sarah op scherpe toon. Ze liet haar pose varen en kwam dichterbij om het doek te bekijken. 'Nu heb je het bedorven. Het was zo mooi en ik heb er zo lang voor geposeerd.' Ze draaide zich om en keek hem aan terwijl ze met haar armen een machteloos gebaar maakte. 'Waarom heb je dat gedaan?'

'Laat me met rust,' beet Raymond haar toe. Hij imiteerde haar bewegingen en sprak met een kopstem om zich te kunnen uitdrukken. 'Het was mijn creatie, niet die van jou. Als ik die wil vernietigen, dan doe ik dat.'

'Wat heb je toch?' zei ze verbijsterd. 'Waarom doe je me weer na? Je klinkt zo raar. En waarom ben je opeens zo chagrijnig?' Ze deed nog een stap naar hem toe, maar stopte toen ze de dreigende blik in zijn ogen zag. 'Ik weet dat artiesten grillig zijn, maar dit gaat wel een beetje ver, vind je zelf ook niet?'

'Ga naar huis, Sarah Mendleson,' zei Raymond. De blik in zijn ogen was dof en emotieloos geworden. 'Je hebt hier niets te zoeken. Mijn wereld is een wereld waar jij nooit kunt komen.'

Hij gooide het penseel op de grond en liet zich voorover op het bed vallen, overmand door wanhoop en kwellingen.

'Je bent gek,' barstte Sarah uit. 'Je bent geen artiest, je bent een waanzinnige.'

Raymond bewoog zich niet en zei niets. Hij was diep in zichzelf weggekropen. Daar voelde hij zich veilig en beschermd, daar vereiste zijn bestaan geen inspanning, daar waren woorden overbodig. Algauw herleefde hij weer die dag op de zondagsschool en riep hij om het wonderschone wezen dat zijn leven had veranderd; hij wou dat ze weer bij hem kwam om hem te helpen, hem de weg te wijzen. Al wekenlang zakte hij steeds verder weg in het zwarte gat dat binnen in zijn wezen bestond. De glazen gevangenis lokte en hij had geen kracht om zich ertegen te verzetten. Het gevecht tegen zijn ziekte viel hem te zwaar. Hij had geen fut om te proberen deel uit te maken van een wereld die hij niet begreep, een wereld waarin plaats was voor alle mogelijke soorten kwaad, maar waarin geen plaats was voor mensen zoals hij.

Sarah keek op hem neer en schudde verward haar hoofd. Een paar keer keek ze naar het doek om te zien of ze haar geschilderde evenbeeld nog kon onderscheiden, maar door de zwarte verf was het schilderij verwrongen en lelijk. Deze vreemde jongeman had haar tot leven gebracht en haar toen uitgeveegd, laten verdwijnen. Hij was te onvoorspelbaar, te angstaanjagend. Toen ze weer naar het schilderij keek, leek het alsof hij háár had willen vernietigen, niet alleen het schilderij. In de strepen zwarte verf zag Sarah een ontzaglijke hoeveelheid woede en bitterheid. Ze had een fout gemaakt. Ze had hier nooit moeten komen. Maar het was in ieder geval niet een fout die ze niet kon herstellen.

Met onrust in haar hart pakte ze haar tas en liet ze hem in zijn eentje met zijn duivels worstelen.

4

Toy ging niet tussen de middag naar huis om wat spullen te halen zoals ze van plan was geweest. Toen ze hoorde dat ze 's avonds om zeven uur pas naar New York zouden vliegen, besloot ze te wachten tot na school en meteen even bij haar ouders langs te gaan. Ze moest hun vertellen dat ze op reis ging, anders zou haar moeder haar tevergeefs bellen en zich ongerust maken.

Tom en Ethel Myers woonden in een eenvoudig huis in San Juan Capistrano, een klein, pittoresk stadje niet ver van Mission Viejo waar Sylvia woonde. Het stadje had echter een heel ander karakter dan de rijtjeshuizen en glanzende, moderne winkelcentra van Mission Viejo. Het leek stil te staan in de tijd. De hoge torens van de Spaanse missiepost spietsten de blauwe lucht en vormden bakens voor de beroemde, jaarlijks terugkerende zwaluwen, die een trekpleister vormden voor duizenden toeristen die per bus of auto aan kwamen stromen of op het tegenover het historische gebouw gelegen station uit de trein stapten. Er waren geen wolkenkrabbers en de Spaans dan wel westers uitziende winkels in de hoofdstraat verkochten hoofdzakelijk souvenirs die met de missiepost te maken hadden. Op met de hand geschilderde bordjes in veel van de etalages werden gratis zwaluwverhalen aangeboden als lokmiddel om de mensen naar binnen te krijgen.

Iedereen kende het huis van de familie Myers. In veel opzichten was het onder de plaatselijke bevolking even beroemd als de missiepost onder de toeristen. Het lag pal aan de spoorlijn en had een nogal vreemd aandoende achtertuin. Toy vroeg zich vaak af wat de reizigers in voorbijsnellende treinen ervan vonden en of ze dachten dat het een speeltuin was of bij een kleuterschool hoorde. De tuin stond propvol spullen. Veel mensen vonden hem ordinair vanwege de wensput, de nepbrug over een niet-bestaand beekje, de levensgrote stenen beelden van engelen, de houten forten, de gebeeldhouwde familie wilde eenden, en de tweeënvijftig verschillende soorten nestkastjes die stuk voor stuk in een andere kleur waren geschilderd en als lantaarns aan de boomtakken hingen.

Pas toen Toy de oprit opreed en de auto tot stilstand bracht, besefte ze dat ze de stenen engelen helemaal was vergeten. Gek, dacht ze, soms zag je iets zo vaak dat je op den duur vergat dat het er was. Toen ze klein was hadden de buurkinderen haar altijd geplaagd dat ze op een begraafplaats woonde. Sommigen hadden haar jouwend nageroepen dat haar ouders schroothandelaren waren. Wat de engelen betreft hadden ze gelijk, dacht ze, toen ze uitstapte en het portier van de Volkswagen dichtgooide. Toen er aan de overkant van de snelweg, waar de oude begraafplaats was geweest, een nieuwe woonwijk werd gebouwd, had haar vader een vrachtwagen gehuurd en een groot deel van de grafmonumenten die niemand hebben wilde, gered. Net als Toy had hij een hekel aan verkwisting en bewaarde hij van alles, ook als hij de dingen op het moment zelf nergens voor nodig had.

Geen wonder dat ze een tijdlang aandrang had gevoeld zich als non te verkleden, dacht ze en ze lachte opgelucht. Met de missiepost op de hoek van de straat en de stenen engelen die voortdurend op haar neerkeken, was het niet verwonderlijk dat ze een dergelijke gril had ontwikkeld.

Ze liep niet naar de voordeur omdat ze haar moeder in de tuin zag. Ze stond voorovergebogen en trok het onkruid weg rond de voet van een van de beelden. 'Hé, mam,' riep ze toen ze het hekje openduwde en de tuin inliep. 'Dat is slecht voor je rug. Waarom gebruik je de onkruidvreter niet die ik voor je heb gekocht?'

'Ach lieve kind,' zei ze. Ze richtte zich met een verheugd gezicht op en trok haar tuinhandschoenen uit. 'Ik hou van tuinieren. Het is zo rustgevend. Maar van dat lawaaierige ding moet ik niets hebben.' Ze bekeek haar dochter aandachtig.

'Hoe is het ermee, meisje? Wat een heerlijke verrassing. We dachten dat je volgende week pas zou komen.'

Toy keek haar moeder aan. De groene ogen, die ze van haar had geërfd, stonden vermoeid. Ze sloeg haar armen om haar heen. Ethel was dik in de zestig, maar nog steeds slank en aantrekkelijk, al was haar haar nu sneeuwwit en haar gezicht gerimpeld. 'Met mij is alles prima,' mam,' zei ze. 'Waar is papa?'

'Waar denk je?' zei haar moeder met een schouderophalen. Ze kneep haar ogen toe tegen de zon. 'In zijn werkplaats. Sinds hij met pensioen is, weet hij van geen ophouden. Hij zegt dat hij de spullen die hij maakt, kan verkopen, maar ik heb er een hard hoofd in.'

'Maar dat maakt toch niet uit?' zei Toy. 'Als hij er maar plezier in heeft.' Zolang ze zich kon herinneren had haar vader al zijn vrije tijd besteed aan het ontwerpen en vervaardigen van houten kastelen en nestkastjes, waarvan de meeste in de tuin een plaatsje hadden gekregen. Nu had hij besloten naam te maken als fabrikant van houten speelgoed en zat hij urenlang in de kleine werkruimte in de garage, waar hij treintjes, auto's, vrachtwagens en ander speelgoed maakte en keurig netjes schilderde. Dit jaar zou hij met de kerst een bord buiten zetten, had hij gezegd, en de spullen verkopen. Op die manier wilde hij zijn pensioenuitkering aanvullen.

Toen haar moeder naar binnen ging om een kan limonade te maken, liep Toy naar de garage. Een poosje bleef ze bij de deur staan kijken hoe haar vader zich over zijn werk boog en met een beitel een stuk hout bewerkte. Hij was niet ouder dan haar moeder, maar als postbode had hij zijn hele leven hard gewerkt, voor het grootste deel in de open lucht, en dat was hem aan te zien. Zijn huid was verweerd en hard en droeg littekens van de vele kankergezwellen die hij had laten weghalen. Maar zijn haar was nog donker, met slechts hier en daar wat grijs, en hij was zo sterk en fit als veel mannen die half zo oud waren als hij.

'Wat ben je aan het maken, pa?' vroeg Toy zachtjes.

'Een soldaatje,' antwoordde hij zonder op te kijken.

'Ga je mee naar binnen? Mama heeft een kan limonade gemaakt,' zei ze aarzelend.

72

'Ik kom zo,' zei hij.

Toy wist wat dat inhield. Het was zijn manier om nee te zeggen, om duidelijk te maken dat zijn werk belangrijker was dan een bezoek van zijn dochter. Ze wist dat hij van haar hield, maar hij was een stille, in zichzelf gekeerde man die liever in zijn werkplaats zat dan in zijn huis. Hij was er de man niet naar om over ditjes en datjes te praten en wist zijn genegenheid ook niet te uiten. Toy dacht wel eens dat het kwam omdat hij altijd in zijn eentje had gewerkt, al die jaren dat hij met de postzak over zijn schouder zachtjes fluitend of zingend door de straten had gelopen.

'Ik ben gekomen om jullie te vertellen dat ik een paar dagen op reis ga,' zei ze.

Hij bleef doorwerken. Houtkrullen vielen als aardappel-schillen op de grond. Uiteindelijk zei hij op zachte toon: 'Dat is leuk voor je. Ga je samen met Stephen?'

Hoe wist hij het? Toy voelde een aandrang om zich om te draaien en naar haar auto te vluchten. Hoe weinig ze door de jaren heen ook tegen elkaar hadden gezegd, haar vader wist altijd precies wanneer ze in moeilijkheden verkeerde. Hij scheen dat op zijn eigen manier aan te voelen. Toen ze nog op de lagere school zat, had ze op een dag een paar van haar lievelingssnoepjes opgegeten die een ander kind op zijn tafel had laten liggen. Zodra ze ze op had was ze vreselijk misselijk geworden. Roze schuim was op haar kleren gedropen toen ze naar het kraantje was gehold. Later was gebleken dat het geen snoepjes waren geweest, maar een geneesmiddel tegen wor-men en de kleine Toy had zich in de volle eetzaal vreselijk vernederd gevoeld. Toen ze aan het eind van de dag het schoolgebouw uitkwam, nog steeds een beetje misselijk en gekweld door de plagerige opmerkingen van haar klasgenoot-jes, had ze de postauto van haar vader voor de school zien staan. Hij had nog nooit zijn werk in de steek gelaten om haar af te halen. Op de een of andere manier had hij geweten dat ze hem nodig had.

'Nee,' zei Toy. Ze dacht niet dat dit het juiste moment was om hem te vertellen dat Stephen en zij problemen hadden. Haar ouders waren er zo trots op dat ze met een arts was getrouwd. Ze zouden het vreselijk vinden als ze van Stephen ging scheiden. 'Stephen kan niet weg. Ik ga met Sylvia. We gaan trouwens maar vijf dagen. We gaan naar New York. Daar ben ik nog nooit geweest.'

'Grote stad,' zei hij en nu draaide hij zich om en keek haar aan. 'Pas goed op jezelf, Toy. In steden als New York zijn veel slechte mensen. Waarom wacht je niet tot je man met je mee kan gaan?'

Toy fronste. 'Dan kan ik wachten tot ik een ons weeg. Je weet hoe moeilijk het is om Stephen zover te krijgen de praktijk een paar dagen dicht te doen.' Ze dwong zichzelf te glimlachen toen ze de bezorgdheid in zijn ogen zag. 'Ik kan best op mezelf passen, hoor. Ik ben geen klein kind meer.'

'Dat weet ik,' zei hij langzaam, maar Toy zag dat hij niettemin ongerust was. 'Hoe voel je je? Laat je je nog wel eens controleren?'

'Ik voel me uitstekend,' zei Toy met nadruk. 'Ik ben met een arts getrouwd, pa. Ik word automatisch ieder jaar van top tot teen onderzocht en daar hoef ik niet eens voor te betalen.'

Hij richtte zijn aandacht weer op het stuk hout dat hij aan het bewerken was. Toy voelde een sterke aandrang om naar hem toe te lopen, haar armen om hem heen te slaan en hem te vertellen dat ze van hem hield. Ze wilde tegen hem zeggen dat hij een goede vader was, dat hij geen betere vader had kunnen zijn. Maar dat kon ze niet. Er lagen te veel jaren van afstandelijkheid tussen hen in; die hadden een kloof geschapen waar ze nu niet meer overheen kon komen. Ze bleef nog een paar minuten naar hem staan kijken en liep toen weg om met haar moeder te gaan praten.

De vijf uur durende vlucht van Los Angeles naar New York was vermoeiend. Daarna sleepten Toy en Sylvia hun koffers van de lopende band en gingen ze in de rij staan voor een taxi.

Toy had een lichtgroen broekpak aan met een getailleerd jasje. Ze had er nog nooit zo mooi uitgezien. Haar glanzende rode krullen dansten om haar hoofd, haar ogen keken helder en vol verwachting rond en ze voelde zich uitstekend, alleen wat moe van de reis. Het bleek helemaal niet zo'n ramp te zijn om iets zonder Stephen te doen. Ze was al een hele nacht en dag zonder hem doorgekomen en zelfs van de Westkust naar de Oostkust gevlogen en ze leefde nog steeds. Niemand had haar misbruikt, beroofd of haar laatste cent afgetroggeld zoals Stephen ongetwijfeld zou hebben voorspeld.

'Ik wist niet dat je hier zo laat op de avond nog in de rij moest staan voor een taxi,' zei Toy een tikje amechtig, met een blik op de zes mensen die nog voor hen waren. 'Hoe ver is het naar het hotel?'

'We zijn momenteel in Newark,' zei Sylvia, 'en het hotel is in Manhattan. Als het niet al te druk is op de weg kunnen we er binnen een uur zijn.' Ze trok een bezorgd gezicht. 'Kun je geen adem krijgen, Toy? Je ziet zo bleek.'

'Ik voel me prima,' zei Toy snel. Ze streek het haar uit haar gezicht en glimlachte. 'Ik ben er gewoon niet aan gewend om zware dingen te dragen. Ik moet maar eens iets aan mijn conditie gaan doen.'

Eindelijk waren ze aan de beurt en stapten ze in de taxi. Sylvia zei tegen de chauffeur dat ze naar het Gotham City Hotel wilden, dat op de hoek van Central Park South en Sixth Avenue stond. 'Het is een prachtig hotel,' zei ze enthousiast tegen Toy. 'Wacht maar tot je het ziet. Het ligt pal tegenover Central Park, en niet ver van het Plaza. Ik heb een speciaal weekendtarief voor ons gekregen, maar maandag en dinsdag kost het meer.'

Toy maakte zich zorgen over haar financiën. Ze had haar creditcard, maar erg weinig contant geld. Ze zou Sylvia een cheque moeten geven voor haar aandeel in de hotelkamer en kon alleen maar hopen dat er nog genoeg geld op de bank stond om die cheque te dekken. Sylvia zei dat ze het helemaal niet erg vond. Ze had Toy's ticket ook al betaald. Als ze het geld op den duur maar terugkreeg, zei ze, dan was er niets aan de hand. Ze had zelf ook niet veel te verteren, maar hiervan zou ze niet doodgaan.

Terwijl Sylvia grapjes maakte met de taxichauffeur, keek Toy uit het raam, gefascineerd door de vele taxi's en de wolkenkrabbers. Ze was opeens zo moe dat ze een paar keer probeerde in slaap te vallen met haar hoofd tegen het raampje geleund, maar er was te veel lawaai om haar heen en de taxi zigzagde hortend en stotend door het drukke verkeer. Claxons loeiden, sirenes gilden, mensen vloekten luidkeels en staken uit het raampje hun middelvinger op tegen elkaar. Toy had gedacht dat Manhattan te vergelijken was met Los Angeles en stond verbijsterd over de volkomen andere sfeer hier. Manhattan was groot, lawaaierig en vuil, maar straalde energie en vitaliteit uit, terwijl Los Angeles altijd scheen te sluimeren in een verdoofd waas van eeuwige verwarring.

'Hoe laat is het hier?' vroeg Toy.

Sylvia keek op haar horloge. 'Ik heb mijn horloge nog niet bijgesteld, maar het is hier drie uur later dan bij ons, dus is het bijna twee uur.'

Toy's mond zakte open. 'Twee uur? Weet je dat zeker? Er zijn zoveel mensen op straat.'

'De stad die nooit slaapt,' zei Sylvia en draaide zich glimlachend om naar haar vriendin. 'Dat is een van de dingen die ik mis. Wist je dat je hier op alle uren van de dag en de nacht een broodje cornedbeef kunt krijgen? Heb je honger? We kunnen wel even naar Wolfe's Deli gaan. Die is vlak bij het hotel.'

Toy keek haar alleen maar aan. Ze zou met de beste wil van de wereld niet midden in de nacht een broodje cornedbeef kunnen eten. 'Ik ben een beetje moe,' zei ze. 'Maar als je wilt, ga ik wel mee.'

Sylvia zuchtte en keek neer op haar dikke dijen. 'Laat maar,' zei ze. 'Het laatste wat ik nodig heb is een broodje cornedbeef.'

Een paar minuten later stopten ze voor het hotel. Een kruier bracht hun tassen naar binnen. Sylvia liep naar de balie om hen in te schrijven. 'Ik heb een grote kamer besteld met uitzicht op het park en twee tweepersoonsbedden.' Ze leunde over de balie heen toen de receptionist de formulieren klaarmaakte.

'We hebben geen kamers meer met twee bedden,' zei hij. 'We hebben alleen nog een tweepersoonskamer.'

'Wat zegt u nu?' zei Sylvia bits. 'Ik heb mijn reisbureau specifiek opdracht gegeven een kamer met twee bedden te bestellen.'

'Het spijt me,' zei hij beleefd, 'maar we zitten vanavond vol vanwege een grote conferentie.'

Sylvia liep bij de balie weg en overlegde met Toy, al viel er weinig te overleggen. Het leek Sylvia niet verstandig om midden in de nacht naar een ander hotel op zoek te gaan. Beide

76

vrouwen waren moe van de lange dag. Ze stapten samen met de kruier in de lift en stegen naar de achtentwintigste verdieping.

De kamer was beslist niet wat Sylvia ervan had verwacht. Toen de kruier de deur openmaakte en de tassen naar binnen droeg, ging ze meteen tegen hem tekeer. 'Deze kamer heeft geen uitzicht op het park. Wat denken jullie wel? Dat jullie me met zo'n waardeloze kamer kunnen opschepen? God,' zei ze, met een blik in het piepkleine badkamertje, 'erger kan het niet. Als ik zo'n rotkamer had gewild, had ik net zo goed bij mijn broer in Brooklyn kunnen gaan logeren.'

'Sylvia,' zei Toy sussend. Ze trok haar vriendin de badkamer in. 'Hij is alleen maar de kruier, niet de eigenaar van het hotel. Laat hem met rust.'

Haar vriendin liet zich niet zo makkelijk kalmeren. 'Jij kent deze stad niet, Toy,' zei ze. Ze zette haar handen in haar zij. 'Ze proberen vreemdelingen altijd te belazeren. Nou, dan zijn ze bij mij aan het verkeerde adres. Ik ben geen boerentrien. Ik ben in deze rotstad opgegroeid.'

'Laten we nu maar gaan slapen,' zei Toy rustig. 'Morgen zien we wel weer.'

Sylvia gaf de kruier met tegenzin een fooi en de man maakte zich snel uit de voeten. Ze sloeg de dekens terug en vroeg zich af hoe ze samen in één bed moesten slapen. 'Ik hoop dat ik niet boven op je terechtkom als ik me omdraai, want dan ben je zo plat als een dubbeltje,' zei ze tegen Toy. 'Als ik jou was bleef ik de hele nacht op de rand liggen.'

'Da's goed,' zei Toy lachend. 'Pas jij zelf maar op. Stephen zegt dat ik praat in mijn slaap.'

'O ja?' zei Sylvia met een ondeugend opgetrokken wenkbrauw. 'Je praat maar een eind weg, als het maar iets smeuïgs is.'

Ze maakten om beurten gebruik van de badkamer en algauw lagen ze allebei in bed, de dekens opgetrokken tot aan hun kin. Sylvia droeg een lange, katoenen nachtpon met een plaatje van een poes op de voorkant en Toy sliep in haar California Angels T-shirt en zwarte legging, omdat ze zo'n haast had gehad om het huis uit te komen voor Stephen thuis zou komen, dat ze vergeten was een pyjama in te pakken.

Toy deed de lamp op het nachtkastje uit. Ze hadden het badkamerlicht aan gelaten.

'Wat je ook doet,' zei Sylvia slaperig, 'maak me morgenochtend niet wakker. Ik ben zo moe dat ik drie dagen zou kunnen slapen. Weet je wat? Laten we uitslapen tot een uur of elf, dan hebben we het tijdverschil ingehaald.'

Toy draaide zich op haar zij en voelde zich opeens erg eenzaam. Ze wou dat ze Stephen naast zich had. Maar toen ze haar hoofd in het zachte kussen liet zinken, viel ze van pure vermoeidheid meteen in slaap.

Ze liep door hoog gras. Het stond zo hoog dat het bijna tot haar knieën reikte. Achter haar was een groep jonge kinderen. Ze waren ergens naar toe op weg en zij ging voorop, zoals wanneer ze met de kinderen van haar klas op schoolreisje ging.

'Opschieten,' zei Toy. Ze liep de rij langs naar achteren en maande de kinderen sneller te lopen. Dikke, zwarte rookwolken vulden de lucht en de hitte was intens; vlak achter hen brandde een laaiend vuur. Vonken sprongen eruit op en vlogen door de lucht. Een ervan landde vlak naast Toy en zette meteen het droge gras in brand. Ze schreeuwde tegen de kinderen dat ze weg moesten hollen; ze hoestten allemaal van de verstikkende rook.

Een klein jongetje struikelde en viel. Als een geniepige, brandende slang snelde het vuur door het gras dat rondom hem begon te branden. Hij zat gevangen in een cirkel van vuur. Angstig riep hij om zijn moeder.

Toy keek snel van de vluchtende kinderen naar het jongetje. Toen ze op hem af holde stak het vuur een felle vinger naar hem uit en begon zijn blouse te branden. Zijn angstige geroep sloeg om in een afgrijselijke kreet van pijn; de geur van schroeiend vlees vulde de lucht. Toy aarzelde geen seconde, maar vloog op het jongetje af, haar lichaam dwingend dwars door de vlammen heen te springen. Ze tilde het kind op en holde weer op de muur van vlammen af, terwijl ze hem met haar lichaam probeerde te beschermen. Zodra ze buiten de cirkel van brandend gras was, liet ze zich boven op hem vallen.

Ze voelde de brandende hitte van zijn lichaam tegen haar huid en absorbeerde zijn pijn als de hare.

Achter haar bulderde het vuur en het kwam nog steeds met grote snelheid hun richting uit terwijl het brandende grasveld een griezelige, onnatuurlijk gloed verspreidde. De ogen van het kind waren open, maar hij bewoog zich niet en maakte geen geluid. Ze tilde hem weer op en zette het op een lopen terwijl de vlammen aan haar hielen likten. Ze hoestte en haar ogen brandden door de rook. Ze zag bijna niets meer. De kinderen in de verte waren kleine zwarte stipjes geworden.

'Stil maar,' zei ze hijgend tegen het jongetje terwijl ze bleef hollen. 'Het komt best in orde.'

'Mamma!'

Het was een meelijwekkende kreet, een ijl stemmetje dat oprees te midden van de chaos. Toy zag in de verte brandweerauto's en ziekenwagens, een grote groep mensen die toekeken en wachtten. Ze holde in de richting van de ziekenwagens. Een donkere gedaante in een dikke jas kwam haar tegemoet en nam het gewonde kind van haar over. 'Is dit uw zoon?' vroeg hij.

'Nee,' zei Toy.

'Bent u gewond?'

'Nee,' zei Toy. 'U moet zijn moeder zoeken. Misschien is ze hier in de buurt.'

'Hoe heet hij?'

'Dat weet ik niet.'

Toy liep op een drafje met de brandweerman mee. Hij keek hijgend neer op de jongen. 'Zeg, grote jongen, hoe heet je?'

'Jason... Jason Cummings.'

De brandweerman begon luidkeels te roepen naar de ziekenbroeders van een van de ambulances. Een van hen holde naar hen toe met een grote metalen koffer, een tweede kwam achter hem aan met een brancard. Binnen een mum van tijd hadden ze het jongetje een zuurstofmasker voorgedaan en bekeken ze zijn verwondingen. 'Zijn pols en bloeddruk zijn goed. Ik doe hem zijn blouse niet uit. Dat kunnen ze beter op de afdeling brandwonden doen.'

Toy boog zich over het kind heen, tussen de twee ziekenbroeders in. 'Wees maar niet bang, Jason, alles komt nu dik in orde. Ze zijn je moeder al gaan halen en je bent veilig.'

Zijn gekwelde ogen keken in de hare en zijn lippen bewogen zich onder het masker. Toy moest zich nog dichter naar hem toe buigen om hem te kunnen verstaan. 'Ik ben bang. Het doet zo'n pijn. Het doet zo'n pijn dat ik niet kan huilen.'

Zijn voorhoofd zag zwart van het roet. Toy drukte er een lichte kus op, haar lippen koel op zijn huid. 'Ken je het verhaal van het treintje dat probeerde het speelgoed over de bergtop te trekken?' Toy wachtte, maar de jongen gaf geen antwoord. 'Eerst zei de locomotief: "Ik kan het niet, ik kan het niet, ik kan het niet." Maar opeens zei hij: "Ik kan het wel, ik kan het wel, ik kan het wel."'

Ze zag aan zijn ogen dat hij het bekende verhaaltje kende; er bestonden zelfs platen van, felgekleurde 45toerenplaten. Toy had daar uren naar zitten luisteren toen ze klein was. 'Jij bent die locomotief, Jason. Denk maar steeds: Ik kan het wel, ik kan het wel, ik kan het wel. Zeg tegen je lichaam dat het meteen moet beginnen beter te worden en dat het de pijn moet wegnemen. Blijf eraan denken dat je het kunt.'

'We moeten hem nu meenemen, mevrouw,' zei de verpleger. Ze maakten aanstalten om de brancard op te tillen.

'Je kunt het, Jason,' zei Toy met klem. 'Ik kan het wel. Ik kan het wel. Ik kan het wel. Toe maar, zeg het dan.'

Toen ze hem wegdroegen, bewogen de lippen van het kind onder het zuurstofmasker. 'Ik kan het wel. Ik kan het wel. Ik kan het wel.' Hij draaide zijn ogen opzij, wanhopig zoekend naar de vrouw die hem had gered, maar ze was verdwenen.

5

De volgende ochtend om tien uur begon Toy in haar slaap te praten. 'Gauw. Rennen. Blijf niet staan.'

Sylvia kreunde, deed haar ogen open en keek om naar Toy om te zien of die wakker was. Ze zag dat haar vriendin in haar slaap praatte en gleed stilletjes uit bed om naar de wc te gaan. Toen ze terugkwam lag Toy op haar rug met haar handen zijdelings uitgestrekt, zodat er voor Sylvia geen ruimte over was in het bed. Ze wilde haar niet wakker maken, maar in de kleine kamer kon ze weinig anders doen dan nog een poosje in bed kruipen tot haar vriendin wakker werd, en om dat te kunnen doen moest ze haar opschuiven.

Ze pakte Toy's arm en legde die op haar borst. Toen ze zag dat ze evengoed niet voldoende ruimte had, besloot ze haar vriendin op haar zij te rollen. Toy lag wel erg stil, dacht ze. Haar lichaam was bijna stijf. Toen Sylvia probeerde haar op haar zij te krijgen, rolde ze helemaal door tot op haar buik.

Sylvia stapte in bed en wachtte. Ze nam aan dat Toy uit zichzelf wel zou bewegen om een makkelijker houding aan te nemen, maar toen Toy in dezelfde houding bleef liggen met haar gezicht in het kussen en haar armen slap langs haar lichaam, begon Sylvia zich ongerust te maken. Ze hadden op de universiteit een kamer gedeeld en voor zover Sylvia zich kon herinneren sliep Toy altijd onrustig.

Er was iets mis.

'Toy,' fluisterde ze.

Ze kreeg geen antwoord.

Sylvia porde haar zachtjes tegen haar ribben, in de hoop

dat ze zich zou omdraaien zonder dat ze haar wakker hoefde te maken, maar Toy reageerde niet. Ze kon haar niet zo laten liggen. Ze zou nog stikken. 'Toy,' zei ze, iets luider nu. 'Wakker worden. Je moet je omdraaien.'

Toy reageerde niet.

Sylvia ging rechtop in bed zitten en schudde haar heen en weer. Toen Toy zich nog steeds niet bewoog, raakte ze in paniek en pakte ze haar arm om haar pols te voelen.

'O God!' gilde ze toen ze geen hartslag voelde. Snel rolde ze Toy op haar rug en legde haar hoofd op haar borst. Niets. Toen hield ze haar wang vlak voor Toy's mond om te zien of ze haar voelde ademen. Niets. Ze griste de telefoon van het nachtkastje, draaide het nummer van de receptie en riep in de hoorn: 'Laat een ziekenwagen komen. Snel. Mijn vriendin ademt niet. Ik geloof dat ze een hartverlamming heeft.'

Sylvia haalde diep adem en probeerde zich te herinneren hoe je mond-op-mond-beademing moest toepassen. 'Vooruit, Toy,' zei ze met trillende stem. Zweet droop nu langs haar gezicht. 'O God, alstublieft, laat haar niet doodgaan. Zorg dat ik het goed doe. Laat me geen fouten maken.'

Ze betastte met haar vinger Toy's middenrif tot ze het uiteinde van haar borstbeen had gevonden, legde haar handen op elkaar en begon aan de hartmassage. Toen ze vijftien keer had gedrukt, sloot ze haar lippen rond Toy's mond en blies ze haar adem in. Ze probeerde niet bewust te denken aan wat er gebeurde, maar deed alleen haar best zich te herinneren wat ze had geleerd. Dit was niet haar beste vriendin, hield ze zichzelf voor. Als ze daaraan dacht, kon ze niet doen wat er gedaan moest worden.

Ze had er geen idee van hoeveel tijd er was verstreken toen ze zware voetstappen op de gang hoorde. Ze boog zich weer over Toy heen toen ze opeens merkte dat die op eigen kracht ademhaalde. Ze legde haar hoofd op haar borst en hoorde het boem, boem, boem van haar hart.

'Dank u, God,' zei ze en begon in het Hebreeuws gebeden te prevelen.

Op hetzelfde moment ging de deur open en stormden twee ziekenbroeders binnen. Ze hadden een grote metalen koffer en een brancard bij zich. De hotelmanager bleef op de gang staan. Een van de ziekenbroeders was lang en donker, de andere klein, met een lichte huid en lang blond haar dat slordig over zijn oren viel. 'Haar hart klopt weer,' zei Sylvia opgewonden. 'Ik heb mond-op-mond-beademing toegepast.'

Ze liepen snel naar Toy die nog op het bed lag. De donkere man schoof haar T-shirt omhoog, drukte zijn stethoscoop tegen haar borst en luisterde aandachtig. 'Haar hartslag is zwak, maar regelmatig,' zei hij. 'Weet u zeker dat haar hart stilstond?'

'Ik geloof het wel,' zei Sylvia, opeens niet zeker van haar zaak. 'Ik heb geluisterd en hoorde niets, en ik weet bijna zeker dat ze niet ademde.' Ze zweeg en dacht even na. Toen voegde ze eraan toe: 'Ze was gisteravond nogal kortademig toen we op het vliegveld onze koffers droegen.'

De blonde man met het lange haar had al een pakketje opengescheurd en trof voorbereidingen om Toy een infuus te geven. Nadat hij de injectienaald aan zijn partner had gegeven, die hem in Toy's arm stak, nam hij via zijn draagbare radio contact op met het ziekenhuis en gaf hij hun de informatie door. Terwijl de twee mannen met Toy bezig waren, liep Sylvia achteruit tot ze tegen de muur stond en sloeg ze haar armen om haar bovenlichaam.

'Lijdt ze aan een bepaalde ziekte?' vroeg een van de mannen.

'Dat geloof ik niet,' zei Sylvia. Toen herinnerde ze zich wat Toy haar had verteld over de ziekte waaraan ze in de hoogste klas van de middelbare school had geleden. 'Ze heeft ooit een virus rond haar hart gehad, maar dat is bijna tien jaar geleden.'

De ziekenbroeder schreef dat op zijn clipboard. Toen klapte hij de brancard open en tilden ze Toy er samen op. Toy's ene arm bungelde naar beneden en Sylvia zag opeens dat de binnenkant van haar hand rood en gezwollen was.

'Haar hand,' riep ze uit. 'Kijk eens naar haar hand.'

Ze tilden Toy's arm voorzichtig op en bekeken haar hand. 'Een brandwond, lijkt me,' zei de donkerharige man. 'Weet u hoe ze daaraan komt?'

'Nee,' zei Sylvia. Ze schudde haar hoofd en kneep met een ongelukkig gezicht haar lippen op elkaar. 'Ze is de hele nacht

hier geweest. Waar kan ze nu een brandwond hebben opgelopen? Ik snap er niets van.' Ze begon jachtig de kamer te
doorzoeken, trok alle laden open en keek snel in de badkamer.
'Er liggen niet eens ergens lucifers. Dit is een kamer voor
niet-rokers.'

'Dan weet ik het ook niet,' zei de man. Hij knikte tegen zijn
partner en ze rolden samen de brancard de kamer uit.

Sylvia werd hysterisch toen ze Toy wegreden. Haar vriendin lag er zo stil en bleek bij dat ze bang was dat ze haar nooit
meer zou zien. 'Waar brengt u haar naar toe?' zei ze met tranen
in haar ogen.

'Het Roosevelt,' antwoordde de man, de brancard door de
gang duwend. 'Op de hoek van Amsterdam Avenue en Fifty-ninth Street.'

'Ik kom meteen,' zei Sylvia en ze liep snel naar binnen om
zich aan te kleden.

Toy deed haar ogen open. Toen ze het verblindend witte licht
zag en de duidelijke geur van ontsmettingsmiddelen rook,
begreep ze meteen dat ze in een ziekenhuis lag. Gelijk herinnerde ze zich haar droom.

'Zo, bent u wakker?' zei het mooie, blonde verpleegstertje
dat op haar neerkeek. 'Dan zal ik de dokter roepen.'

'Waar ben ik?' vroeg Toy. Ze voelde zich slap en verward
omdat ze niet wist waarom ze in een ziekenhuis lag. Ze begreep
ook niet wat de droom te betekenen had.

'U ligt op de intensive care van het Roosevelt Hospital,'
vertelde de verpleegster haar, 'maar uw conditie is nu stabiel,
zodat ik denk dat de dokter u vandaag nog naar een gewone
kamer op de afdeling cardiologie zal laten overbrengen.'

Voor Toy iets kon zeggen, liep de vrouw weg. Een paar
minuten later kwam een lange, beschaafd uitziende man met
een donkere huid en intelligente ogen de kamer in. Hij was
gekleed in een duur, bruin kostuum.

'Ik ben dokter Esteban,' zei hij met een licht accent. Hij
kwam bij haar bed staan. 'Hoe voelt u zich?'

'Best,' antwoordde Toy aarzelend. 'Waarom ben ik hier?'

'U hebt wat problemen met uw hart gehad en bent per ambulance binnengebracht. Ik ben cardioloog en lid van het me-

84

disch team hier. Het ziekenhuis heeft me laten komen om u te onderzoeken.'

'Ik was samen met iemand,' zei Toy. Ze slaagde er niet in zich te concentreren op wat de man zei. Ze zag dat er een slangetje in haar arm zat dat was verbonden met een infuus naast haar bed en ze voelde iets akeligs en kleverigs op haar borst. Ze draaide met een ruk haar hoofd om en zag de monitor. Ze was verbonden aan een ECG-machine en hoorde nu de bliepjes. 'Een vrouw, mijn vriendin. Waar is ze?'

'Als u mevrouw Goldstein bedoelt,' zei dokter Esteban, 'die zit in de wachtkamer, als ik me niet vergis.'

'O,' zei Toy. Ze deed haar ogen dicht en wou dat ze terug kon keren naar de droom om te zien hoe het jongetje het maakte. Zoals al haar andere dromen had deze zo echt geleken, zo levensecht. Ze haalde diep adem door haar neus en was er zeker van dat ze de geur van de rook nog op haar lichaam had.

'Kunt u ons vertellen hoe u die brandwonden aan uw handen hebt opgelopen?' vroeg de dokter.

Toy merkte nu pas dat haar linkerhand raar aanvoelde en toen ze haar arm ophief, zag ze dat haar hand in dik verband zat. Haar andere handpalm deed ook pijn, maar die was niet verbonden, al zaten er grote blaren op. Het was net als met de ring, dacht Toy opgetogen. Ze had iets mee teruggebracht uit de droom. 'Heeft mijn hart stilgestaan?' vroeg ze aan de dokter. Haar groene ogen vonkten. 'Zei u iets over problemen met mijn hart?'

'We zijn er niet helemaal zeker van, maar volgens mevrouw Goldstein hebt u op uw hotelkamer een hartaanval gekregen. Ze heeft mond-op-mond-beademing toegepast en waarschijnlijk uw leven gered.' Hij zweeg even en vervolgde toen: 'We zullen een aantal onderzoeken doen. Daarna wordt u overgebracht naar een gewone kamer. We vonden het beter om u op de intensive care te houden tot uw conditie stabiel was.'

'Ik wil geen onderzoeken,' zei Toy gedecideerd. 'Ik voel me prima en ik wil hier weg.'

Dokter Esteban fronste tegen haar. 'Nu praat u onzin. Dit is een ernstige situatie, mevrouw Johnson. Dat beseft u toch wel? Uw vriendin heeft ons verteld dat u ooit aan pericarditis hebt geleden. Daardoor is uw hart waarschijnlijk beschadigd en dat is de reden van deze hartverlamming. We hebben uw man op de hoogte gebracht. Ik heb begrepen dat hij ook arts is. Hij is al op weg hiernaar toe.'

Stephen, dacht Toy, boos dat ze hem hadden gebeld zonder haar toestemming. Het feit dat ze op de eerste de beste dag in New York meteen in een ziekenhuis was beland, zou alleen zijn overtuiging bevestigen dat zijn vrouw een zwakke, naïeve vrouw was die niet op zichzelf kon passen. 'Ik wil mijn man niet spreken,' zei Toy tegen de dokter. Ze probeerde overeind te komen. 'Ik wil hier weg.'

De dokter hield haar met een rustig gebaar tegen. 'Toe nou, mevrouw Johnson, u hoeft zich echt niet overstuur te maken. Ik kan u niet uit het ziekenhuis ontslaan voor we een definitieve diagnose hebben gesteld en voor ik weet of uw hart door deze hartverlamming nog meer is beschadigd.'

Toy wendde haar gezicht af. Het had geen zin tegen hem in te gaan. Hij was arts en gedroeg zich net als Stephen. Hij kon niet weten wat een gelukzalig gevoel de droom haar had gegeven. Hij zou het incident dat voor Toy zo wonderbaarlijk was geweest, bederven door zijn pogingen het ergens in het smalle, beperkende domein van de wetenschap in te passen.

Na een paar ogenblikken keek Toy de dokter weer aan. 'Mag mijn vriendin binnenkomen?' vroeg ze.

'Heel even dan,' antwoordde hij. 'Zo dadelijk komen ze u halen voor de onderzoeken. Zodra ik de resultaten daarvan heb bekeken, kom ik terug.'

De arts verliet de kamer en even later kwam Sylvia binnen. Ze zag er vreselijk uit. Haar haar stond recht overeind en haar ogen waren bloeddoorlopen en stonden angstig en bezorgd. Ze snelde naar Toy's bed en drukte een zoen op haar voorhoofd. 'O, wat ben ik blij dat je weer in orde bent,' stootte ze uit. 'Kind, wat heb je me laten schrikken vanochtend. Ik neem jou nòg eens mee op vakantie, zeg!'

Toy glimlachte tegen haar. 'Ik voel me uitstekend,' zei ze. Toen kreeg ze tranen van dankbaarheid in haar ogen. 'De dokter zei dat je mijn leven hebt gered, omdat je mond-op-mond-beademing hebt toegepast.'

Sylvia zette een hoge borst op van trots. De weinige keren dat ze voorheen in een crisissituatie had verkeerd, was ze in paniek geraakt en had ze alles verkeerd gedaan. Een half jaar geleden had een van haar leerlingen zich lelijk gesneden aan een puntig stuk aluminium dat hij voor een natuurkundeproject nodig had, en had Sylvia geprobeerd zijn arm af te binden om het bloeden tegen te gaan. Helaas was ze helemaal over haar toeren geweest en had ze het koord zo strak om zijn arm gebonden dat ze zijn huid had opengehaald. Ze had zich zo ellendig gevoeld, dat ze had gezworen nooit meer te proberen eerste hulp te verlenen.

'Ik kan er zelf niet over uit dat ik het goed heb gedaan,' zei ze tegen Toy. 'Het is zeker zes jaar geleden dat ik die cursus heb gevolgd en ik ben nooit naar de herhalingsavonden gegaan.'

'Je bent een heldin,' zei Toy, die er nog nooit zo stralend had uitgezien als op dat moment. Haar ogen hadden de zuivere groene kleur van onschatbare, fonkelende smaragden. Haar prachtige haar lag rond haar gezicht op het kussen uitgespreid en haar huid was zo glad en doorschijnend als de duurste zijde.

Sylvia kreeg een kleur van plezier. Eindelijk had ze een crisissituatie goed aangepakt en was ze niet als een idioot in paniek geraakt. Maar er gleed meteen weer een bezorgde trek over haar gezicht. 'Hoe kom je aan die brandwonden aan je handen, Toy? Je bent toch niet midden in de nacht ergens naar toe gegaan? Ik snap er niets van. Ik heb je de hele nacht niet horen weggaan en ik slaap erg licht. Ik weet bijna zeker dat je al die tijd in bed hebt gelegen.'

'Er is iets gebeurd,' zei Toy. Haar gezicht vertrok even van pijn toen ze met een ruk de naald uit haar arm trok.

'Wat doe je nu?' zei Sylvia met grote ogen. 'Daar mag je niet aankomen. Er zitten medicijnen in het infuus, Toy. Ik zal een verpleegster roepen, dan kan die haar er weer indoen.'

Toy ging rechtop zitten, boog haar hoofd en trok de hals van haar ziekenhuispyjama naar beneden om de plakkertjes van haar borst te halen. 'Geef me mijn kleren even. We gaan terug naar het hotel voor Stephen hier is.'

Sylvia was opgestaan en keek haar met open mond aan.

'Ik ga een verpleegster roepen,' zei ze streng. 'Je kunt hier niet zomaar weggaan. Jezus, Toy, het heeft niet veel gescheeld of je was dood geweest.'

'Ik bèn dood geweest,' zei Toy. Er speelde een sluw glimlachje rond haar mond. 'Als mijn hart inderdaad heeft stilgestaan, was ik klinisch dood. Waar of niet? Als je hart niet meer klopt, ben je dood.'

Sylvia hief haar handen op. 'Oké, je was klinisch dood. Het maakt niet uit hoe je het noemt. Ik weet alleen dat je hier niet zomaar mag weggaan.'

Toy schudde haar hoofd. 'Er zit meer achter, Sylvia, maar dat kan ik je nu niet uitleggen. Ik vertel je een andere keer wel wat er allemaal is gebeurd.' Ze keek haar vriendin diep in de ogen toen ze zag hoe ongerust die was. 'Zodra we hier weg zijn, oké? Dat beloof ik.'

Sylvia bleef staan waar ze stond en sloeg uitdagend haar armen over elkaar. 'Nee, nu,' eiste ze. 'Ik laat je hier niet weggaan, Toy. Als Stephen straks komt en te horen krijgt dat je jezelf uit het ziekenhuis hebt ontslagen, krijg ik het op mijn brood.'

'Dan had je hem niet moeten laten komen,' zei Toy. Ze stapte met haar blote voeten op de koude vloer. 'Geef me mijn kleren nu maar even.'

Sylvia weigerde aan haar verzoek gehoor te geven. 'Ga terug in dat bed, Toy.'

Toy negeerde haar en zag aan het voeteneinde van haar bed een plastic tas met haar kleren erin. In een mum van tijd had ze zich aangekleed. Alleen haar schoenen ontbraken. 'Waar zijn mijn schoenen?' vroeg ze.

Sylvia haalde haar schouders op. Haar bezorgdheid was overgeslagen in ergernis nu haar vriendin zo onredelijk deed. Toy was altijd zo meegaand geweest, zo vatbaar voor redelijke argumenten. Sylvia had geen idee waarom ze opeens was veranderd. 'je bent hier niet op eigen kracht binnengekomen, Toy,' zei ze sarcastisch, 'Je bent op een brancard binnengebracht.' Ze tuitte haar lippen en zei venijnig: 'Je was buiten westen, of ben je dat nu al vergeten?'

Toy was nu gekleed in het baseball T-shirt en haar zwarte legging en stond klaar om te vertrekken, met of zonder schoenen. 'Ga je mee of blijf je hier?' vroeg ze aan Sylvia toen ze naar de deur liep.

'Waar ga je naar toe?' zei Sylvia. 'Naar het hotel, hoop ik. Toy, beloof me dat je regelrecht teruggaat naar het hotel.'

'Natuurlijk,' zei Toy. 'Waar zou ik anders naar toe moeten? Houdt je vraag in dat je niet meegaat?'

Sylvia keek op haar horloge en zag dat het al tegen het eind van de middag liep. Toen ze Stephen vanuit het hotel had gebeld, had hij gezegd dat hij het eerste het beste vliegtuig zou nemen en vanaf het vliegveld regelrecht naar het ziekenhuis zou komen. Toy was een paar uur lang buiten bewustzijn geweest en Sylvia had daarna nog moeten wachten tot de cardioloog haar had onderzocht. 'Stephen kan ieder ogenblik hier zijn,' zei ze tegen Toy. 'Ik kan beter op hem wachten, want hij springt natuurlijk uit zijn vel als hij merkt dat je verdwenen bent.'

'Zoals je wilt,' zei Toy met een schouderophalen. Ze bleef in de deuropening nog even staan. 'Ik vind het echt geweldig wat je voor me hebt gedaan, Sylvia, maar ik... ik kan hier gewoon niet blijven. Ik hoop dat je daar begrip voor hebt.'

'Ik doe mijn best,' zei Sylvia. Ze liet zich op het bed zakken en bleef voorovergebogen zitten met haar hoofd in haar handen.

Iedereen keek om toen de vrouw met het T-shirt van de California Angels en het vlammend rode haar op haar blote voeten langs hen heen door de gangen van het ziekenhuis snelde. Toy had geen erg in de starende blikken, verzonken als ze was in haar gedachten.

De dromen waren teruggekeerd. Haar gebeden waren verhoord. Misschien had ze gelijk gehad en waren de dromen gestopt vanwege Stephen, dacht ze. Hij was een geharde cynicus, die wantrouwig stond tegenover alles wat hij niet netjes in een categorie kon onderbrengen of kon onderzoeken onder een microscoop. Toy voelde haar handen branden, maar in plaats van op de pijn te reageren kreeg ze een intens, overweldigend geluksgevoel. Laat hij maar eens proberen dit te verklaren, dacht ze, toen ze door de deur liep, de vochtige, kille buitenlucht in.

Ze keek op naar de lucht. Er hing een grauw wolkendek en de geur van regen vulde de lucht. Met haar armen om zich heen geslagen om warm te blijven liep ze de straat door, met haar hoofd gebogen, uitkijkend naar glasscherven. Het was druk op straat en de mensen drongen langs haar heen. Bijna iedereen had een regenjas aan en een paraplu in zijn hand en leek vreselijk veel haast te hebben. Toy had er geen idee van waar ze was, maar ze wist wel dat ze niet zomaar kon blijven lopen, omdat ze dan onherroepelijk ergens in zou trappen en haar voeten open zou halen.

De beelden en geluiden van de stad omringden haar, maar in plaats van vervuld te worden met walging, genoot Toy van de heerlijke geur van geroosterde kastanjes op de hoek van de straat en van de hot dogs die aan het spit draaiden. Zelfs de stoom die uit de roosters van de ondergrondse kwam, stoorde haar niet, maar deed haar denken aan de nevel die bij de dageraad over een vredig meertje hangt.

Nadat ze nog een paar straten had gelopen, met grote ogen naar de gebouwen kijkend, kwam ze bij een kruispunt waar ze een groot, geel, verlicht uithangbord zag waar 'Wolfe's' op stond. De naam kwam haar bekend voor en opeens herinnerde ze zich dat Sylvia het de avond tevoren in de taxi over dat restaurant had gehad. Ze had gezegd dat het vlak bij hun hotel lag. Toy bleef staan en keek door het raam naar binnen. Vanwege Halloween waren de ruiten feestelijk versierd met grote, oranje pompoenen, rode paprika's en samengebonden maïskolven. Toy's mond was kurkdroog, ze had het koud en begon nat te worden omdat het was gaan regenen.

Toen de regen heviger werd, besloot Toy het restaurant binnen te gaan en een kop koffie te nemen om weer wat warm te worden. Dan kon ze meteen vragen waar het hotel was.

Ze geneerde zich zo voor haar blote voeten dat ze wachtte tot er een groep zakenmensen het restaurant binnenging, zodat ze half achter hen verscholen naar binnen kon glippen. Ze liep met hen mee naar de achterkant van het restaurant en ging aan een vrij tafeltje zitten.

Stephen Johnson deed zijn ogen open toen de taxi voor de deur van het Roosevelt Hospital tot stilstand kwam. Zijn dag was om drie uur 's nachts in Los Angeles begonnen, toen ze hem uit bed hadden gebeld voor een spoedoperatie, een ontstoken blindedarm. Hij was net weer thuis om nog een paar uur te slapen toen Sylvia hem had gebeld met het nieuws over Toy.

Hij was doodmoe, geïrriteerd en buiten zichzelf van bezorgdheid. En hij worstelde met een schuldgevoel. Hij had niet moeten weigeren met Toy te praten en hij had haar niet weg mogen laten gaan met die idiote Sylvia Goldstein. Hoewel Toy en zij al jaren bevriend waren, had hij Sylvia nooit gemogen. Om te beginnen was ze een slons. Ze was minstens tien kilo te zwaar en hij kon mensen die hun lichaam niet op peil hielden niet uitstaan. Verder had ze een uitgesproken Newyorks accent waar hij een hekel aan had en haalde ze Toy altijd over verkeerde dingen te doen.

Hij stak de taxichauffeur wat bankbiljetten toe en stapte uit de auto. Zodra hij zeker wist dat Toy hier in goede handen was, nam hij zich voor, zou hij die beste vriendin van zijn vrouw eens even apart nemen en haar precies vertellen waar het op stond. Hij had er spijt van dat hij dat jaren geleden niet al had gedaan. Dan zou Toy nu niet in moeilijkheden zijn geraakt.

Hij snapte nog steeds niet en kon geen enkele aannemelijke medische reden bedenken waarom zijn negenentwintigjarige vrouw, die volkomen gezond leek, opeens een hartverlamming had gekregen. Hij wist dat ze pericarditis had gehad, maar in het kader van hun pogingen om kinderen te krijgen, was Toy van top tot teen onderzocht, inclusief haar hart. Ze hadden niets kunnen vinden. Toy was volgens de onderzoeken volkomen gezond.

Bij de receptie informeerde hij op welke verdieping hij moest zijn en stapte in een van de liften.

'Ik ben dokter Johnson,' zei hij tegen de verpleegster achter de balie. 'Mijn vrouw is hier opgenomen. Haar naam is Toy Johnson.'

De vrouw zocht de naam op op een lijst. 'Kamer 746 Rechtsaf.'

Het verbaasde Stephen dat Toy niet op de intensive care lag, maar hij nam aan dat ze haar naar de afdeling hadden overgebracht omdat ze vonden dat ze niet meer in levensgevaar verkeerde. Dat was een goed teken. Hij vond de kamer, deed de deur open en liep naar binnen. Het bed was opgemaakt en Toy was er niet. Ze hadden haar zeker meegenomen voor verdere onderzoeken, dacht hij. Hij ging in de stoel zitten en pakte de telefoon om Los Angeles te bellen.

'Nee, nee, nee,' riep hij in de telefoon naar zijn secretaresse. Hij rukte zijn stropdas los en gooide hem op het bed. 'Laat Henrik daar met zijn vingers afblijven. Die kerel weet van toeten noch blazen. De laatste patiënt die hij heeft opengesneden, ligt op het kerkhof. Laat Bill Grant alsjeblieft voor me invallen.'

Nadat hij had neergelegd bedacht hij dat Toy geen slechtere week had kunnen kiezen om ziek te worden en zijn werkschema in de war te gooien. Hij zat iedere dag helemaal vol. De meeste van de operaties konden niet wachten. Hij had vorig jaar zijn assistentschap beëindigd en was nu geheel afhankelijk van goodwill en vrienden om voor hem in te vallen. De meeste van zijn vrienden hadden zelf van de vroege ochtend tot de late avond operaties op hun agenda staan en zouden amper tijd hebben zijn werk er nog bij te nemen. Als Toy in staat was te reizen, besloot hij, nam hij haar vanavond nog mee terug naar huis. Er was geen enkele reden haar hier in New York te laten als haar conditie stabiel was.

Hij wachtte nog een paar minuten, maar toen ze niet terugkwam, liep hij weer naar de verpleegstersbalie. 'Pardon,' zei hij tegen dezelfde verpleegster die een schema zat te bekijken. 'Blijkbaar hebben ze mijn vrouw meegenomen voor onderzoeken. Kunt u me vertellen wanneer ze terugkomt en waar ik de behandelende arts kan vinden? Ik wil hem graag spreken.'

'Het spijt me,' zei ze, 'dokter Esteban is een paar uur geleden al vertrokken. En uw vrouw...' Ze pakte Toy's kaart erbij. 'Er staan voor vandaag geen onderzoeken op het programma. Dokter Esteban had een MRI en een aantal andere onderzoeken willen laten doen, maar die heeft hij doorgestreept voor hij naar huis is gegaan.'

'Ze is niet op haar kamer,' zei Stephen kortaf.

'Weet u dat zeker? Hebt u in de juiste kamer gekeken? Nummer 746?'

'Natuurlijk,' zei hij. 'Ik kan heus wel lezen.'

Ze reageerde niet op zijn sarcastische opmerking. Ze werkte de hele dag met artsen samen en was eraan gewend. 'Kijkt u nog een keer. Misschien is ze een eindje gaan wandelen.'

Stephen keek haar kwaad aan en liep de gang weer in. Toy was nog steeds niet op haar kamer. Toen hij een paar minuten later weer voor de balie stond, was hij laaiend. 'Nu moet u eens goed naar me luisteren,' zei hij, terwijl hij met zijn vlakke hand op de kunststof balie sloeg. 'Ze is niet op haar kamer en ze is op de gang nergens te vinden. Kunt u me uitleggen hoe dat komt? Hebben ze haar soms naar een andere afdeling gebracht en vergeten dat op de kaart te vermelden? Bel de receptie. Misschien weten ze daar waar ze is.'

De vrouw pakte snel de telefoon en toetste het nummer van de receptie. Even later keek ze weer op naar de knappe, jonge dokter. 'Het is echt kamer 746 Controleert u het nog maar een keer.'

'Laat Esteban komen. Ik wil hem spreken. En roep mijn vrouw op via de intercom. Als ze aan de wandel is gegaan en in een ander deel van het ziekenhuis terecht is gekomen, hoort ze de oproep in ieder geval.'

'Goed, dokter Johnson,' antwoordde de vrouw beleefd.

Stephen liep al terug naar de kamer. Even later hoorde hij dat Toy's naam werd omgeroepen. Hij wachtte nog een paar minuten, maar was zo moe dat hij op het ziekenhuisbed van zijn vrouw ging liggen en meteen in slaap viel.

'Dokter Johnson?' zei een mannenstem. 'Pardon, bent u dokter Stephen Johnson?'

Stephen schoot overeind en wreef in zijn ogen. Even wist hij niet waar hij was. 'Wie bent u?'

'Ricardo Esteban. Ik ben als cardioloog verbonden aan het ziekenhuis.'

'Waar is mijn vrouw?'

'Dat weet ik niet.'

'Hoe bedoelt u? Ze hebben mij gebeld met de mededeling dat mijn vrouw een hartverlamming heeft gekregen. Ik heb het eerste het beste vliegtuig genomen. En nu wilt u beweren dat u haar kwijt bent. Ben ik gek? Is dit een droom?'

'Het spijt me,' zei Esteban. 'Ze is hier wel geweest, maar we hebben geen idee waar ze naar toe is gegaan. Ik vermoed dat ze gewoon het ziekenhuis uit is gelopen en terug is gegaan naar haar hotelkamer. Nadat haar vriendin bij haar was geweest, is volgens de verpleegster de monitor afgeslagen en is uw vrouw verdwenen.'

Stephen liep rood aan van woede. 'U bedoelt natuurlijk Sylvia Goldstein. Ik had het kunnen weten. Die veroorzaakt niets dan ellende.'

'Volgens de verpleegsters,' zei Esteban langzaam, 'is mevrouw Goldstein nog een poosje hier in het ziekenhuis gebleven nadat uw vrouw was vertrokken. Misschien wachtte ze op u en heeft ze uiteindelijk besloten ook maar naar het hotel terug te gaan.'

'Welk hotel?' zei Stephen. Hij liet zich van het bed glijden en pakte zijn stropdas en colbert van de stoel.

'Ik heb geen idee,' antwoordde de arts. 'Maar dat kunt u bij de receptie navragen. Daar weten ze dat vast wel. Uw vrouw was op haar hotelkamer toen ze de hartverlamming kreeg. Haar vriendin, mevrouw Goldstein, heeft mond-op-mond-beademing toegepast, anders zou uw vrouw nu dood zijn geweest.'

Stephen voelde de paniek langzaam in zich oprijzen. Dit was niet de hysterische Sylvia die hem vertelde dat zijn vrouw op de rand van de dood had gezweefd. Dit was een collega-arts. 'Wat hebt u op de ECG kunnen zien?' vroeg hij gejaagd. 'Welke onderzoeken hebt u laten doen? Wat waren de resultaten daarvan?'

'Rustig maar,' zei Esteban. Hij legde even zijn hand op Stephens schouder. 'Volgens mij maakt ze het goed. Ze wilde per se weg en weigerde zich te laten onderzoeken. We hebben geen tijd gehad om alle tests uit te voeren. Vanwege haar pericarditis zou het het beste zijn als ze terug zou komen om zich aan een volledige reeks onderzoeken te onderwerpen. Ik was ook van plan haar een draagbare monitor te geven wanneer ze uit het ziekenhuis zou worden ontslagen zodat we haar hart over langere perioden kunnen controleren.' Hij pauzeerde.

'Hebt u het al bij de receptie geprobeerd? Misschien hebben ze daar de naam van haar hotel.'

'Dit is waanzin,' zei Stephen. Hij ijsbeerde door de kleine kamer terwijl Esteban de receptie belde. Esteban schudde langzaam zijn hoofd en legde zachtjes de hoorn op de haak.

'Wat moet ik nu? Mijn carrière is zo goed als geruïneerd en mijn vrouw zwerft met die krankzinnige vriendin van haar door deze walgelijke stad terwijl ze in het ziekenhuis had moeten liggen.'

'Zoals ik al zei, uw vrouw komt heus wel boven water. Als ze bij de receptie niet weten in welk hotel ze zit, mag u best hier op haar wachten, voor het geval ze terugkomt.'

'Waarom heeft ze een hartverlamming gekregen?' blafte Stephen tegen de arts. 'Wat is er aan de hand?'

'Ik heb geen idee. Het is nogal vreemd. Nadat ze was binnengebracht en we haar op de ECG hadden aangesloten, was er geen enkel teken te bespeuren van hartkloppingen of andere stoornissen. Haar hart klopte volkomen normaal. Het enige wat ik u kan vertellen is dat haar hart blijkbaar spontaan tot stilstand is gekomen. Is het mogelijk dat ze een bepaald type drugs gebruikt, waar u niet van op de hoogte bent? Cocaïne of een ander stimulerend middel? Dat is een van de tests die ik vandaag had willen laten doen, een chemische screening.'

'Dat is belachelijk,' zei Stephen met een lijkbleek gezicht. Hij zag eruit alsof híj de patiënt was. 'Mijn vrouw is fel tegen drugsgebruik. Zelfs op de universiteit heeft ze nooit drugs gebruikt. Nee, dat kan het niet zijn geweest, zet u dat maar uit uw hoofd.'

Esteban schudde zijn hoofd. 'Het spijt me. Ik kan u verder niets vertellen.'

Stephen staarde de ander een paar seconden aan en snelde toen de kamer uit om zijn vrouw te gaan zoeken.

'Wilt u nu iets bestellen?' vroeg de kelner. Hij keek Toy achterdochtig aan. Ze zat op een rode, kunstleren bank aan een tafeltje achter in het restaurant en staarde met glazige ogen voor zich uit.

'Eh... neemt u me niet kwalijk,' zei ze. 'Wat zei u?'

'Dit is een restaurant, geen opvanghuis. Als u niets bestelt, kunt u hier niet blijven.'

'Een kop koffie, alstublieft.'

'Hmmm,' zei hij. Hij veegde zijn grote handen af aan zijn witte schort, pakte een paar borden mee van het tafeltje ernaast, liep naar de bar en fluisterde tegen de caissière: 'Die vrouw daar is een uur geleden binnengekomen. Ze heeft geen schoenen aan en is nogal raar gekleed. Ze lijkt wel een zwerfster.'

De caissière had feloranje haar, blijkbaar geverfd om het grijs te verdoezelen en was achter in de vijftig. Ze zat op een hoge kruk achter de bar. 'Zal ik de politie bellen?' vroeg ze. Ze kauwde met open mond op een stuk kauwgum en rekte haar nek om de achterste tafeltjes te kunnen zien. 'Geen schoenen, zeg je? Dat vind ik verdacht.'

'Vind je dat we moeten wachten of ze kan betalen? Ze heeft volgens mij geen tas bij zich.'

'Zorg dat je haar weg krijgt. De klanten vinden het niet leuk als er zwervers vlak bij hen zitten, zeker niet als ze stinken. Die daar heeft geen geld, dat zie je zo.' Ze hadden veel last van daklozen die binnenkwamen, een maaltijd bestelden en probeerden stiekem weg te komen wanneer ze de rekening moesten betalen.

Toy hoorde het gerammel van eetgerei en de stemmen van mensen om zich heen, maar sloot die zonder enige moeite buiten. Steeds weer beleefde ze de droom, maar ze wist niet helemaal zeker welke herinneringen echt waren en welke bij de droom hoorden. Dokter Esteban, het ziekenhuis en de afgelopen nacht leken onwerkelijk, ver weg, vaag, maar het jongetje en de kinderen in het veld zag ze even scherp als de tafel waar haar handen op rustten. De kelner kwam met een zuur gezicht naar haar toe en zette met een klap een mok koffie op de tafel. De rekening lag ernaast.

'Wilt u meteen betalen?' vroeg hij met zijn handen in zijn zij.

'O,' zei ze, naast zich op de bank tastend. Ze voelde zich als een volslagen idioot. Ze had geen geld bij zich. Ze had zelfs haar tas niet. Waarom was ze hier binnengegaan? 'Nee, dank u,' zei ze beleefd. 'Ik betaal wanneer ik wegga.'

Ze pakte met beide handen de mok vast, maar liet die meteen los en kreunde zachtjes van de pijn. Haar onverbonden hand voelde aan alsof ze in brand stond. Ze zou moeten wachten tot de koffie was afgekoeld voor ze de mok weer kon oppakken.

'Pardon, mevrouw,' zei een vriendelijke mannenstem met een zwaar Newyorks accent een paar minuten later. 'Neem me niet kwalijk, maar ik had graag dat u met me meeging.'

Toy draaide haar hoofd om en zag een politieagent naast haar tafeltje staan, met zijn pet achter op zijn hoofd. Hij leek niet langer dan een meter vijfenzeventig en had dik, donker haar. Een kleine, keurig geknipte snor sierde zijn bovenlip. Zonder die snor, dacht Toy, zou hij een babyface gehad hebben, zoals haar moeder het altijd noemde. Hij was gebruind, maar zijn huid was niettemin glad en zag er zacht uit. Zijn ogen waren helderblauw en hadden een hypnotiserende blik.

'Wat heb ik gedaan?' vroeg Toy zachtjes.

'De eigenaar van het restaurant heeft zich over u beklaagd,' zei hij. 'Geen reden om gekke dingen uit te halen.' Hij stak zijn hand uit en pakte Toy's arm om haar overeind te helpen.

'Wacht even,' zei ze op smekende toon toen ze de andere gasten naar haar zag kijken. 'Ik ben niet degelijk gekleed, dat weet ik. Ik kom net uit het ziekenhuis, daarom heb ik geen schoenen aan. Ik had er helemaal niet bij stilgestaan dat ik mijn tas niet bij me had toen ik hier naar binnen ben gegaan, maar mijn hotel is hier vlakbij en ik kan zo dadelijk het geld wel even komen brengen.' Toy zweeg en liet haar hoofd zakken, beschaamd en gefrustreerd. Zou ze vanwege een kop koffie naar de gevangenis moeten? Opeens leek New York helemaal geen bruisende, vriendelijke stad meer. Toy voelde een golf van negativiteit en minachting over zich heen spoelen. Het ging niet alleen om de agent en de nare kelner die nu in een hoek stond en smalend toekeek. Alle aanwezigen in het drukke restaurant straalden het uit. Toy besefte dat ze allemaal dachten dat ze krankzinnig was of een dakloze die was binnengekomen in de hoop een gratis kop koffie te kunnen snaaien.

'Rustig maar,' zei de agent geduldig. 'Komt u nu maar gewoon mee. Ik zal u echt niets doen.'

Toy bedacht dat iedereen haar blote voeten zou kunnen zien als ze opstond. Ze had zich nog nooit zo vernederd gevoeld. Stephen had gelijk, dacht ze. Hij had al die tijd gelijk gehad. Ze was niet helemaal in orde. Er was iets mis met haar. 'Kunt u me vertellen waar het Gotham City Hotel is?' vroeg Toy. 'U hoeft me niet te arresteren. Ik zal het geld gaan halen. Dat beloof ik. Mijn hotel is hier vlakbij. Ik kan me alleen niet herinneren welke kant ik op moet.'

De jonge agent leunde naar haar toe en fluisterde: 'Laten we nu maar eerst weggaan, oké? Ik ga u echt niet arresteren. Ik heb de rekening al betaald, maar ze willen nu eenmaal dat u weggaat, en dat kunnen we dus maar beter doen.'

Toy schoof van de bank af en stond toe dat de agent haar bij de arm pakte. Met gebogen hoofd van schaamte liep ze met hem mee het restaurant uit. Toen ze langs de kelner kwamen, zei de agent: 'Jullie staan bij me in het krijt, Tony. Zet maar een cheeseburger en een portie patat klaar. Ik kom zo terug.'

Eenmaal buiten bleef de agent vragen op Toy afvuren. Terwijl ze praatten, beschermde hij haar met zijn lichaam tegen de drukke mensenmassa die in beide richtingen langsliep. Iedereen had haast en bijna niemand keek in hun richting. 'In welk ziekenhuis hebt u gelegen? Het Bellevue?'

'Dat geloof ik niet,' zei Toy. Ze had graag een potje gehuild, maar wilde dat niet doen waar de agent bij was. Als ze ook maar één traan liet, was het met het laatste restantje van haar trots gedaan. 'Ik geloof dat het het Roosevelt was, maar ik wil daar niet meer naar toe. Ik wil alleen maar weten waar mijn hotel is.'

'Goed,' zei hij, haar achterdochtig aankijkend, 'ik zal u een lift geven, als u me belooft dat u nooit meer aan het zwerven gaat.' Toen verzachtte zijn gezicht en schonk hij haar een warme glimlach. 'Het is niet verstandig voor een vrouw alleen om hier zo verdwaasd rond te lopen. Iedereen die een beetje anders is dan anders, is hier meteen de pineut, als u begrijpt wat ik bedoel.'

'Ja,' zei Toy beschaamd, nog steeds met gebogen hoofd. Ze keek naar de stoep, het asfalt. Met zijn hand nog steeds rond haar arm deed de agent twee stappen opzij en blies hij op zijn fluitje, terwijl hij zijn andere arm opstak. Toy keek op om te zien wat hij deed en zag een politiewagen langs de stoeprand tot stilstand komen op een plaats waar parkeren verboden was. Om zich heen zag ze niets dan beton, bakstenen en staal. Er waren in Manhattan geen velden met hoog gras. Het had zo echt geleken, maar Toy besefte nu dat ze het zich alleen maar had ingebeeld, dat ze had gedroomd, en dat ze krankzinnig aan het worden was. Het was precies gegaan zoals Stephen altijd had voorspeld. Hij zei altijd dat ze in moeilijkheden zou komen, iets afschuwelijks zou doen, gewond zou raken. Haar handen brandden en ze voelde haar hartslag erin kloppen. Toen ze erop neerkeek, zag ze het dikke verband om haar linkerhand. De vingers en palm van haar rechterhand waren geschroeid en er zaten lelijke blaren op. Sylvia had waarschijnlijk gelijk, dacht ze. Ze had geslaapwandeld en zich ergens aan bezeerd. Misschien was ze in de kelder van het hotel terechtgekomen en had ze per ongeluk de pijpen van de verwarming aangeraakt.

Zonder op te kijken liet Toy zich naar de politieauto brengen. Ze voelde de hand van de agent op haar hoofd toen ze zachtjes achter in de auto werd geduwd. Opeens scheen haar angst helemaal van haar af te vallen. Ze was veilig. Ze wist dat de plaats waar ze haar naar toe brachten, de plaats was waar ze behoorde te zijn. Ze wist niet waarom, maar ze voelde dat aan. Het was alsof ze de gedachten van de jonge agent kon lezen en hij haar geruststelde.

Hoe langer ze naar hem keek, hoe meer hij haar deed denken aan het jongetje van de brand.

'Breng haar naar het Roosevelt,' zei hij tegen de agent achter het stuur. Hij deed het portier dicht. 'En ga even met haar mee naar binnen. Zet haar niet voor de deur af, want dan gaat ze weer aan de wandel.'

'Is ze gestoord?' vroeg de agent achter het stuur, terwijl hij Toy in het spiegeltje bekeek.

'Welnee,' zei de andere agent. Hij glimlachte en gaf Toy een knipoogje. 'Ze is een heel speciaal iemand. Zij en ik zijn dikke vrienden. Zie je dat niet eens, Bernie? Ze is een engel. Dat staat zelfs op haar T-shirt. Ze is een engel uit Californië. Ze is naar Manhattan gekomen om ons een handje te helpen.'

'Het is al laat, Kramer,' zei de andere agent op klagende toon. Hij zag het grappige er niet van in. 'Ik was net van plan om uit te klokken en en een hapje te gaan eten.'

'Ik kan wel lopen,' zei Toy door het stalen raster heen dat tussen haar en de voorbank zat. 'U hoeft uw tijd niet aan mij te verkwisten. U hoeft me alleen maar uit te leggen hoe ik bij mijn hotel kan komen.'

De agent achter het stuur negeerde haar, evenals de agent die door het open raampje leunde. 'Breng haar nou maar even weg, Bernie,' zei hij. 'Ik zal wel iets voor je bestellen. Wat wil je hebben? Een hamburger? Een cheeseburger?'

'Alsjeblieft niet,' zei de agent. Hij likte over zijn lippen. 'Doe mij maar rookvlees op warm volkorenbrood met koolsla en een schaaltje nieuwe augurken, niet dat spul dat ze de andere klanten geven. En cassis.'

Zodra hij zijn bestelling had gedaan, trok hij abrupt op, zodat Toy achterover werd gedrukt tegen de leuning van de achterbank. Voor de tweede keer die dag was ze op weg naar het Roosevelt Hospital. Ondanks de omstandigheden moest ze om haar situatie lachen. Ze was in een taxi in de stad aangekomen. Daarna was ze in een ziekenwagen naar het ziekenhuis gebracht en nu zat ze in een politieauto. Het enige wat ze nog niet had uitgeprobeerd, was de ondergrondse. Na zo'n dag, dacht ze, kon ze op de nominatie worden gezet voor Newyorker van de week.

6

Het was druk en lawaaierig in het restaurant. Op vrijdag-avond was het altijd drukker dan anders en Sarah transpi-reerde terwijl ze met de zware dienbladen heen en weer liep tussen de keuken en de eetzaal.

Om de paar minuten keek ze naar de deur en dan op haar horloge. Het was al over vijven en Raymond Gonzales was er nog steeds niet. De baas was woedend, want ze hadden de hulpkelners hard nodig. Nu moesten Sarah en de andere ser-veersters niet alleen de klanten bedienen, maar ook de tafeltjes afruimen. Dat hield in dat alles langzamer ging dan normaal en Newyorkers wilden altijd op hun wenken bediend worden. Zodra ze waren gaan zitten, verwachtten ze dat er iets op tafel kwam. Brood. Augurken. Water. Het maakte niet uit wat.

'Hé,' zei een beer van een man in een bruin leren jack op luide toon toen Sarah langs hem heen naar een ander tafeltje snelde. 'Ik zit hier al een kwartier. Wanneer kom je mijn be-stelling opnemen? Ik heb vanavond nog meer te doen.'

'Sorry,' zei Sarah snel. 'Ik kom eraan. Ik moet dit alleen even wegbrengen. We komen vanavond mensen te kort van-wege ziekte.'

Raymond zou ontslagen worden. Sarah was er zeker van. Hoewel hij maar hulpkelner was, lagen de banen niet voor het opscheppen en ze vermoedde dat hij afgezien van zijn artistieke talenten weinig te bieden had.

Ze verweet zichzelf dat ze hem in zo'n vreemde stemming had achtergelaten. Ze was boos en geïrriteerd weggegaan, maar haar woede was snel omgeslagen in bezorgdheid. Twee jaar geleden had haar broer zelfmoord gepleegd. De hele familie was daar kapot van geweest, maar in tegenstelling tot de rest van de familie, had Sarah de schuld volledig op zich genomen. Waarom had ze het niet zien aankomen? Haar broer en zij hadden goed met elkaar overweg gekund, terwijl hij met hun ouders en de andere leden van het gezin weinig contact had gehad en op vrij gespannen voet had geleefd. Ze dacht terug aan de hopeloze, wanhopige blik in zijn ogen op de avond voor hij zich had opgehangen en besefte opeens dat ze diezelfde uitdrukking die ochtend op Raymonds gezicht had gezien.

In de keuken haalde ze een kwartje uit haar zak en stopte het in de sleuf van de telefoon naast de wc. Raymonds telefoonnummer had ze daarstraks al opgezocht, toen hij niet op zijn werk was gekomen. Ze toetste het nummer, terwijl ze over haar schouder keek om te zien of de baas niet in de buurt was. Nadat de telefoon wel tien keer was overgegaan gooide ze met een klap de hoorn op de haak, nog banger dan voorheen. Als Raymond niet op zijn werk was en de telefoon niet opnam, lag hij misschien dood op de grond. Het had drie dagen geduurd voor het lijk van haar broer was gevonden in de gore kamer waarin hij woonde, op de vierde verdieping van een huurkazerne. Net als Raymond had haar broer artistieke neigingen gehad en had hij zich toegelegd op poëzie, maar zijn dromen waren niet uitgekomen en hij was steeds verder weggezonken in armoede en moedeloosheid.

Sarah zou nooit de dag na de begrafenis vergeten toen ze naar de kamer van haar broer was gegaan om zijn weinige bezittingen weg te halen – de weerzinwekkende stank van de dood. Misschien had ze niet kunnen verhinderen dat hij zijn leven had beëindigd, zoals iedereen herhaaldelijk tegen haar had gezegd, maar ze had hem beter in de gaten moeten houden, hem vaker moeten bellen. Dan zouden ze hem tenminste meteen nadat hij was gestorven, hebben gevonden.

Sarah werkte nog verbetener om de bestellingen rond te brengen en aan de eisen van de klanten te beantwoorden. Ze was doodsbang dat als ze niets aan Raymond Gonzales deed, ze er weer mee zou moeten leven dat ze de andere kant op had gekeken toen iemand om hulp riep. Ze was niet erg gods-

dienstig, maar ze geloofde in een oppermacht en in een soort
rode draad die door het leven liep en iedereen een eigen plaats
gaf in het grote geheel. Misschien, dacht ze, werd ze op een
mysterieuze wijze op de proef gesteld. Bij haar broer was ze
tekortgeschoten. Misschien was haar kennismaking met Raymond een kans om te bewijzen dat ze niet twee keer dezelfde
fout zou maken.

Zodra het wat rustiger was geworden en er zelfs een paar
lege tafeltjes waren, ging ze naar haar baas.

'Ik voel me niet lekker,' zei ze met een zielig gezicht. 'Ik
geloof dat ik beter naar huis kan gaan.'

De man stortte woedend een reeks van verwensingen over
haar uit. Hij was een grote Griek met glad, vettig haar en een
bierbuik die over zijn broekriem puilde. 'Je ziet er helemaal
niet ziek uit. Als je weggaat, kun je meteen wegblijven. Dan
kun je voor mijn part weer met hasj gaan leuren bij Bennie's.'

Sarah kneep haar ogen iets toe. 'Wilt u soms dat ik zo dadelijk op een van de klanten kots?' Ze ging iets dichter bij
hem staan en drukte haar handen tegen haar maag. 'O, ik voel
het al aankomen!'

De man deinsde achteruit en keek haar woedend aan.
'Maak dat je wegkomt. Als je over mij heen kotst, ben je op
staande voet ontslagen. Ik heb net een nieuw overhemd aan.'

Sarah draaide zich om en griste haar jas en tas uit de ves-
tiaire. Ze besloot te voet naar Raymonds zolderkamer in Tri-
BeCa te gaan. Het was maar een kwartiertje lopen.

Toy lag in een ziekenhuisbed. Haar gloeiende handen waren
verbonden en ze had een infuusslangetje in haar arm. Toen
de politieagent haar bij de eerstehulpafdeling had afgezet,
had men de brandwonden bekeken en gezegd dat er gevaar
voor infectie bestond. Omdat haar handen haar zo'n pijn deden, had ze besloten deze keer te doen wat de artsen zeiden
en zich te laten behandelen. De scène in het restaurant was
genoeg geweest voor vandaag. Ze had er niets meer op tegen
om op een veilige, warme plek te blijven.

Ze keek op en zag Sylvia en Stephen in de deuropening
staan.

'Jezus, Toy,' zei Stephen met een diepbezorgd gezicht. 'Hoe

103

is het met je? We hebben ons zo ongerust gemaakt. Waarom ben je uit het ziekenhuis weggegaan?'

'Dat weet ik niet,' zei Toy zwakjes. Ze vond zijn aanwezigheid in de kamer benauwend, vooral omdat ze in bed lag en naar hem op moest kijken. Hij leek zo groot, zo autoritair en de blik in zijn ogen was zo dreigend. Ze probeerde overeind te komen om te gaan zitten, maar besefte dat ze haar handen niet kon gebruiken. Ze liet zich terugzakken op het kussen. Stephen boog zich over haar heen en gaf haar een zoen op haar wang.

Toy's ogen flitsten naar Sylvia, maar die zei niets. Toy kon aan haar gezicht zien dat Stephen haar al de les had gelezen. Hij gaf natuurlijk Sylvia overal de schuld van, omdat die Toy had overgehaald mee te gaan naar New York.

Toen ze hen samen naar haar zag staan staren alsof ze een buitenaards wezen was, zei Toy tegen Sylvia: 'Zou je het erg vinden om Stephen en mij even alleen te laten? Ik heb liever niet dat je hier nog meer bij betrokken raakt.'

'Zoals je wilt,' zei Sylvia en liep snel de kamer uit, maar stak haar hoofd nog even om de hoek van de deur en zei: 'Ik wacht hier op de gang. Roep maar als je me nodig hebt.'

Toy kon zich niet meer inhouden en algauw stroomden de tranen over haar wangen. Ze voelde zich opeens verward en ongelukkig, terwijl ze vlak daarvoor nog zo'n tevreden en vredig gevoel had gehad. Ze had al een MRI ondergaan en zo dadelijk kwamen ze haar halen voor nog meer onderzoeken. Nog meer injectienaalden, röntgenfoto's, vreemde machines en kalkachtige vloeistoffen die ze moest doorslikken. Wat zouden ze haar daarna vertellen? Dat haar hart kapot was? Dat ze op sterven lag? Toen ze de strenge blik op het gezicht van haar man zag, hoopte ze dat de dood snel zou komen.

'Rustig maar,' zei hij op zachtere toon toen hij haar tranen zag. Omdat ze haar handen niet kon gebruiken, trok hij een tissue uit de doos op het nachtkastje en veegde hij haar tranen weg. 'Huil nou niet. Het komt allemaal best in orde. Ik ben er nu. Zodra je mag reizen, neem ik je mee naar huis.'

'Er was een brand,' zei ze, onsamenhangend pratend. 'Ik was erbij. Het was op een veld en er waren een heleboel kinderen. Er was een jongetje...'

104

'Waar heb je het over, Toy?' vroeg Stephen. Hij hield zijn hoofd schuin. 'Wacht, ik wil je status even bekijken.'

Hij liep snel de gang op. De klapdeur zwaaide achter hem heen en weer. Korte tijd later kwam hij terug. 'De brandwonden op je handen zijn niet zo ernstig. De meeste zijn eerste-en tweedegraads. Alleen op de linkerhandpalm heb je een derdegraadswond. Ze geven je antibiotica om infectie te voorkomen. Op de kaart staat dat je ook een injectie hebt gekregen tegen de pijn. Helpt die?'

'Ja,' zei Toy versuft. Door de injectie voelde ze zich dromerig en zweverig, maar nu er iemand in de kamer was, besefte ze dat ze door die prik ook erg praatgraag was geworden. 'Wat is er met me aan de hand? Waarom gebeuren al die dingen met me?'

'Dat weet ik niet,' zei Stephen. 'Waar was dat veld? Hoe ben je aan die brandwonden gekomen? Sylvia dacht dat je de hele nacht in bed had gelegen. Ben je in je eentje de straat op gegaan? En zo ja, waarom?'

'Ik weet niet waar het veld was,' zei Toy, met haar ogen knipperend terwijl ze probeerde zich de droom weer voor de geest te halen. 'Maar ik geloof dat er een schoolgebouw in brand stond. Er waren een stuk of vijftien kinderen en geen volwassenen. Er sprong een vonk op het droge gras dat begon te branden en opeens vloog het bloesje van een klein jongetje in brand. Ik moest door de vlammen heen om bij hem te kunnen komen. Daar heb ik die brandwonden zeker aan overgehouden.'

'Er zijn hier nergens open velden,' zei Stephen ongelovig. 'Je bent in Manhattan, Toy.' Toen dacht hij ergens aan. 'Was het soms in Central Park?'

Ze liet haar ogen door de kamer glijden, slaperig en versuft. 'Misschien.'

'Voor zover ik weet is er geen school in Central Park. Er is wel een ijsbaan. Daar zijn meestal kinderen te vinden.'

Toy keek hem alleen maar aan. Ze wist niet wat ze moest zeggen, wat ze moest geloven. Op dat moment kwam dokter Esteban binnen. Hij liep naar het bed toe, knikte tegen Stephen en controleerde toen Toy's hartslag, de ijszakjes en het infuus. Hij keek glimlachend op haar neer. 'Helpt die injectie tegen de pijn?'

'Ja,' zei Toy. 'Wanneer mag ik naar huis? Ik wil naar huis.'

'Over niet al te lange tijd,' zei hij met een blik op Stephen. 'Kan ik u even spreken?'

Ze liepen samen de gang op. Stephen leunde met een zucht tegen de muur. Sylvia zat op een bankje te wachten en kwam nu naar hen toe om te horen wat ze zeiden.

'Ze zegt dat ze bij een brand is geweest,' zei Stephen tegen de arts. 'Een brand op een veld. Ze weet niet waar, maar er waren kinderen bij. Ze zegt dat ze daar die brandwonden heeft opgelopen.'

'Dat weet ik,' zei Esteban, zijn blik op de grond gericht. 'Ze heeft mij hetzelfde verteld. Ik heb de brandweer gebeld, maar de enige melding die ze vandaag hebben gehad, was in een flatgebouw in de Bronx. Een lege flat. Denkt u dat ze op de een of andere manier naar de Bronx is gegaan en in dat gebouw was, dat ze in die flat lag te slapen of zo?'

'Hoe moet ik dat nu weten?' beet Stephen hem toe. 'Het klinkt allemaal volkomen krankzinnig. Eerst krijgt ze een hartverlamming en opeens heeft ze brandwonden. Ik heb geen idee wat er aan de hand is.' Hij wierp een vernietigende blik op Sylvia, alsof hij dacht dat zij er meer van wist, maar de informatie met opzet achterhield om hem te treiteren. Hij was op de hotelkamer vreselijk tegen haar tekeergegaan, maar weigerde zijn verontschuldigingen aan te bieden.

'Stephen,' zei Sylvia zo beheerst als ze kon, 'ik weet niet meer dan jij. Echt niet. We zijn tegelijkertijd naar bed gegaan en toen ik wakker werd, hoorde ik haar praten. Ik dacht eerst dat ze in haar slaap praatte. Ze zei: "Snel. Opschieten." Of iets in die geest. Ik kan het me niet precies herinneren.'

Dokter Esteban wreef met zijn lange, puntige wijsvinger langs zijn neus terwijl hij nadacht. 'Ik heb een idee. Veel daklozen maken vuurtjes in vuilnisemmers om zich aan te warmen. Als uw vrouw aan het slaapwandelen was of in een soort trance verkeerde, heeft ze misschien haar handen boven zo'n vuurtje gehouden en ze daardoor verbrand. Of misschien heeft ze per ongeluk een vuilnisemmer aangeraakt die nog heet was nadat het vuur was uitgegaan.'

Stephen vond dat daar wel iets in zat. Het was beter dan het verhaal dat zijn vrouw had opgehangen over een branrende school en kinderen in een veld, vooral nu hij wist dat er bij de brandweer over een dergelijke brand niets bekend was. Maar hij vond de brandwonden op dat moment lang niet zo belangrijk als de vraag waarom ze een hartverlamming had gehad. 'Wanneer kan ik haar mee terugnemen naar Los Angeles? Ik heb een kliniek en ik moet nodig weer aan het werk.' Stephen draaide zijn hoofd om en keek naar de deur van Toy's kamer. 'Althans, ik hàd een kliniek en ik hoop dat ik nog werk heb.'

'Ik hou haar liever nog een paar dagen hier. Het is een vlucht van meer dan vijf uur. Stel dat ze onderweg nog een hartaanval krijgt? Bovendien moet ze regelmatig antibiotica toegediend krijgen voor die brandwonden.'

'Als u zich zo druk maakt over haar hart,' zei Stephen tegen de arts, met een harde, beschuldigende blik in zijn ogen, 'waarom ligt ze dan niet aan een monitor?'

'Pardon,' kwam Sylvia tussenbeide. Ze had haar buik vol van dokter Stephen Johnson. 'Ik ga ervandoor, oké? Toy heeft me niet meer nodig nu jij er bent en ik loop alleen maar in de weg.'

'Da's best,' zei Stephen hooghartig en keek haar na toen ze Toy's kamer binnenging om afscheid van haar te nemen.

Sylvia liep naar Toy's bed en streek het haar uit haar gezicht. 'Toy,' zei ze zachtjes, 'ik heb tegen Stephen gezegd dat ik wegga, maar als je liever hebt dat ik blijf, dan doe ik dat.'

'Waar ga je naar toe?' vroeg Toy.

'Morgenochtend is de bar mitswa van mijn neefje. Ik denk dat ik vanavond maar bij mijn broer in Brooklyn ga logeren. Ik zal onze hotelkamer opzeggen en vragen of ze je koffer willen bewaren tot Stephen hem komt halen.' Ze zweeg even en vervolgde toen: 'Zodra het van dokter Esteban mag, neemt Stephen je mee terug naar Californië. Afgaand op wat hij me daarstraks heeft verteld, kunnen jullie misschien morgenochtend al weg.'

'Ik heb alles voor je verknoeid, hè?' zei Toy met een diepe zucht. 'Het spijt me echt heel erg.'

'Dat geeft niets,' zei Sylvia met een flauw glimlachje. 'Zorg jij nu maar dat je beter wordt. We doen het nog wel eens dunnetjes over.'

'Ik weet niet wat ik moet doen,' zei Toy. 'Met Stephen, bedoel ik. Ik wil eigenlijk niet met hem mee terug naar Californië.'

Sylvia schudde haar hoofd. 'Daar kan ik me niet mee bemoeien, Toy,' zei ze. 'Ik bedoel, ik heb je niet uitgenodigd om met me mee naar New York te gaan met de bedoeling dat jullie huwelijk daardoor stuk zou lopen.'

'Maar het gaat niet alleen om Stephen,' zei Toy opgewonden. 'Er zit meer achter, Sylvia. Ik weet zeker dat ik bij een brand was. Ik herinner me dat ik heb geprobeerd een kind te redden… een jongetje. Het moet waar zijn. Hoe kom ik anders aan die brandwonden?'

'Ik wou dat ik het wist, Toy,' zei Sylvia. Ze boog zich voorover en gaf haar een zoen op haar voorhoofd. Toen legde ze een velletje papier op het nachtkastje. 'Dit is het telefoonnummer van mijn broer. Bel gerust als je me nodig hebt.'

Net toen Sylvia zich omdraaide om weg te gaan, kwam Stephen binnen. Ze liep naar hem toe en prikte met haar wijsvinger in zijn borst. 'Zorg dat je lief voor haar bent,' zei ze met klem. 'Ik weet niet of je het weet, maar je bent getrouwd met een heel bijzonder iemand.' Ze keek nog even over haar schouder naar Toy en liep toen de kamer uit.

Sarah drukte op de bel van Raymonds zolderverdieping, maar er werd niet opengedaan. Ze deed een paar stappen achteruit en keek omhoog naar de ramen en de metalen brandtrap. Een van de ramen stond open. Ze zag het gordijn bewegen in de wind. Maar het regende en ze was bang dat ze op de brandtrap zou uitglijden en vallen. Uiteindelijk raapte ze al haar moed bij elkaar en begon ze aan de klim.

Toen ze bij het raam was gekomen, stak ze haar hoofd naar binnen en riep ze: 'Raymond? Ik ben het, Sarah. Ik kom door het raam naar binnen, goed?'

Toen haar ogen aan de duisternis gewend waren, zag ze een gestalte op het bed liggen. Haar maag draaide om en haar hart begon zwaar te bonken. Ze was er zeker van dat hij dood was. Ze kroop snel door het raam naar binnen en holde naar het bed. 'Raymond? Wat is er met je? Ben je ziek? Is er iets gebeurd?'

Hij lag volkomen stil, met open, nietsziende ogen en zijn hoofd iets opzij. Ze schudde hem wat heen en weer, maar hij weigerde met haar te praten of haar aanwezigheid te erkennen. Ze zag zijn borst echter rijzen en dalen en was opgelucht dat hij niet dood was.

Schaduwen dansten om haar heen, lelijke, angstaanjagende schaduwen. Buiten was de motregen opeens overgegaan in een stortbui. Harde druppels roffelden op de ramen en een zware donderslag deed de ruiten rinkelen. Een paar seconden later werd de zolderverdieping verlicht door een felle bliksemschicht die een haarscherpe, surrealistische scène onthulde: het grote bed in het midden van de enorme kamer, de eenzame gestalte van een man. Raymond maakte zachte, kreunende geluidjes terwijl de gezichten op de schilderijen langs de muren van het vertrek toekeken, identieke gezichten. Achter het hoofdeinde van het bed stond een levensgroot schilderij tegen de muur. Het was een afbeelding van een engel met grote, uitgespreide vleugels. Het hoofd van de engel kwam vanaf de schouders naar voren alsof ze probeerde van het doek af te stappen om de man aan haar voeten bij te staan. Haar haar had een felle en toch tere roodgouden kleur en ze was gekleed in een donkerblauw T-shirt met het embleem van de California Angels op haar borst.

'Ik weet dat je boos op me bent,' zei Sarah zachtjes terwijl ze op het voeteneind van het bed ging zitten. 'Toen je niet op je werk kwam, begon ik me ongerust te maken. Het spijt me dat we vanochtend met ruzie uit elkaar zijn gegaan.'

Hij bleef roerloos liggen. Geen enkele spier bewoog zich. Sarah wapperde met haar hand voor zijn gezicht, maar hij zei niets en bewoog zich niet. 'Raymond,' zei ze, 'praat alsjeblieft tegen me. Ik wil graag dat we vrienden worden. Ik wil je helpen. Dat leek vanochtend misschien niet zo, maar ik meen het echt.'

Geen reactie.

Sarah keek om zich heen. Ze wist niet wat ze moest doen. Ze liep naar de gootsteen, maakte een washandje nat en wreef daarmee over zijn gezicht. 'Zo,' zei ze, tevreden over zichzelf. 'Voel je je nu iets beter?'

Toen hij ook daarop niet reageerde, kroop ze bij hem in bed, tegen zijn rug aan en sloeg ze haar armen om hem heen in de hoop dat dat hem een veilig gevoel zou geven. Toen bleef ze zo liggen, even roerloos als hij, en wachtte ze tot hij iets zou zeggen. Hoe lang het ook mocht duren, nam ze zich voor, ze zou erop wachten.

Om tien uur die avond gaf Sarah het op. Het was aardedonker in de zolderkamer en Raymond had niets gezegd, zich niet bewogen en op geen enkele andere manier contact met haar gezocht. Het leek bijna alsof hij in een coma was en Sarah vroeg zich af of ze niet beter een ziekenwagen kon laten komen of met hem naar de dokter gaan. Ze stapte uit bed en vond in de keuken een telefoonboek. Ze zat daar net in te bladeren, toen ze hem langzaam overeind zag komen, uit bed stappen en naar de badkamer gaan alsof er niets aan de hand was. Ze liet het telefoonboek vallen en holde de gang door achter hem aan.

Hij stond te plassen, met zijn rug naar haar toe.

'Ben je nu bereid met me te praten?' vroeg ze. 'God, ik was zo bang dat je jezelf iets zou aandoen. Waarom ben je niet op je werk gekomen?'

Raymond ritste zijn gulp dicht, draaide zich om en liep langs haar heen de badkamer uit. Zijn ogen stonden glazig. Hij ging in een hoek van de kamer op zijn hurken zitten en begon met zijn vingers cirkels te tekenen op de houten vloer.

'Nou zeg,' zei Sarah. Ze stampte met haar voet, een nieuwe tactiek uitproberend. 'Je bent niet ziek en je wilt blijkbaar niet met me praten, dus ga ik maar weg.' Ze draaide zich om en liep met felle passen naar de deur. Ze dacht dat Raymond haar nu wel zou tegenhouden, maar dat gebeurde niet. Bij de deur bleef ze staan en keek ze naar hem om, niet in staat weg te gaan.

Ze snelde naar hem terug, ging op haar knieën naast hem zitten en sloeg haar armen om hem heen. 'Ik weet niet wat er met je aan de hand is,' zei ze zachtjes, 'maar ik zal je niet in de steek laten. Ik ga heel even naar beneden om iets te eten te halen. Wanneer je iets naar binnen hebt, voel je je vast een stuk beter.'

Sarah verliet de zolderkamer om boodschappen te gaan doen. Voor ze wegging keek ze over haar schouder. Deze man had iets dat haar diep had geraakt. Ze kreeg opeens een benauwd gevoel, dat veel beangstigender was dan het feit dat Raymond misschien zelfmoordneigingen had en net zo aan zijn eind zou komen als haar broer. Op haar vierentwintigste dreef Sarah Mendleson stuurloos rond. Vorig jaar had ze nog op de universiteit van Long Island gezeten, maar ze was door een ongelukkige liefde en haar schuldgevoelens over de dood van haar broer zo depressief geworden dat ze haar studie had opgegeven. Sindsdien was ze steeds dieper gezonken. Ze was als serveerster in een goedkoop café gaan werken, weer bij haar ouders ingetrokken, tot hun en haar ellende, en had zich doodongelukkig gevoeld. Nu ze onlangs een nieuwe baan had gevonden en naar Queens was verhuisd, had ze goede moed gehad dat ze de brokstukken kon lijmen en in het najaar haar studie hervatten. Maar opeens was die studie lang niet zo belangrijk meer als een paar dagen geleden. Als ze haar gevoelens correct interpreteerde, en daar was ze eigenlijk wel zeker van, had ze er nu een nieuw probleem bij gekregen; een probleem dat niet alleen haar studieplannen in de war zou kunnen schoppen, maar al haar andere plannen ook.

Sarah was verliefd.

Toy sliep en Stephen zat in een stoel naast haar ziekenhuisbed de krant te lezen. Ze zouden morgen terugkeren naar Los Angeles; hij had de tickets al besteld. Hij wilde Toy mee naar huis nemen en haar daar verder laten onderzoeken. Hij zou er hoogstpersoonlijk zijn medische boeken op naslaan, alle ongebruikelijke en zeldzame ziekten opzoeken, en misschien zelfs contact opnemen met de American Medical Association en hun hulp inroepen. Ze mochten het risico niet nemen dat Toy's hart nog een keer zomaar tot stilstand zou komen. Stel dat het gebeurde op een plek waar niemand haar kon helpen?

'Ik heb dorst,' zei Toy en ze deed haar ogen open.

Stephen stond op en schonk een glas koud water voor haar

in uit de kan naast haar bed. 'Hoe voel je je? Je hebt twee uur geslapen.'

'Ik voel me best,' zei ze, gulzig drinkend terwijl ze probeerde het water niet langs haar kin te laten druppen. Ze keek naar haar handen die allebei in dik verband zaten. 'Ik wou alleen dat ik mijn handen kon gebruiken. Ik voel me zo hulpeloos.'

'Dat weet ik. Daarom ben ik hier. Heb je honger? Ze kwamen daarstraks met het avondeten, maar ik heb ze weggestuurd. Ik wilde je niet wakker maken. Als je wilt kan ik in de cafetaria wel een broodje voor je halen.'

'Nee,' zei Toy en ze schudde haar hoofd. Ze had helemaal geen trek. Ze wilde alleen maar weg uit dat bed en de draad van haar leven weer oppakken. Het enige waar ze aan kon denken was het vernederende incident in het restaurant, waar iedereen naar haar had zitten staren en om haar had gelachen alsof ze een zwerfster was. Als iedereen dat een keer zou meemaken, dacht ze, zouden de mensen heel wat sympathieker tegenover de ellende van daklozen staan.

'Wil je de krant?' vroeg Stephen. 'Ik kan een extra kussen in je rug doen en de pagina's voor je omslaan.' Hij keek op naar de televisie. 'Of misschien is het makkelijker voor je om televisie te kijken.' Hij pakte de afstandsbediening die aan haar bed hing, deed het toestel aan en zocht meteen Cable News Network op, in de hoop dat hij het plaatselijke nieuws uit Los Angeles hier kon ontvangen.

Stephen streelde Toy's arm, zijn ogen op het scherm gericht. Toy staarde ook naar het scherm maar had haar aandacht niet bij het nieuws. Het geluid stond zacht. Er was een brandend gebouw te zien, mensen in een veld, brandweerlieden die zich over een klein kind bogen. Stephen wendde zijn ogen van het scherm af om de afstandsbediening weer te pakken en het geluid harder te zetten. Hij had iets gezien dat zijn belangstelling had opgewekt, maar hij wist niet precies wat het was.

'... de brand die dit houten schoolgebouw in Kansas verwoestte, en het leven eiste van drie leraressen. Een klein jongetje wiens kleren in brand waren gevlogen, werd in veiligheid gebracht door een onbekende vrouw. De politie heeft een onderzoek ingesteld naar de oorzaak van de brand om te zien

of er sprake is van brandstichting. Men sluit ook de mogelijkheid niet uit dat de brand is veroorzaakt door een kind dat
met lucifers speelde. Negentien kinderen zijn ongedeerd uit
het brandende gebouw ontsnapt. De kleine Jason Cummings,
die zware brandwonden op zijn borst en rug heeft opgelopen,
ligt in het Methodist Hospital in Topeka. Zijn conditie is stabiel. Zijn moeder...'

Stephen luisterde nu bewust en keek naar Toy. Ze bewoog
zich rusteloos en gaapte met open mond naar het scherm.
'Wat is er? Heb je pijn?'

'Kijk,' zei Toy. 'De brand. Het schoolgebouw. De kinderen.
De jongen.'

Stephen wendde zijn aandacht weer op de televisie en luisterde. Een vrouw van middelbare leeftijd werd door een verslaggever geïnterviewd.

'Mevrouw Cummings, wie is de vrouw die uw zoon heeft
gered? Is de politie er al achter hoe ze heet?'

'Nee,' zei mevrouw Cummings handenwringend. 'Ze was
er en opeens was ze weg. Ze heeft mijn zoon gered.' Ze keek
in de camera. 'Als u me hoort,' zei ze, terwijl er een traan over
haar verweerde wang rolde, 'ik wil u graag bedanken. Jason
vraagt naar u. Hij vraagt steeds om zijn engel. Neemt u alstublieft contact met ons op in het ziekenhuis. Dat zouden we
erg fijn vinden.'

Het gezicht van de vrouw verdween en de nieuwslezer ging
op een ander onderwerp over. Stephen deed de televisie uit
en keek naar zijn vrouw. 'Dat was in Kansas, Toy. Hoorde je
niet wat ze zeiden? Het kan niet dezelfde brand zijn geweest.
Jij bent in Manhattan. Weet je niet in welke stad je bent?'

'Ik was erbij,' zei Toy kortaf. 'Je gelooft me niet, hè?'

'Nee,' zei hij. Hij zag geen reden om deze waanvoorstellingen de vrije loop te laten. 'En niemand anders zal je geloven.
Lieveling, als je hierover blijft zeuren, denkt iedereen dat je
niet goed bij je hoofd bent. Denk eens even logisch na. Ik weet
dat je het niet makkelijk hebt gehad, maar het is waanzin om
te zeggen dat je in Kansas was als we weten dat je in New
York was.' Hij keek neer op zijn handen. 'Dokter Esteban
heeft een redelijke theorie over hoe je aan die brandwonden
bent gekomen. Het lijkt hem heel goed mogelijk dat je je han-

den wilde warmen aan een vuilnisemmer waarin daklozen een vuurtje hadden gestookt. Je wist niet dat de vuilnisemmer zelf ook heet was en hebt zo je handen gebrand.'

Toy schudde langzaam haar hoofd met haar lippen op elkaar geklemd als een kind dat een standje van haar moeder had gekregen.

Opeens barstte Stephen in woede uit. Hij sprong overeind en schopte de stoel weg. Toy schrok hevig en het infuuszakje aan de standaard naast het bed viel bijna op de grond. 'Hou op met dat idiote gedoe! Hoor je me?' Zijn gezicht was rood aangelopen en in zijn nek klopte een gezwollen ader. 'Als je ziek bent, ben je ziek, maar ik wil niet hebben dat mijn vrouw praat als een krankzinnige en zegt dat ze op plaatsen is geweest waar ze onmogelijk geweest kan zijn. Hoor je me? Schei ermee uit. Probeer weer tot jezelf te komen.'

Toy draaide haar gezicht naar de muur en probeerde zijn stem, de woede en de minachtende blik in zijn ogen buiten te sluiten.

'Het spijt me,' zei hij. Zijn stem klonk gespannen en gebroken. 'Ik weet dat ik dit soort situaties niet goed aankan.' Toen liep hij de kamer uit. De deur zwaaide nog een paar keer heen en weer.

114

7

Lange tijd nadat haar man was verdwenen hield Toy haar ogen op de deur gericht. Ze bleef denken dat hij alleen even naar buiten was gegaan om af te koelen, gegeneerd door zijn woedeuitbarsting en door de dingen die hij tegen haar had gezegd. Maar toen ze een half uur lang naar de gesloten deur had liggen staren begreep ze dat hij niet terugkwam, misschien wel nooit meer. Ze vermoedde zelfs dat hij zijn ticket al had ingeruild voor de eerste de beste vlucht terug naar Los Angeles.

De jonge student in de medicijnen die haar had gecharmeerd met zijn kwieke praatjes en grapjes was verdwenen. Zelfs de manier waarop hij met haar de liefde bedreef was veranderd. Hij deed het sneller, ruwer. Het was alsof hij wist dat ze alleen maar de pagina's omsloegen, automatisch handelden en allebei wachtten tot het hun beurt was om te sterven. Langzaam maar zeker was hij cynischer geworden, kritischer, sneller aangebrand en traag met verontschuldigingen.

Huil eerst maar eens uit, zei Toy in zichzelf en gaf zich over aan een flinke huilbui waarbij ze als een klein kind onder de dekens met haar benen trappelde. Waarom moest ze dit doorstaan? Haar huwelijk viel voor haar ogen uiteen en alles leek vreemd en verwrongen. Ze wou dat ze wist waarom dit allemaal gebeurde.

Ze wist niet wat ze moest doen, waar ze naar toe kon, wie ze om hulp kon vragen. Ze keek naar de telefoon op het nachtkastje en dacht erover haar ouders te bellen. Het horen van de troostende stem van haar moeder zou haar goeddoen. Misschien kon ze een poosje bij hen logeren tot ze besloten had wat ze zou gaan doen. Nee, dacht ze, ze waren al oud en zaten inmiddels vastgeroest in hun dagelijkse leventje. En als ze hoorden dat ze ziek was zouden ze zich zorgen maken en ze konden haar toch niet helpen.

Ze moest steeds aan de televisiereportage denken. Ze wist dat ze bij die brand was geweest en dat kind uit de vlammen had gehaald. Ze herinnerde zich zelfs zijn naam: Jason Cummings. Ze groef in haar herinnering naar de naam van het ziekenhuis waar hij naar toe was gebracht en wist het opeens weer: het Methodist Hospital in Topeka. Zonder zich iets aan te trekken van de pijn aan haar handen en het feit dat ze er nauwelijks iets mee kon doen, trok ze de telefoon naar zich toe. Ze wilde per se weten of het waar was. Ze vroeg bij de centrale het nummer van het ziekenhuis aan, verzocht de telefoniste het voor haar te bellen en wachtte tot ze werd doorverbonden.

'Ik bel van buiten de stad. Wilt u me alstublieft doorverbinden met de kamer van Jason Cummings?' zei ze tegen de telefoniste van het ziekenhuis in Topeka.

'Een ogenblikje, alstublieft.'

Even later kwam er een vrouw aan de lijn. 'Mevrouw Cummings?' vroeg Toy.

'Ja?'

'Mevrouw Cummings, u kent me niet, maar ik ben de vrouw die vanochtend uw zoon bij dat brandende veld heeft weggehaald. Hoe maakt hij het?'

'Jason,' zei de vrouw opgewonden tegen het kind. 'Het is die mevrouw van vanochtend.' Toen sprak ze weer tegen Toy. 'U hebt zijn leven gered. Hoe kan ik u dat ooit vergoeden? Waarom bent u weggegaan?'

'Ik... eh... moest een vliegtuig halen,' zei Toy. Ze wist niet wat ze anders moest zeggen. 'Is hij erg gewond?'

'Volgens de dokter valt het mee. Als er geen infectie optreedt mag hij volgende week naar huis. Eerst dachten ze dat hij huidtransplantaties zou moeten ondergaan, maar ze hebben nu gezegd dat het niet nodig is. Hij zal er wat littekens aan overhouden, maar geen grote, opzichtige.'

'Godzijdank,' zei Toy.

'Ja, we moeten God danken,' zei de vrouw. Toen liet ze haar stem dalen. 'En we danken u ook. Ik heb zo hard gebeden. De politie hield ons op een afstand, terwijl ik wist dat Jason nog in het schoolgebouw was. Ik was zo bang dat hij levend zou verbranden.' Ze stokte en Toy hoorde haar huilen. 'Praat u even met Jason,' zei de vrouw snikkend. 'Hij wil met u praten. Hij is zo lief, die kleine schat. Hij was er zeker van dat u zijn beschermengel was.'

Toen ze die woorden hoorde, schoot Toy recht overeind in bed. 'Weet hij nog wat ik aanhad?'

Toy wachtte terwijl ze met de jongen praatte. 'Het spijt me,' zei de vrouw toen. 'Ik denk dat hij zo bang was dat hij daar niet op heeft gelet. Waarom vraagt u dat?'

'Laat maar zitten,' zei Toy snel.

'God zegene u,' vervolgde de vrouw. 'We kennen u niet persoonlijk, maar we zullen iedere dag voor u bidden. O,' zei ze opeens, 'ik weet niet eens hoe u heet.'

'Toy Johnson.'

'Wat een leuke naam. Ik zal u Jason even geven.'

Een zwak, ijl stemmetje klonk nu. 'Hallo?'

'Hallo Jason,' zei Toy. 'Hoe is het ermee, grote vent? Ik hoor van je moeder dat je volgende week al naar huis mag. Zie je wel? Ik zei toch dat alles in orde zou komen?'

'Het doet pijn,' zei hij. 'Ik krijg wel medicijnen, maar het doet toch heel erg pijn.'

'Dat weet ik, Jason, maar je bent een grote jongen. Je kunt het best aan.'

'Vertel me het verhaal van het treintje nog eens.'

Toy's hart zwol van ontroering. Ja, er was een God. Wat er ook was gebeurd, hoe vreemd en ongelooflijk het was geweest, ze was er nu zeker van dat het meer was geweest dan een droom.

Ze vertelde hem het verhaaltje nog een keer en voelde een golf van frisse lucht langs zich heen stromen, als een zachte bries op een koele lenteochtend. Haar handen brandden niet meer en ze voelde zich sterk en krachtdadig, sterker dan ooit. Ze meende ergens in de verte het getjirp van vogels in de bomen te horen, en het lyrische geluid van kindergelach, en ze rook de heerlijke geur van lentebloemen. Ze voelde zich alsof ze weer zeventien jaar was, verbonden met alle levende wezens, alle dingen, iedere cel en molecule op de wereld en daarbuiten. De zon die door het raam naar binnen scheen verwarmde haar en ze voelde zich veilig en één met de wereld.

Ja, dacht ze, en haar droge, gebarsten lippen vormden een glimlach van oprecht plezier en oneindige vreugde. Er gebeuren echt wonderen. Ze had om een wonder gebeden en haar gebed was verhoord. Ze was gestorven en had iets teruggebracht, iets dat misschien de macht had de wereld te veranderen.

Ze had de betovering teruggebracht.

Om tien uur die avond duwde Stephen de deur wijd open. Hij had een groot boeket in zijn handen en een glimlach op zijn gezicht. Toy zat tegen de kussens geleund een bakje chocoladepudding te eten. 'Voor je iets doet, wil ik weten of je nog boos op me bent,' zei hij vanaf de drempel en zijn glimlach verdween. 'Zo ja, dan kom ik niet binnen.'

Toy wierp een korte blik op hem en wijdde zich weer aan haar pudding.

'Ik snap het,' zei Stephen en even leek het erop alsof hij de bloemen op de grond zou smijten. Toen herstelde hij zich en probeerde hij het nog een keer. 'Ik heb een hotelkamer genomen en een paar uur geslapen. Nu voel ik me een stuk beter. We hebben een moeilijke tijd achter de rug. Ik denk dat ik oververmoeid was.'

'Je mag wel binnenkomen,' zei Toy tussen twee lepeltjes pudding door.

Hij ging in de stoel naast haar bed zitten, maar Toy at gewoon door, alsof hij niet bestond.

'Wil je niet met me praten?'

'Ik ben aan het eten.'

'Het spijt me echt, Toy. Ik ben een zak. Maar je kent me toch? Soms kan ik er niets aan doen.'

'Ga eens met een psycholoog praten,' zei Toy botweg. 'Misschien kan die je van die woedeuitbarstingen afhelpen. Wie weet lijd je aan een vorm van emotionele stoornis.'

'Schei uit, Toy. Als je mijn verontschuldiging niet wilt aanvaarden, moet je dat zeggen. Dan ga ik meteen weg.'

Toy duwde het dienblad van zich af, haalde diep adem en keek hem aan. 'Ik was bij die brand in Kansas, Stephen. Ik weet niet hoe ik daar ben gekomen, maar ik was erbij.' Toen ze de uitdrukking op het gezicht van haar man zag, stak ze haar handen omhoog. Nadat ze met Jason Cummings had gesproken, had ze het verband eraf gehaald.

'Je handen. Waarom heb je het verband eraf gehaald?'

'Omdat ze beter zijn,' zei ze met een vreemde glimlach. 'Kijk maar.'

Hij nam haar handen voorzichtig in de zijne en draaide de palmen naar boven. Er was een bleekrode lijn te zien die de omtrek van de brandwonden aangaf, maar de wonden zelf waren op wonderbaarlijke wijze bijna helemaal genezen. Geen blaren, geen geschroeid vlees. 'Ziet er goed uit,' zei hij afwezig. Toen zette hij grote ogen op en boog hij zich voorover om haar handen beter te bekijken. 'Dat ziet er héél goed uit!' zei hij. 'Goh, ik weet niet wat ze hier met brandwonden doen, maar het helpt fantastisch goed.' Hij liet haar handen los en keek haar aan. 'Als je je zo goed voelt, kunnen we morgen naar huis.'

'Ik ga nergens naar toe,' zei Toy. 'Ik ga alleen mee als je bereid bent onbevooroordeeld naar me te luisteren. Ben je daartoe bereid?'

Haar man haalde zijn schouders op.

'Goed,' zei Toy en deed in staccato haar verhaal, nu helemaal opgewonden. 'Ik heb het ziekenhuis gebeld waar dat jongetje is opgenomen, het jongetje dat op de televisie was. Hij heet Jason Cummings. Luister goed, Stephen, hij kan zich mij herinneren.' Toy wachtte even om dat te laten bezinken en ging toen door. 'Snap je het nu, Stephen? Hij noemt me zelfs een engel, waarschijnlijk omdat ik dat T-shirt aanhad.'

'Welk T-shirt?' vroeg Stephen, die haar verhaal steeds vreemder begon te vinden.

Toy trok haar ziekenhuispyjama omhoog. Eronder droeg ze het T-shirt dat Margie Roberts haar had gegeven. Ze was er nu zo aan gehecht dat ze het niet meer uit wilde doen. 'Zie je wel, door dat aureool en het woord engel dacht hij natuurlijk dat ik een engel was.'

'Dat is belachelijk,' zei hij.

'Helemaal niet,' zei Toy. 'Stephen, deze keer was het niet zoals mijn andere dromen. Het is iets anders. Het lijkt erg op de eerste keer dat mijn hart stil heeft gestaan, toen ik nog op school zat. Ik heb tastbaar bewijs dat het echt is gebeurd. De eerste keer kwam ik terug met die oranje plastic ring. Nu heb ik het jongetje. Hij herinnert zich dat ik erbij was. Hij herinnert zich zelfs het verhaal dat ik hem heb verteld.' Ze glimlachte tegen hem. 'Dat is onomstotelijk bewijs, Stephen.'

Toy was nu niet meer te houden en onthulde veel meer aan haar man dan ze van plan was geweest. 'Ik heb altijd al gedacht dat die dromen een speciale betekenis hadden, zie je, dat het om méér ging dan een droom. De kinderen leken zo levensecht, àlles eigenlijk. In het begin dacht ik dat het net zoiets was als andere mensen meemaken wanneer ze klinisch dood zijn. Mijn hart had immers stilgestaan? Toen ben ik gaan lezen over astrale projectie en buitenlichamelijke ervaringen en dacht ik dat het ook zoiets kon zijn. Ik heb me nooit met godsdienst en God beziggehouden omdat ik die concepten zo vergezocht vond, maar stel dat engelen en wonderen wèl bestaan? Waarom niet? Wat weten wij daarvan? Misschien zitten er overal engelen. Sommigen van hen zijn misschien zelfs normale mensen zoals ik. Misschien ben ik er een. Dat zou toch helemaal te gek zijn?' Ze begon te lachen. 'Ik weet niet hoe jij erover denkt, maar ik vind het een heerlijk idee.'

Haar man zette zijn ellebogen op zijn knieën en hield zijn hoofd tussen zijn handen, met stomheid geslagen over wat zijn vrouw zei. Hij keek tussen zijn vingers door naar Toy en probeerde haar nogmaals tot rede te brengen. 'Het is domweg niet mogelijk dat je tegelijkertijd in New York en Kansas was. Als ik me niet vergis zeiden ze op het nieuws dat de brand vanochtend om acht uur is uitgebroken. Dat wil zeggen om tien uur Newyorkse tijd. Ik heb je status bekeken, Toy. Het was bijna precies tien uur toen je die hartverlamming kreeg, dus kon je toen niet in Kansas zijn geweest.' Toen bedacht hij iets anders. 'Misschien heb ik me vergist wat het tijdstip betreft. Ik geloof dat ze acht uur zeiden, maar dat weet ik niet helemaal zeker. Als de brand later is uitgebroken, kun je eventueel op een vliegtuig naar Kansas zijn gestapt toen je uit het ziekenhuis was weggelopen. Je bent een paar uur zoek geweest. Dan moet je meteen na de brand een vliegtuig terug genomen hebben.' Hij stopte en liet zich achterover in zijn stoel zakken toen hij zich realiseerde dat dit scenario ook niet klopte. Toy was weliswaar een paar uur zoek geweest, maar gezien het drukke verkeer kon ze nauwelijks in die tijd naar het vliegveld heen en weer zijn gegaan, laat staan naar Kansas en terug gevlogen. Hij wilde haar geloven, haar kalmeren, maar wat ze zei was te krankzinnig.

'Je kunt zeggen wat je wilt,' zei Toy, 'maar ik was erbij. Ik heb me dat jongetje en de brand niet verbeeld. Ze zijn echt.' Ze stopte en maakte een weids gebaar met haar armen. 'Misschien ben ik op gouden vleugels naar Kansas gevlogen.'

Toy begon te giechelen. Het gaf haar een goed gevoel, een natuurlijk gevoel. De spanningen van de afgelopen dagen gleden van haar af en ze kon niet ophouden met lachen. Stephen keek haar somber aan. 'Ik weet hoe ik naar Kansas ben gekomen!' zei ze en barstte in een nieuwe lachbui uit. 'Net als Dorothy in de *Wizard of Oz*. Er was een tornado en...'

'Dat is niet grappig, Toy,' zei Stephen met een strak gezicht. 'Dit hele gedoe is niet grappig.'

'Juist wel,' zei ze met nadruk. 'Misschien is het niet grappig, maar ik heb reuze lol. Het is opwindend. Het is een mysterie. Ik heb me nog nooit zo levenslustig gevoeld. Toen ik dat jongetje aan de lijn kreeg en hoorde dat hij nog wist wie ik was, was ik buiten mezelf van blijdschap.'

Hij liet zijn hoofd schuin in zijn ene handpalm rusten. 'Het moet een misverstand zijn, Toy. Je hebt je handen aan een hete vuilnisemmer gebrand. Het jongetje over wie je het steeds hebt, is gewond. Hij krijgt pijnstillende middelen toegediend. Hij heeft vast wartaal gepraat vanwege de medicijnen.'

Toy gaf het niet op. 'Nee, dat is niet waar. Het gaat om iets spectaculairs, iets geweldigs. Ik heb iets dat niemand anders heeft. Ik word er op uitgestuurd om dingen te doen. Het zijn een soort missies. Een ander woord weet ik er niet voor. Denk eens aan al die dromen die ik heb gehad. In iedere droom verkeerden kinderen in gevaar en heb ik ze gered,' zei ze trots. Er gloeide een fanatiek vuur in haar ogen. 'Ik voel me geweldig, alsof mijn bestaan op aarde eindelijk waarde heeft gekregen, alsof ik heb gevonden waar ik mijn hele leven naar heb gezocht.'

Stephen keek naar zijn vrouw alsof hij haar voor het eerst zag, alsof ze een volslagen vreemde was. De koortsige blik in haar ogen, de vreemde dingen die ze zei. 'Je bent een rationele, intelligente vrouw, Toy, een onderwijzeres,' zei hij. 'Hoe kun je iets wat je niet kunt verklaren, zomaar accepteren?'

Toy liet zich weer in de kussens zakken en draaide langzaam haar hoofd naar hem toe. Hoe meer hij ertegenin ging, hoe langer hij in de kamer bleef, hoe meer ze haar energie en vreugde voelde wegebben. 'Ik moet het wel accepteren. Ik heb geen keus.'

'Waarom heb je dan een hartverlamming gekregen? Hoe past dat in je belachelijke redeneringen?'

Toy zuchtte. 'Dat weet ik niet. Daar heb ik nog niet over nagedacht. Hoe weet jij of mijn hart niet iedere keer stilstaat wanneer ik die dromen heb. Zou dat niet geweldig zijn? Dat zou inhouden dat al mijn dromen echte gebeurtenissen zijn geweest.' Ze trok haar wenkbrauwen op. 'Ik heb veel dromen gehad, Stephen, meer dan je ooit zult weten. Misschien heb ik al die kinderen echt geholpen en als ik een manier wist om nog meer dromen te krijgen, zou ik er nog veel meer kunnen helpen.'

Stephen stak met een hulpeloos gebaar zijn handen op. 'O, nu snap ik het. Je hart houdt op met kloppen en jij vliegt door de lucht en haalt mensen uit brandende gebouwen. En dan? Keer je dan terug naar je lichaam en kom je weer tot leven? Misschien ben je een vampier. Heb je daar al aan gedacht?'

Hij zou haar nooit accepteren, dacht Toy, hij was niet in staat iets te aanvaarden dat niet bewezen kon worden. Door haar openhartigheid had ze het probleem alleen maar groter gemaakt. Nu was hij er nog sterker van overtuigd dat ze aan waanvoorstellingen en hysterie leed.

Ze stond op een kruispunt in haar leven. Als ze geestelijk instortte, zou Stephen haar van het ene ziekenhuis naar het andere slepen en haar lichaam en geest systematisch laten ontleden tot men ofwel een vierkant blok door een rond gat wist te duwen, of een afgrijselijke ziekte ontdekte die bij haar symptomen paste. Maar ze kon ook voor zichzelf opkomen.

Ze dacht over deze keuze na. Ze kon ofwel geloven dat ze stervende of krankzinnig was, of ze kon ervoor kiezen te geloven dat iets goddelijks en wonderbaarlijks de leiding over haar leven had overgenomen. Toy was van nature optimistisch en romantisch ingesteld en koos dan ook voor het laatste. 'Ik weet het goed gemaakt,' zei ze, terwijl ze weer rechtop ging zitten. 'Jij gaat terug naar Californië en je praktijk en je keurige, ordelijke leventje, en ik blijf hier in New York.'

Zijn mond zakte open en het bloed trok uit zijn gezicht weg. 'Bedoel je dat je van me wilt scheiden?'

'Zo ongeveer,' zei Toy. Haar ogen vlogen door de kamer en haar hart bonkte wild. Ze had het gevoel dat ze geen adem kreeg, dat ze over een drempel was gestapt en nu niet meer terug kon. De woorden rolden in een zwakke ademstoot uit haar mond. 'Ik geloof dat we het beste een poosje uit elkaar kunnen gaan. Niet scheiden. Een proefperiode.'

'Ben je bereid alles wat we hebben weg te gooien omdat ik die domme theorieën niet wil geloven? En hoe zit het met je werk? Laat je dat ook zomaar in de steek?'

'Niet precies,' zei Toy, maar ze wist dat hij gelijk had. 'Ik neem gewoon een paar weken vrij. Misschien vind ik hier zelfs een school waar ze me nog harder nodig hebben. Dat weet ik nu nog niet. Ik moet uitzoeken waar ze me nodig hebben. Misschien ben ik hierheen gekomen omdat ik hier thuishoor. Misschien was het voorbestemd.'

Toy dacht aan Margie Roberts, die zo van haar afhankelijk was. Ze moest dat gezin geld blijven sturen, dacht ze. Als ze besloot hier te blijven zou ze eens per maand terugvliegen om bij haar ouders en Margie op bezoek te gaan.

Stephen stond op, boos en gefrustreerd. 'Ik dacht dat je van me hield, Toy. Dat had ik blijkbaar mis.'

Hij draaide zich om en liep naar de deur. Toy hield haar adem in. Ze wilde hem terugroepen. Ze wilde dat hij haar in zijn armen nam en zei dat hij haar geloofde en van haar hield. Ze wou dat hij kon voelen wat zij voelde: het wonderbaarlijke, ontzagwekkende gevoel van zalige rust en tevredenheid. De wereld strekte zich voor haar uit, de grenzen van het dagelijkse bestaan bestonden niet meer.

Maar toen was hij weg en dat was eigenlijk maar goed ook,

dacht ze. Ze waren nu zes jaar getrouwd en in die tijd was Toy een onbeduidende persoon geworden, wier wensen en meningen waren weggezonken onder het gewicht van die van haar man. Het was zijn carrière die belangrijk was en voortdurend gevoed moest worden. Het waren zijn wensen die ze vervulden met dure auto's en huizen. En het was zijn ego dat zo was opgezwollen dat het op het punt stond uiteen te klappen, als een met water gevulde ballon. Hij zou nooit begrip kunnen opbrengen voor iets dat hij niet kon opensnijden en inspecteren, onderzoeken en dissecteren. Hij was de alwetende, oppermachtige heler. Voor Stephen was daarmee de kous af.

Toy trok de deken op tot aan haar kin en glimlachte fijntjes. Wat er ook met haar gebeurde, het was duidelijk dat haar man er niet bij hoorde. Ze wist dat het verkeerd was, maar ze kon niet ontkennen dat ze een bevredigd gevoel had. Soms kwam je voor een keuze te staan en haar man had zich even koppig aan zijn cynische opvattingen vastgehouden als hij aan zijn geld was gehecht. Toy had altijd gedacht dat haar echtgenoot een briljante man was, maar nu betwijfelde ze dat. Hoe briljant kon hij zijn? Na alle offers die hij had gebracht, na alle jaren van hard werken en stress om een chirurg, een heler, te worden, had hij een waar wonder de rug toegekeerd.

Sarah maakte zich hoe langer hoe bezorgder om Raymond. Ze had spaghetti gemaakt met een salade erbij, maar de enige manier waarop ze hem zover kon krijgen iets te eten, was door hem te voeren. Hij keek niet naar haar en sprak niet tegen haar, maar scheen toch te weten dat ze er was. Nadat ze hem te eten had gegeven, bracht ze hem als een kind naar bed. Hij bleef rechtop zitten en staarde voor zich uit.

Sarah besloot dat het tijd was om iets te doen. Het was laat en ze moest naar huis, maar ze wilde hem niet alleen laten en later horen dat hij zelfmoord had gepleegd. Hij kon wel aan een ziekte lijden of een hersentumor hebben. Hij had niet tegengestribbeld toen ze hem te eten had gegeven en naar bed had gebracht. Ze besloot hem aan te kleden en mee te tronen naar de lift. Eenmaal beneden kon ze een taxi aanhouden en hem naar het ziekenhuis brengen. Ze wist precies waar ze met hem naar toe zou gaan, namelijk het ziekenhuis waar ze een paar jaar geleden had gelegen toen ze door een auto was aangereden. Sommige van de ziekenhuizen in New York waren niet erg goed, maar in het Roosevelt Hospital was Sarah uitstekend behandeld. Daarom had ze besloten Raymond daarnaar toe te brengen.

Toy lag te draaien en te woelen in haar ziekenhuisbed en kon de slaap niet vatten. De gebeurtenissen van die dag lieten haar niet los. Ze voelde zich rusteloos en bezorgd.

De nachtzuster kwam binnen om haar pols te voelen en temperatuur op te nemen. 'Wilt u een slaaptablet?' vroeg ze aan Toy. 'Ik kan wel even in uw status nakijken of dokter Esteban iets heeft voorgeschreven.'

'Nee,' zei Toy, 'ik heb er geen behoefte aan.'

Zodra de verpleegster weg was, deed Toy haar ogen weer dicht en probeerde ze in slaap te komen. Ze wilde dat het weer zou gebeuren, dat ze naar een andere plek gebracht zou worden. Maar ze kreeg het gevoel dat het niet zou gebeuren zolang ze in het ziekenhuis lag. De wereld van de wetenschap, dacht ze, was waarschijnlijk in oorlog met de wereld van het onbekende. Dat was logisch. Maar zolang ze opgesloten zat in het vijandelijke kamp, zou er dan ook niets wonderbaarlijks gebeuren. Haar ogen vlogen open en haar lichaam verstijfde. Dat niet alleen, dacht ze, ze verkwistte hier haar tijd. Ze had een taak, ze moest levens redden.

Ze stapte gedecideerd uit bed en rukte de ziekenhuispyjama van haar lijf. Stephen had haar koffer gebracht. Toy haalde er een spijkerbroek uit die haar lekker zat, en een witte slobbertrui die ze over haar T-shirt heen aantrok. Ze kleedde zich aan en liep de badkamer in om haar haar te borstelen. Ze deed zelfs wat eau de toilette op en glimlachte toen tegen haar spiegelbeeld. Ze zag er niet ziek uit, dacht ze. Ze zag er goed uit. Wat witjes, maar daar was iets aan te doen. Ze snuffelde in haar make-uptasje, vond een oude lippenstift die ze bijna nooit gebruikte en binnen een paar seconden waren haar lippen glanzend rood. Ze deed het licht uit, klopte haar handen af en keek de kamer rond om te zien of ze niets had vergeten. Toen liep ze de deur uit en de gang door naar de hal, met haar koffer in haar ene hand en haar weekendtas over haar andere schouder.

'Waar gaat u naar toe?' vroeg dezelfde verpleegster die nu achter de balie stond. Het was een klein blondje met grote, welsprekende blauwe ogen en een zacht gezicht.

'Ik ga naar huis.'

'Dat mag niet. Daarvoor moet u toestemming hebben van de dokter.'

'Welnee,' zei Toy. Ze keek het meisje met een strenge blik aan. 'Dit is geen gevangenis.'

'Maar... u moet uw rekening betalen.'

Toy herinnerde zich dat ze haar chequeboekje in haar tas had gezien. 'Dat doe ik beneden bij de receptie wel. Zeg maar tegen dokter Esteban dat ik hem erg erkentelijk ben voor zijn hulp.'

De liftdeuren gleden open. Toy stapte in de lift. Ze hoopte dat haar verzekering het grootste deel van de rekening zou dekken. Ze wist niet hoeveel geld er nog op hun gezamenlijke lopende rekening stond. Zonder Stephen moest ze geld hebben om van te leven. Vannacht kon ze een hotelkamer nemen, maar morgen zou ze een flat moeten zoeken. Ze hoopte dat Stephen bereid was medewerking te verlenen en haar wat geld te sturen, maar hij kon het net zo goed hard spelen en doen wat iedere advocaat zijn cliënt adviseerde wanneer het tot een scheiding kwam: alle bronnen van inkomsten blokkeren, de bankrekening opheffen en de creditcards annuleren. De lift ging open en Toy stapte de hal in, nog steeds diep in gedachten. Stephen kennende, mocht ze aannemen dat hij een lastige tegenstander zou zijn. Maandagochtend vroeg zou ze naar een filiaal van hun bank gaan en geld opnemen. Ze leefde nu misschien in de twilight zone, maar een deel van haar moest contact houden met de gewone wereld om haar man het hoofd te kunnen bieden.

Ze volgde de borden naar de receptie en liep met klikkende hakken de lange gangen door. Op een gegeven moment kreeg ze het gevoel dat ze in een doolhof zat en uiteindelijk kwam ze uit bij de eerstehulpafdeling. 'Neemt u me niet kwalijk,' zei ze, met haar voet haar koffer naar de balie schuivend, 'kunt u me vertellen hoe ik bij de receptie kom?'

Een knap donkerharig meisje kwam naast haar staan. Ze keek erg bezorgd. 'Ik ga er net naar toe,' zei ze tegen Toy. 'Loop maar mee.'

'Graag,' zei Toy.

Het meisje draaide zich om en glimlachte flauwtjes. 'Mijn naam is Sarah Mendleson. En hoe heet jij?'

'Toy Johnson.'

'Moet je opgenomen worden?'

'Nee,' antwoordde Toy. 'Ik mag gelukkig naar huis.'

'Dan bof je. Waarom was je hier?'

'Ik had per ongeluk mijn handen gebrand,' antwoordde Toy. Dat was makkelijker dan de waarheid te vertellen.

'Wat naar voor je.' Sarah keek op en zag het bord op de deur. Ze liep naar binnen met Toy achter zich aan. Er was een lange rij afgeschermde hokjes, die allemaal bezet waren. 'We zullen even moeten wachten. Ik wist niet dat het hier midden in de nacht zo druk was.'

'Dat heb je in New York,' zei Toy tegen de jonge vrouw. 'Woon je hier?'

'Ja,' zei ze terwijl ze in de wachtkamer ging zitten. 'Maar niet in Manhattan. Ik woon in Queens. En jij?'

'Ik woon in Californië, maar ik zit erover te denken om naar New York te verhuizen.'

'Waarom? Ik zou dolgaag in Californië willen wonen. Woon je dicht bij het strand?'

'Ja.'

'Dat lijkt me helemaal te gek.'

'Dat is het niet,' zei Toy. Toen lachte ze. Iedereen dacht altijd dat in Californië de straten met goud belegd waren, dat er overal filmsterren rondliepen en dat horden mooie, gebronsde vrouwen en mannen de stranden sierden.

Sarah luisterde niet. Ze zat onderuitgezakt op haar stoel en hield haar onderarm voor haar ogen. Haar magere benen had ze wijdbeens voor zich uitgestrekt in een weinig bekoorlijke houding. Opeens merkte Toy dat ze zat te huilen. 'Wat is er? Ik heb je niet eens gevraagd waarom je hier bent. Ben je ziek? Zal ik een verpleegster roepen?'

'Nee,' zei Sarah. Ze slikte haar tranen in, zocht in haar tas naar een papieren zakdoekje en snoot haar neus. 'Ik ben niet ziek, maar mijn vriend. Hij... er is iets mis met hem.'

'Weten ze al wat hij heeft?'

'Nee, maar ze zijn bezig met onderzoeken. De dokter van de eerstehulpafdeling schijnt te denken dat hij geestelijk gehandicapt is, maar voor alle zekerheid gaan ze eerst onderzoeken of hij geen hersentumor heeft.' Sarah zweeg en veegde met de rug van haar hand over haar gezicht. 'Ik ben zo bang. Misschien had ik hem beter niet hierheen kunnen brengen. Als ze hem in een gesticht stoppen, vergeef ik dat mezelf nooit.'

Toy leunde achterover in haar stoel. Daar had Sarah Mendleson gelijk in, dacht ze. Als zij Stephen zijn gang had laten gaan, was ze zelf misschien ook al op weg geweest naar een krankzinnigengesticht. Een vrouw kwam een van de hokjes uit met een vel papier in haar hand. Ze liep snel de gang door. 'Kijk, daar is een hokje vrij,' zei ze tegen Sarah. 'Ga maar naar binnen.'

'O, ga jij maar eerst.'

'Nee,' zei Toy. 'Ga jij maar.'

'Goed dan,' zei Sarah. Ze keek Toy aan. 'Ik vond het prettig om even met je te praten. Ik hoop dat alles in orde komt voor je.' Ze wilde weglopen, maar bleef opeens roerloos staan, haar ogen op Toy's gezicht gericht. 'Je... je komt me zo bekend voor. Vooral als ik je recht aankijk. Ik... ken ik je soms ergens van? Kom je vaak op de televisie of zo?'

'Helemaal niet,' zei Toy giechelend. Sommige mensen dachten dat iedereen in Californië iets met film of televisie te maken had. 'Maar dat denken wel meer mensen. Ik heb blijkbaar zo'n gezicht waarvan iedereen denkt dat ze het ergens van kennen.'

Het meisje had zich niet verroerd. Ze hield haar ogen op Toy gericht. 'Ik weet zeker dat ik je al eens eerder heb gezien. Je komt me zo bekend voor. Dat rode haar, die ogen, zelfs je mond.' Ze schudde haar hoofd alsof ze iets van zich af wilde zetten, alsof ze dingen zag die niet bestonden. Toen lichtten haar ogen op. 'Ik weet het! Je bent de vrouw van de schilderijen. O God, ik kan het nauwelijks geloven. Je bent Raymonds model.'

'Wie is Raymond?' vroeg Toy. Het meisje was zo opgewonden dat ze een sprongetje maakte.

'Mijn vriend. Hij is schilder. Jouw gezicht staat op al zijn schilderijen. Jij bent het. Het kan niet anders.'

'Het spijt me,' zei Toy, 'maar ik heb nog nooit van mijn leven voor een schilderij geposeerd. Zoals ik al zei, ik heb een doodgewoon gezicht. Mensen zien me vaak voor een ander aan. Als ik jou was, ging ik naar binnen, anders gaat er iemand voor.'

'Wacht even,' zei Sarah. Ze was niet meer te stuiten en trok zich niets aan van wat Toy zei. Om te beginnen was de vrouw naar wie ze keek allesbehalve gewoon. Ze had een opvallend gezicht, zeldzaam teer en mooi, helemaal niet gemaakt, maar volkomen natuurlijk. Ze had grote ogen en scheen van binnenuit te stralen. Haar opvallende haar scheen rond haar gezicht te zweven, gewichtloos en vrij, en een paar van de krullen trilden alsof ze voor een ventilator stond. 'Raymond zei dat je een engel was. Je moet erg veel indruk op hem hebben gemaakt, want hij schildert nooit iemand anders dan jou.' Toen herinnerde ze zich waarom ze hier was en betrok haar gezicht. Ze dacht weer aan de stille, bedroefde man die ze naar de eerstehulpafdeling had gebracht.

'Ga even naar hem toe,' smeekte Sarah. Ze liet zich naast Toy op haar knieën zakken. 'Als hij jou ziet, komt hij misschien weer tot zichzelf. Het is duidelijk dat je veel voor hem betekent. Al jarenlang schildert hij alleen jou. Hij heeft hier geen familie. Hij is zo eenzaam. Alsjeblieft, ga even mee.'

'Nee,' zei Toy, haar hoofd schuddend. 'Dat kan ik niet doen. Echt niet. Ik ken je vriend niet eens.'

'Alsjeblieft, ga even mee,' smeekte Sarah. 'Hij is niet eens mijn vaste vriend. Ik heb hem leren kennen in het restaurant waar we allebei werken. Hij is een heel speciaal iemand en hij heeft veel talent. Maar hij verkeert nu in grote moeilijkheden.'

Er trok een blos van verlegenheid over Toy's gezicht toen er een paar mensen de wachtkamer binnenkwamen. Ze had genoeg aan haar eigen problemen. Ze had geen fut voor die van anderen. Het was als het bekende spreekwoord: Geneesheer, genees uzelf. Opeens leek haar geestdrift voor haar pas ontdekte goddelijke missie erg mal en onwerkelijk. Ze kon nu alleen nog maar aan Stephen denken, en vroeg zich af waar hij was, of hij al naar Los Angeles was vertrokken en waarom ze al die idiote dingen tegen hem had gezegd. Iedereen dacht wel eens rare dingen, maar niet iedereen bracht ze ten uitvoer en maakte zichzelf belachelijk.

Als het jonge meisje niet naar binnen ging, dacht Toy, ging ze zelf. Ze stond op. 'Ik moet nu gaan. Alles komt best in orde. Je mag de hoop niet verliezen.'

Toy liep naar het vrijgekomen hokje. Ze wachtte toen de vrouwelijke beambte wat gegevens in de computer invoerde en om het nummer van haar bankrekening vroeg. 'Het lijkt de staatsschuld wel,' zei Toy toen de vrouw de printer had aangezet en de rekening eruit begon te rollen. Er scheen geen eind aan te komen. Toen de vrouw uiteindelijk het laatste vel afscheurde, had ze vijf of zes pagina's in haar hand.

'Het valt mee,' zei ze. 'Uw verzekering dekt het grootste deel. U moet vijfhonderd dollar betalen. Dat is het bedrag van uw eigen risico.'

Toy deed haar chequeboekje open en schreef de cheque uit. Toen ze dat had gedaan, keek ze achterin naar de balans. Als het goed was stond er elfhonderd dollar op de rekening, maar ze wist niet of Stephen ook cheques uit had geschreven. En de zeshonderd dollar die ze overhadden nadat deze cheque was afgetrokken, was niet genoeg om een flat te huren, als ze besloot hier te blijven. Ze moest aan meer geld zien te komen. Ze zou de bank moeten bellen waar ze hun spaarrekeningen hadden en proberen daarvan geld op te nemen.

'Alstublieft,' zei Toy. Ze gaf de vrouw de cheque en stak haar arm naar voren zodat de vrouw het plastic identificatie-armbandje van haar pols kon losmaken. 'Laat me nu maar vrij.'

Ze stopte het reçu in haar tas en liep naar de deur. Sarah zat in een ander hokje en greep haar arm toen ze langskwam.

'Hier,' zei ze. Ze stopte Toy een stukje papier in de hand. 'Dit is het telefoonnummer en adres van Raymond. Hij woont op een zolderverdieping. Ik heb mijn eigen telefoonnummer er ook opgezet. Bel me alsjeblieft wanneer je op orde bent. Je kunt in ieder geval de schilderijen komen bekijken. Dan zul je zelf zien hoeveel je op zijn model lijkt.'

'Da's goed,' zei Toy. Ze stopte het papiertje in haar tas. 'Ik hoop dat alles in orde komt voor jullie.'

'Ja,' zei Sarah binnensmonds, 'dat hoop ik ook.'

8

Toy nam een kamer in het eerste hotel dat ze zag, het Montrose, hetzelfde hotel waar Stephen de dag daarvoor was geweest. Op de kamer kleedde ze zich uit en trok ze een badjas aan. Toen belde ze room service en vroeg ze om een emmertje ijs en een broodje ham, maar tegen de tijd dat die werden afgeleverd, was ze te moe om te eten.

Op zaterdagochtend werd ze fris en monter wakker. Ze wilde Sylvia al bellen om haar te vertellen wat ze over de brand te weten was gekomen, toen ze opeens aarzelde. Net als Stephen stond Sylvia met beide benen stevig op de grond; ze was een aardige vrouw maar ook een uitgesproken cynicus. En waarschijnlijk waren de meeste mensen even weinig ontvankelijk als Stephen en Sylvia, dacht Toy. Zonder bewijs zou niemand haar verhaal geloven. De vage herinneringen van een klein kind zouden niet voldoende zijn. Dat had Stephen al bewezen. Het jongetje was gewond en bang, zouden ze zeggen. Hij wist niet wat hij die dag precies had gezien. Hij moest haar voor een ander aan hebben gezien.

Toy besloot haar bevindingen op schrift te stellen, net zoals ze vroeger op de universiteit had gedaan wanneer ze een werkstuk aan het voorbereiden was, en bewijsmateriaal te zoeken waar zelfs de meest doorgewinterde cynicus niets tegenin te brengen had.

Ze pakte een schrijfblok, schreef de gebeurtenissen in chronologische volgorde op en piekerde erover wat de beste manier was om dit aan te pakken. Om te beginnen moest ze Stephens theorie dat ze een vliegtuig naar Kansas had genomen, weerleggen. De enige manier waarop ze dat kon doen, was door een getuige te zoeken, iemand die haar had gezien nadat ze uit het ziekenhuis was weggelopen. Zodra ze dat probleem had opgelost, zou ze aan het volgende beginnen.

Ze pakte de telefoon, belde het restaurant en beschreef de kelner. Ze hoopte dat ze van hem een schriftelijke verklaring los zou kunnen krijgen.

'Ik geloof dat u Tony Hildago bedoelt,' zei een vrouw met een krasserige stem. 'Maar die is er nu niet. Hij begint vandaag om twaalf uur.'

'Hoe zit het met de politieagent die u hebt gebeld?' zei Toy snel, bang dat de vrouw zou ophangen. 'Ik was de vrouw zonder schoenen. Weet u nog wel? Ik had geen geld voor de koffie.'

'Hoor 's, dame, we krijgen hier massa's mensen die niet betalen.'

'Maar weet u soms wie die politieman was?' hield Toy vol. 'Ik weet zeker dat hij vaak bij u komt. Ik geloof dat hij Kramer heet. Weet u wie ik bedoel?'

'Joey?' kraste de vrouw. 'Bedoelt u Joey Kramer? Die is geen echte politieman. Die zit bij de burgerwacht.'

'Nee,' zei Toy, 'dat kan niet waar zijn. Hij had een uniform aan en heeft me in een politiewagen gezet. Hij móet een echte politieman zijn.'

'Joey Kramer is een beetje typisch,' zei de vrouw. 'Hij denkt dat hij een soort barmhartige Samaritaan is of zoiets. Iedere keer dat we hier een zwerver binnenkrijgen die nergens naar toe kan, halen we Joey erbij. Hij zegt dat hij dat niet erg vindt. Hij heeft zelfs in alle restaurants hier in de buurt visitekaartjes afgegeven. We hoeven hem maar te bellen en hij komt meteen om het probleem op te lossen. De gewone politie heeft geen tijd voor dit soort dingen.'

'Weet u soms waar ik hem kan bereiken?' vroeg Toy. Ze hoorde op de achtergrond het gerinkel van de kassa en het geroezemoes van stemmen.

'Hoor 's, dame,' zei de vrouw kortaf, 'ik ben aan het werk.' En ze hing prompt op.

Toy wist niet hoe ze het had. Ze was er zo zeker van geweest dat de man een echte politieman was geweest, maar nu bedacht ze dat er nog meer mensen waren die voor hun werk een uniform aan moesten. Ze zocht het nummer van de burgerwacht op en werd doorverwezen naar het enige kantoor dat op zaterdag open was, het hoofdkantoor waar de werkschema's werden opgesteld. 'Ik ben op zoek naar ene Joey Kramer,' zei ze. 'Hij is een van uw agenten. Ik moet hem dringend spreken. Ik ben een achternichtje van hem uit Californië.'

'Ogenblikje,' zei de man. Een paar minuten later kwam hij weer aan de lijn. 'Eens even kijken. We hebben Kornwell, Kramacy, Kayman, Kidwell. We hebben een Charles Kramer. Bedoelt u die?'

'Nee,' zei Toy. 'Zijn voornaam is Joey.'

'Nou,' zei de man, 'ik werk hier al tien jaar en de enige Joey Kramer die ik ken, is dood, en dat vind ik nog steeds jammer, want hij was een goeie vent.'

'Dood?' zei Toy verbijsterd. 'Weet u zeker dat u zich niet vergist? Ik heb hem gisteren nog gezien. Iedereen kent hem. In zijn vrije tijd helpt hij de daklozen.'

De man begon te lachen. 'Dat is inderdaad net iets voor Joey, moge hij rusten in vrede. Hij gaf altijd geld weg aan arme mensen. Zoals ik al zei, hij was een goeie vent. Maar het is echt niet dezelfde Joey Kramer, mevrouw. Joey is gedood door een of andere waanzinnige die op straat opeens in het wilde weg begon te schieten. Er zijn zelfs een paar slachtoffers gevallen. Joey heeft hem neergeschoten, maar de man schoot terug en Joey heeft dat niet overleefd. Weet u daar niets van? Het heeft in alle kranten gestaan.'

'Nee, dat wist ik niet,' zei Toy. 'Wanneer was dat?'

'Een paar jaar geleden. Ik weet niet precies meer wanneer.'

Toy bedankte de man en legde neer, nog verwarder dan voorheen. Maar New York was een grote stad, hield ze zichzelf voor en het was heel goed mogelijk dat de caissière van het restaurant zich vergist had wat de voornaam van de politieman betrof.

Ze ging onder de douche en kleedde zich aan. Ze had besloten een frisse neus te gaan halen en om twaalf uur naar het restaurant te gaan om te zien of ze van die kelner een verklaring los kon krijgen.

Een paar minuten later stapte ze de frisse buitenlucht in en begon ze de straat uit te lopen. Opeens tikte iemand op haar schouder. 'Ik dacht al dat u het was,' zei een mannenstem. 'Hoe gaat het er nu mee?'

Toy draaide zich om. Haar adem stokte in haar keel. Vlak voor haar neus, een paar meter bij de ingang van het hotel vandaan, stond de mysterieuze Joey Kramer. Hij zag er precies zo uit als toen ze hem in het restaurant had gezien. Hij droeg een uniform met zijn pet achter op zijn hoofd en er lag een brede glimlach op zijn knappe gezicht. Maar nu zag Toy dat hij een insigne op zijn mouw had waarop Burgerwacht stond. ''t Is niet te geloven,' zei ze. 'Hoe hebt u me gevonden?'

'Waarom denkt u dat ik u heb gevonden?' zei hij. 'U hebt mij gevonden.'

'Nee,' zei Toy, haar hoofd schuddend. 'Ik heb net de burgerwacht gebeld omdat ik naar u op zoek was, maar daar zeiden ze dat ze nog nooit van u hebben gehoord. De enige Joey Kramer die ze kennen is dood.'

Hij barstte in lachen uit. 'Zie ik er dood uit?'

'Natuurlijk niet,' zei Toy. Ze sloeg verlegen haar ogen neer.

'Ik heet eigenlijk Charles Joseph Kramer,' zei hij, 'maar iedereen noemt me Joey. Die ouwe zak die de werkschema's opstelt, haalt mij en mijn neef altijd door elkaar.'

'Is uw neef dan degene die is gedood?' vroeg Toy.

'Ja,' zei Joey. 'Rottig, hè? Hij had nog wel een gezin en zo.'

Hij bekeek Toy aandachtig en zei: 'Waar had u me voor nodig? Waarom was u naar me op zoek?'

Hoe moest ze het uitleggen? 'U bent zo aardig voor me geweest, ik wil u graag voor de lunch uitnodigen,' zei ze uiteindelijk. 'Als u tenminste tijd hebt.'

'Zo'n aanbod sla ik niet af,' zei hij met een knipoog. 'En zeg maar jij tegen mij, dat is veel gezelliger.' Hij liep naar haar toe en haakte zijn arm om de hare. Zo liepen ze samen verder.

De serveerster stond bij het tafeltje met haar blocnote in haar hand. Ze haalde haar potlood achter haar oor vandaan en keek naar Toy. 'Wilt u iets bestellen?'

'Ja, een bord wraak,' zei Toy. Ze wisselde een veelbetekenende blik uit met Joey en begon te giechelen. 'Maar als u dat niet hebt, doet u dan maar een broodje halfom.'

Onderweg naar het restaurant had Toy haar nieuwe vriend proberen uit te leggen waarom ze naar hem had gezocht. Ze was aanvankelijk van plan geweest een verhaal te verzinnen, maar tot haar eigen verbazing vertelde ze hem de waarheid, tot in de kleinste details. Het was zo prettig om met hem te praten, hij was zo aardig, zo begrijpend, zo hartelijk. Voor ze het wist had ze hem alles verteld over haar hart dat had stilgestaan, de brand in Kansas, het jongetje, haar problemen met Stephen die haar niet wilde geloven. Daarna ging ze verder terug en vertelde ze hem over haar eerste ervaring en de donkere jongen die ze in het klaslokaal had gezien. Ze vertelde hem zelfs over de pompoenring die hij haar had gegeven en die ze om haar vinger had gehad toen ze in het ziekenhuis weer wakker was geworden.

'Ik vind dit helemaal niet zo vreemd klinken,' zei hij. 'Ik bedoel, het klinkt wel vreemd, maar ik geloof in dat soort dingen.' Er kroop een blos over zijn gezicht, alsof hij zich opeens gegeneerd voelde. 'Wonderen en zo. Er is in Frankrijk toch ook zo'n plaats? Hoe heet die ook alweer? Lourdes, geloof ik. Daar gebeuren aldoor wonderen.'

'Maar dit is toch een beetje anders,' zei Toy met een diepe zucht. 'Ik denk niet dat iemand me zal geloven.'

Joey leunde achterover, zette zijn pet af en kamde met zijn vingers door zijn dikke, donkere haar. 'Ik heb een idee,' zei hij. 'Je zou de mensen van die televisieploeg, die de brand heeft gefilmd, kunnen bellen. Als je er echt bij was, sta je vast op die film. Dan heb je je bewijsmateriaal. Hoe vind je die? Ben ik slim of niet?'

'Je hebt gelijk,' zei Toy. Ze leunde opgewonden naar voren. 'Dat is een fantastisch idee. Als ze de brand hebben gefilmd, sta ik er misschien op. Het enige probleem is, hoe ik ze zover kan krijgen mij die film te geven.'

'Met een leugentje,' zei Joey zonder aarzelen. Er lag een ondeugende blik in zijn ogen. 'Begrijp me niet verkeerd. Ik vind liegen ook niet koosjer, maar je moet roeien met de riemen die je hebt, zeg ik altijd. Ik zie het zo: er zijn geen slechte dingen, alleen slechte mensen. Wie liegt om iemand kwaad te doen, zit natuurlijk fout. Maar dit is iets anders. Je zou tegen ze kunnen zeggen dat je zelf ook bij de televisie zit, bij een plaatselijke station hier of zo, en dat je de film nodig hebt voor een achtergrondverhaal over de brand.'

De serveerster kwam aanlopen en zette met een klap hun borden op de tafel. Toy nam een kieskeurig hapje van haar broodje, maar Joey hapte met smaak in zijn halve baguette met gerookt kalkoenevlees, salade en kruidensaus. Toy liet haar broodje zakken en legde haar hand op de zijne. 'Je hebt me echt geholpen,' zei ze. 'Ik weet niet hoe ik je ooit kan bedanken.'

Met volle mond zei hij: 'Ach, je bent mijn engel of je bent het niet. Waar is dat T-shirt dat je gisteren aanhad?'

'O, dat heb ik nog,' zei Toy. 'Het zit in mijn koffer.'

'Waarom heb je dat dan aan?' zei hij met een knikje naar haar groene broekpak. Hij schudde zijn hoofd. 'Je zag er prima uit in dat T-shirt.'

'Meen je dat nou?' zei ze vrolijk.

'Tuurlijk,' zei hij met een grijns.

'Weet je dat zeker?' vroeg ze. 'Vind je dit pakje niet mooier dan zo'n goedkoop baseball T-shirt? Zoveel nette kleren heb ik niet.'

'Nee,' zei hij, 'ik vond dat T-shirt veel mooier. Ik zou er zelf ook wel zo een willen hebben.'

'Weet je wat?' zei Toy. 'Als je mij een schriftelijke verklaring geeft, krijg jij van mij zo'n T-shirt. Afgesproken?'

Joey pakte een tandenstoker uit het bakje op tafel, klemde die tussen zijn tanden en rolde hem heen en weer. 'Dat zou ik heel fijn vinden,' zei hij langzaam. 'Afgesproken!'

Toy had Joey's ondertekende verklaring in haar tas toen ze op de stoep voor het restaurant afscheid van hem nam. Ze liep meteen terug naar het hotel en belde het televisiestation, zoals hij had voorgesteld. Ze wist precies wat ze zou doen zodra ze alle bewijsstukken in haar bezit had, en ze had veel zin om door de kamer te dansen en luidkeels te schreeuwen. Het was niet precies wat een engel geacht werd te doen, maar als ze echt een engel was, was ze anders dan alle anderen die haar waren voorgegaan, dat wist ze zeker. Als er zoiets bestond als een tijdelijke engel, zou Toy dat zijn. Ze had besloten

137

dit idee over engelen regelrecht de eenentwintigste eeuw in te sturen. En Joey Kramer was degene die haar had laten zien hoe ze dat moest doen.

Via de media.

Als mensen dachten dat UFO's de fantasie van het Amerikaanse volk hadden geprikkeld, dacht Toy, had ze nog iets veel mooiers voor hen in petto.

Sarah had op een opklapbed naast Raymonds ziekenhuisbed geslapen. Ze werd wakker toen het ontbijt werd binnengebracht. Ze probeerde hem aan het praten en eten te krijgen, maar hij staarde voor zich uit alsof ze niet bestond.

Ze besloot dat er niets anders op zat en begon hem weer te voeren, net als de dag daarvoor op zijn zolderkamer. Af en toe mompelde hij iets, maar ze verstond niet wat hij zei. Toen Raymond halverwege het ontbijt zijn hoofd steeds wegdraaide, at Sarah de rest zelf maar op. Ze hadden gisteravond gezegd dat de dokter vanochtend bij hem zou komen. Ze bleef naar de deur kijken. Eindelijk ging die open.

Dokter Robert Evanston zag er met zijn kortgeknipte blonde haar en smalle snor niet veel ouder uit dan Raymond en Sarah. De jonge arts bruiste van energie, wellicht vanwege een overdosis cafeïne; hij sprak zo snel dat Sarah hem steeds moest vragen dingen te herhalen.

'Ik begrijp wat u zegt, dokter Evanston,' zei ze toen hij zijn verhandeling over autisme had afgerond. 'Maar hoe weet u dat het dat is waar hij aan lijdt?'

'In zijn portefeuille zat een briefje met de namen van zijn naaste familieleden in Texas. Die hebben we gebeld. Zijn moeder dacht juist dat het goed met hem ging. Ze was erg van streek toen ze hoorde dat hij weer een aanval had.'

'Komt ze hierheen?' vroeg Sarah. Ze kon niet eeuwig bij Raymond blijven.

'Nee, voorlopig niet,' antwoordde de dokter. 'Haar man schijnt onlangs een hartaanval gehad te hebben en ze zitten erg krap.'

De jonge arts keek van het levendige jonge meisje naar het donkere, sombere gezicht van zijn patiënt. Om de een of andere reden pasten die gezichten niet bij elkaar. 'U mag hem wel mee naar huis nemen, als u wilt,' zei hij uiteindelijk.

'Hoe bedoelt u?' zei Sarah met open mond. 'Zoals hij nu is? U moet iets doen, zorgen dat hij hieruit loskomt.'

'Ik kan niets doen. Ik kan hem alleen tabletten geven. Misschien helpen die, maar eerlijk gezegd betwijfel ik het. Lichamelijk mankeert hij niets. Hij is alleen autistisch. Hij vertoont duidelijke tekenen van autisme.'

'Maar hij kan in zijn eentje niets doen, niet eten, zich niet aankleden, niet praten,' ging Sarah ertegenin. 'Hij kan onmogelijk voor zichzelf zorgen.'

De jonge arts keek haar vragend aan. 'Bent u dan niet zijn vrouw?'

'Nee,' zei Sarah. Ze sloeg haar armen om haar eigen lichaam. 'Ik ben zijn vriendin.'

Snel sloeg de arts Raymonds dossier open en bladerde erin. 'Ik zie dat hij op zichzelf woont.'

'Ja,' zei Sarah. 'Hij is kunstschilder. Hij heeft een zolderverdieping in TriBeCa.'

De dokter liep naar Raymond toe en bleef vlak voor hem staan. 'Hoe is het ermee, Raymond? Ben je in staat om naar huis te gaan? Zeg eens iets. Kun je ons vertellen wat er in je hoofd omgaat?'

Hij zweeg abrupt. Raymond had iets gezegd. Ze bleven allebei stilstaan om te luisteren. Hij mompelde weer, al bewogen zijn lippen zich nauwelijk. Sarah boog zich naar hem toe en luisterde ingespannen.

'Mijn engel,' fluisterde hij. 'Ik heb mijn engel nodig.'

'Ik ben hier, lieverd,' zei Sarah. 'Ik ben bij je.'

De dokter gaf met het dossier een klap tegen zijn bovenbeen. Hij moest bij nog meer patiënten langs. 'We hebben de keus uit twee,' zei hij. 'We kunnen hem naar een inrichting voor geestelijk gestoorden laten overbrengen tot hij zover is opgeknapt dat hij weer voor zichzelf kan zorgen, of u kunt de verantwoording voor hem op u nemen. Wat de inrichting betreft: aangezien hij niet is verzekerd, zal dat een staatsinrichting worden. De privé-instituten zijn vreselijk duur.' Hij zweeg en liet zijn woorden bezinken. 'U mag het zeggen. Als u wilt, teken ik voor zijn ontslag uit het ziekenhuis en kunt u hem nu al meenemen.'

'Ja, doet u dat maar,' zei Sarah zonder zich om te draaien. Ze had haar armen om Raymonds hoofd geslagen en drukte hem tegen haar borst. Hij had haar zijn engel genoemd. Dan kon ze hem toch niet in de steek laten?

'Weet u het zeker?' vroeg de dokter. 'Ik had niet graag dat u hem meenam en dat hij over een paar dagen door de stad gaat zwerven en wordt aangereden door een vrachtwagen of zoiets. Zolang hij in deze toestand verkeert, moet er vierentwintig uur per dag iemand bij hem zijn. Weet u heel zeker dat u dat aankunt?'

Sarah keek de dokter lange tijd aan. Toen keek ze weer naar Raymond en verzachtte de uitdrukking op haar gezicht. Hij was als een baby, zo hulpeloos, zo verloren. Ze zou het nooit over haar hart kunnen verkrijgen hem in zo'n afgrijselijke inrichting te laten stoppen. Ze wist dat ze onbesuisd te werk ging en dat ze veel te veel hooi op haar vork nam, maar ze kon niet anders.

'Zeg het maar,' zei de arts. 'Zal ik het formulier laten uittikken?'

'Ja,' zei Sarah met overtuiging. 'Ik zal voor hem zorgen. Ik weet niet precies hoe ik dat moet doen, maar zolang hij me nodig heeft, zal ik bij hem blijven.'

Toy had haar schoenen uitgedaan en lag languit op haar bed in de hotelkamer met de telefoonhoorn tegen haar oor. Ze was onderweg een boekhandel binnengegaan en had een paar spiraalschriften gekocht die nu over het bed verspreid lagen. Opeens zei de man aan de andere kant van de lijn iets, waardoor Toy een kreet van vreugde slaakte. 'Geweldig,' zei ze. 'U hebt de film. We hebben het toch over het deel waar de jongen met de roodharige vrouw op staan?'

'Ja. Bij welk televisiestation zei u dat u werkt?'

'Bij WKRP in New York.' Toy hoopte dat er niet echt zo'n station bestond. Ze had lukraak maar iets gezegd. 'Ik had graag dat u me de film opstuurt per Federal Express, met de nachtpost. Ik zal u de naam van mijn hotel geven, want ik ben op locatie.'

'Alles goed en wel,' zei de man, 'maar die film is eigendom van CNN. Als jullie hem hebben willen, moet u ervoor betalen.'

'Hoeveel moet u ervoor hebben?'

'Ja, dat weet ik niet. Wat is hij u waard?'

Mijn leven, dacht Toy. 'Tweehonderd dollar.'

Hij lachte. 'Dat is een belediging. Hoe weet ik dat u niet met een of andere stunt bezig bent? Misschien is er die dag iets gebeurd dat we over het hoofd hebben gezien en gaat u met de eer strijken.'

'Alstublieft,' pleitte Toy. 'Ik werk hier nog maar pas en ik probeer hogerop te komen. Het gaat alleen maar om een achtergrondreportage over heldendaden. Jullie hebben toch niets meer aan die film. Wees nou aardig en stuur me een kopie. Ik zal de cheque aan u persoonlijk uitschrijven. Niemand hoeft het te weten.'

Hij dacht er even over na en hapte toen in het aas. 'Oké. Mijn naam is Jeff McDonald. Zorg dat die cheque vandaag nog op de bus gaat. Zo niet, dan kom ik hem halen.'

'Komt in orde,' zei Toy. Ze ratelde het adres van het hotel af. 'Met Federal Express, vergeet dat niet,' voegde ze eraan toe. Toen schoot haar iets te binnen. Morgen was het zondag en Federal Express deed op zondag geen bestellingen. 'Nee, wacht even, ik ben van gedachten veranderd. Stuur hem per luchtpost, anders heb ik hem morgen niet. Ik zit aan een deadline vast. Ik moet die film morgen hebben.'

'Goed, goed,' zei hij en gooide de hoorn op de haak.

Vanwege haar slinkende geldvoorraad kon Toy weinig doen om zichzelf te vermaken. Op zaterdagavond bleef ze op haar kamer. Ze keek televisie en bestelde iets van room service. Een paar keer belde ze naar het huis van Sylvia's broer in Brooklyn, maar er nam niemand op. Uiteindelijk sprak ze een boodschap in op het antwoordapparaat.

Op zondagochtend sliep ze uit en toen zwierf ze tot het eind van de middag door de stad.

Zodra ze het hotel weer binnenkwam, liep ze naar de balie om te zien of de videofilm uit Kansas was aangekomen. De receptionist zei van niet. In plaats van naar haar kamer te gaan, ging Toy op een bank in de hal zitten. Doelloos bladerde ze in een tijdschrift. Om de paar minuten keek ze op haar horloge. Rond vijf uur zag ze een man in uniform het hotel binnenkomen. Op zijn overhemd en pet stond Emerson Air Freight. Ze sprong overeind en stoof op hem af. 'Toy Johnson. U hebt een pakje voor me.'

'Een ogenblikje,' zei hij met een blik op zijn lijst. 'Ja, dat klopt. Wilt u hier even tekenen?'

Toy zette snel haar handtekening en holde met het pakje tegen haar borst geklemd naar de lift. Op haar kamer scheurde ze het papier eraf en stopte ze de film in de video. Het moment der waarheid was aangebroken, dacht ze. Als ze op deze film te zien was, lag de weg naar de roem voor haar open.

Ze ging niet zitten maar bleef vlak voor de televisie staan, haar ogen op het scherm gericht. Toen de brand was uitgebroken hadden de onderwijzeressen blijkbaar de kinderen geëvacueerd en gezegd dat ze op het grasveld voor de school moesten wachten. Daarna waren ze met hun drieën weer naar binnen gegaan, waarschijnlijk om hun tassen te pakken of spullen te redden of om te controleren dat er geen kinderen waren achtergebleven, maar ze hadden de omvang van de brand verkeerd beoordeeld. Toen ze in het gebouw waren, was er een gasfornuis ontploft en waren ze alle drie om het leven gekomen.

Daar had je het: de groep kinderen die over het grasveld holde. Er was echter van zo ver weg gefilmd, dat Toy alleen donkere silhouetten zag. Maar een van de gedaanten die over het veld holden was langer dan de anderen. Toy hield haar adem in. Opeens zoemde de cameraman in voor een close-up en merkte Toy dat ze naar zichzelf keek.

Haar hart bonkte wild. Daar was ze, in levenden lijve. Ze holde over het veld met de kleine Jason Cummings in haar armen en het vuur op haar hielen. Ze zag hoe ze het kind overgaf aan de brandweerman, zag zichzelf naast hem mee hollen en toen naast het gewonde jongetje neerknielen. De camera haalde het beeld nog dichterbij voor een close-up van haar gezicht en ze las haar eigen lippen. 'Ik kan het wel. Ik kan het wel. Ik kan het wel.' Opeens sprong ze als een wilde de hotelkamer rond, buiten zichzelf van vreugde.

Toen ze de stem van de commentator hoorde en zag dat ze niet langer op het scherm te zien was, bleef ze staan om te luisteren. 'De vrouw die u daarnet samen met Jason Cummings hebt gezien, is vlak nadat deze opnamen zijn gemaakt, verdwenen. De ouders van het jongetje willen haar graag ontmoeten om hun dank te betuigen. Als zij hem niet uit de vlammen had gesleurd, waarbij ze haar eigen leven riskeerde, zou het kind hoogstwaarschijnlijk ook zijn omgekomen.'

Toy spoelde de film terug en bekeek hem nog een keer van begin tot eind. Waarom hadden Stephen en zij dit deel van de uitzending gemist? Misschien was het uitgezonden voor ze de televisie hadden aangezet. Toen ze de film voor de derde keer wilde bekijken, was ze opeens bang dat hij in het apparaat vast zou komen te zitten en drukte ze op de stopknop. Ze haalde de cassette uit de video en hield hem in haar handen. Het was zo'n klein, licht dingetje, maar het was haar eigen Lijkkleed van Turijn, haar persoonlijke Dode-Zeerollen.

Met de videocassette tegen haar boezem gedrukt, holde ze de kamer uit en nam ze de lift naar de lobby, waar ze snel naar de balie liep. 'Ik wil graag een kluis huren,' zei ze tegen de receptionist.

'Dat kan,' zei hij. 'Vult u deze kaart even in, dan kom ik zo terug.'

Toy zette haar naam, adres en telefoonnummer op de kaart en keek om zich heen naar de mensen die bij de balie stonden te wachten. Stel dat iemand haar de film uit handen rukte? Dan moest ze weer helemaal van voren af aan beginnen. Ach nee, dacht ze toen, niemand wist wat er op deze videocassette stond, wat het inhield, niet alleen voor haar, maar voor de hele wereld.

'Gaat u even mee?' zei de receptionist. Hij ging haar voor naar een kleine, gesloten ruimte achter de balie. 'Welke maat wilt u?'

'Iets groots,' zei Toy met vlammende ogen.

'Is deze groot genoeg?' Hij trok een metalen kluis uit de muur.

'Hebt u iets groters?' vroeg Toy.

Hij trok een grotere kluis naar voren. Toy straalde. 'Precies wat ik zoek.' Toen hij weg was legde Toy eerbiedig de zwarte casssette in het metalen kistje. De film lag er nogal verloren bij, dacht ze, maar dat zou niet lang duren. Dit was haar eerste bewijsstuk. Hopelijk kreeg ze er snel meer bij.

Ze duwde de kluis terug op zijn plaats, haalde de sleutel uit het slot en stopte die in het ritsvakje van haar portemonnee. Toen liep ze het hotel uit en vroeg ze de portier een taxi voor haar aan te houden.

'Waar moet u zijn?' vroeg de taxichauffeur die meteen optrok, als een paard dat ongeduldig aan het bit trok.

'Wolfe's Delicatessen,' zei ze. Ze had het adres opgeschreven. 'Op de hoek van Fifty-seventh en Sixth.'

De chauffeur liet de taxi naar voren springen, slingerde om drie auto's heen en gaf plankgas tot hij bij een rood stoplicht kwam. 'Allemensen,' zei Toy, 'waar hebt u leren rijden? Op een circuit?'

De taxichauffeur lachte. 'Dat restaurant is hier vlakbij. U had net zo goed kunnen lopen. Waar komt u vandaan?'

'Overal en nergens,' gaf Toy hem lik op stuk. 'Je weet wel, waar ik slaap, is mijn thuis.'

'Daar gaan we,' zei hij. Hij trok weer op en bracht de wagen even later tot stilstand.

Toen hij was weggereden, keek Toy door de ruit van het restaurant naar binnen. Toen liep ze naar de etalage van de winkel ernaast, haalde haar poederdoos te voorschijn, controleerde haar lippenstift en bracht vervolgens haar haar in orde. Het ging er niet alleen om dat ze een bevestiging van haar verhaal zou krijgen, dacht ze. Het was een kwestie van waardigheid.

Rechts van zich zag ze in een portiek een dakloze onder een stuk karton liggen slapen. Het sneeuwt in ieder geval nog niet, dacht ze. Over een maand vriezen die arme mensen dood.

'Wilt u een tafeltje bij het raam of achterin?' vroeg de vrouw met het oranje haar zonder van haar kruk af te komen.

'Geen van beide,' zei Toy gedecideerd. 'Ik wil een van uw kelners even spreken. Hij is lang, lelijk en heeft een pokdalig gezicht.

'Hé, Tony,' riep de vrouw, 'er is hier iemand die je wil spreken.'

Tony was op weg naar een van de tafels met een dienblad

144

vol borden. Toen hij Toy zag, knipperde hij met zijn ogen, maar hij liep gewoon door. Toy bleef bij de kassa staan wachten. Ze nam aan dat hij haar niet had herkend. Dat was niet verwonderlijk. Ze had een van haar meest geklede pakjes aan met haar mooiste leren schoenen, en droeg de enige handtas die ze bezat. Ze zag er heel anders uit dan de vorige keer dat ze hier was geweest.

'Wat wilt u?' vroeg Tony op de terugweg naar de keuken. 'Hé, ken ik u niet ergens van? Bent u niet de vrouw van Sam?'

'Nee,' zei ze. Ze keek hem recht in de ogen. 'Ik ben hier vrijdag geweest. Ik zat daarginds, achter in de zaal. Ik was gekleed in een spijkerbroek met een blauw T-shirt en had geen schoenen aan. Weet u het nu weer?'

'Ja,' zei hij. Hij bekeek haar van top tot teen. 'Nu u het zegt.'

Toy zei: 'Het spijt me dat ik vrijdag zomaar binnen ben komen lopen. Ik was in een ziekenhuis opgenomen en ben blijkbaar aan het zwerven geslagen. Ik ben blij dat u die knappe agent hebt gebeld om me te helpen. Dat was aardig van u.' Terwijl de woorden als boter over haar tong rolden, moest Toy een sterke aandrang onderdrukken om hem op zijn voet te trappen, met haar hak precies op zijn wreef. Wat een hufter. Zo'n type dat over zijn eigen moeder heen zou rijden, als die op straat was gevallen. 'Daarom,' zei ze met een verleidelijke blik, 'wil ik u een flinke fooi geven.' Ze had het geld klaar in haar hand, een gloednieuw biljet van honderd dollar. Ze had de dag daarvoor haar creditcard gebruikt om tweehonderd dollar van de bank te halen. Ze stak hem het geld toe.

'Bedankt,' zei hij. Hij stopte het geld in zijn zak en wilde weglopen.

Toy greep hem bij zijn mouw. 'Ik wil u om een kleine gunst vragen.'

Hij keek haar met een vuile blik aan. 'O ja? Wat dan?'

'Nou, toen ik hier in het restaurant was, is er iets ongelooflijks gebeurd. Ik heb de loterij gewonnen. Ssssst,' zei ze. 'U mag het aan niemand vertellen. Anders word ik op weg naar huis nog overvallen en beroofd.'

Hij staarde haar aan. Newyorkers waren bijdehand. Je moest vroeg opstaan om ze iets wijs te maken. 'U hebt de

145

loterij gewonnen,' zei hij. Hij maakte smakkende geluiden en liet zijn vingers knakken. 'Hoeveel?'

'Een heleboel,' zei Toy. Ze deed een stapje naar hem toe en liet haar stem nog meer dalen. 'Wat ik van u wil hebben, is zoiets als een verzuimbriefje van school. Ik had graag dat u opschreef hoe ik eruitzie, wat ik die dag aanhad, aan welk tafeltje ik heb gezeten en dat u die politieman hebt geroepen die me heeft meegenomen. Het gaat erom dat ik kan bewijzen hoe laat ik hier precies was. Weet u dat soms nog?' Toen hij haar wezenloos aankeek, ging ze door. 'Was het niet om even na vijven, dat ik hier binnenkwam?'

'Ja, dat kan wel kloppen. Hoeveel krijg ik hiervoor en waarom hebt u dat briefje nodig?'

Hebberige zak, dacht Toy. Ze had hem net honderd dollar gegeven als dank dat hij haar op straat had gezet. Nu wilde die schoft nog meer. 'Ik heb het nodig omdat ik het lot niet op tijd heb ingeleverd. Gelukkig waren er geen andere winnaars. Ik heb op het kantoor de situatie uitgelegd, maar aangezien ik niet de hele dag in het ziekenhuis ben gebleven, zoals u weet, moet ik iets hebben waarmee ik kan bewijzen dat ik niet helemaal mezelf was. Begrijpt u wat ik bedoel?'

Het enige dat hij deed was zijn duim en wijsvinger over elkaar wrijven. Het verhaal kon hem niets schelen. Het ging hem alleen om het geld.

'Ik geef u nog honderd dollar,' zei Toy, 'als u het nu meteen doet. Dat is de voorwaarde. Ik kom er niet voor terug.'

'Mij best,' zei hij. 'Ik kan het net zo mooi maken als u wilt. Geef me maar een velletje papier.'

'Alstublieft,' zei Toy. Ze haalde een schrift uit haar tas. 'En terwijl ik erop wacht, kunt u me misschien een kop koffie laten brengen.'

Zodra ze de schriftelijke verklaring van de kelner in haar tas had, stapte Toy de koude avondlucht in. Ze was van plan geweest de straat over te steken en de weg naar haar hotel te vragen, maar in plaats daarvan bleef ze diep in gedachten op de hoek staan. Had ze hiermee genoeg? Kon ze echt naar een krant of een televisiestation gaan met wat ze in handen had? Ze had gedaan wat ze zich had voorgenomen. Ze had bewijs van waar ze was geweest op bijna ieder uur van de dag waarop de brand in Kansas was uitgebroken en ze had de videofilm met het bewijs dat zij degene was die het jongetje had gered. Ze had zelfs het kind zelf om haar verhaal te ondersteunen, maar ze was er evengoed niet helemaal zeker van wat ze nu moest doen. Misschien was het zelfs verstandiger om dinsdag samen met Sylvia terug te vliegen naar Los Angeles, zoals ze van plan was geweest en dit alles van zich af te zetten. Ze maakte zich zorgen om de kleine Margie Roberts en de leerlingen op school die van haar afhankelijk waren. Wat zouden die ervan denken als ze na het lange weekend op school kwamen en te horen kregen dat ze niet terugkwam?

Toy keek de straat uit en zag het groene waas van Central Park. Ze besloot een eindje te gaan wandelen en van de avond te genieten voor ze terugging naar het hotel. Eenmaal bij het park aangekomen, stond ze er verbaasd over hoe groot het was. Midden in deze enorme stad lag een fantastisch brok architectuur: bomen, vijvers, paden, bankjes, een schaatsbaan. Ze hoorde het klakken van paardehoeven, keek om en zag een koetsje aankomen. De koetsier hield het paard in en stopte.

'Wilt u een ritje maken?' vroeg hij.

'Hoeveel kost dat?' vroeg Toy, de heerlijke geur van het paardelichaam opsnuivend. Het paard scheen te weten dat ze hem rook en van zijn geur genoot. Hij stampte met zijn hoeven en schudde zijn hoofd.

'Nou, aangezien het vanavond nogal stil is en ik eigenlijk al van plan was naar huis te gaan, geef ik u korting. Vijfenzestig dollar voor een rit door het hele park.'

De man zag er pittoresk uit met zijn hoge hoed en lange jas, maar zijn ogen waren de ogen van een oplichter. 'Zoveel kan ik niet missen,' zei Toy. Ze draaide zich om en liep weg. Ze was niet van plan vijfenzestig dollar neer te tellen voor een ritje door het park.

De paardehoeven kwamen achter haar aan. 'Vijftig dollar dan, maar alleen voor u en alleen omdat het al zo laat is.'

'Dertig dollar en geen cent meer,' zei Toy vastberaden. 'Het is niet dat ik u het geld niet gun, maar ik heb gewoon niet meer.'

147

'Contant?' vroeg hij.

'Nee,' zei Toy. 'Ik moet u een cheque geven.'

De koetsier staarde naar haar terwijl hij een besluit nam. Opeens keek hij alsof hij erg met haar was ingenomen. 'Goed,' zei hij. 'Klim maar aan boord.'

Toy ging in het koetsje zitten en gleed algauw terug in de tijd. Ze beeldde zich in hoe de stad er vroeger had uitgezien. Al die koetsjes en dames met prachtige hoeden. Het was eenvoudiger om paardepoep op te ruimen dan het gat in de ozonlaag te dichten, dacht ze. Ze wou maar dat ze de klok kon terugdraaien.

Maar dat maakte allemaal niet uit. Toy was alleen. En het was niet erg leuk om in je eentje een rit door het park te maken. Ze dacht aan Stephen en vroeg zich af wat hij aan het doen was. Opeens wou ze dat hij naast haar zat en ze haar hoofd op zijn schouder kon leggen. Ze dacht aan alle lange gesprekken waar ze zo van hadden genoten toen ze pas getrouwd waren en hoe hij haar altijd aan het lachen had gemaakt. Waarom was hij zijn gevoel voor humor en zijn levenslust kwijtgeraakt? Toy wist hoeveel hij van zijn beroep hield en hoe graag hij chirurg had willen worden. 'Het is net of je God bent,' had hij tegen haar gezegd op de avond nadat hij zijn eerste operatie had verricht. 'Wanneer je in iemand snijdt, het net alsof je een verlengstuk van God bent. Je wordt Zijn handen, Zijn ogen. Het is iets geweldigs, Toy. Opeens zijn mijn ogen opengegaan voor de wonderen van het leven en heb ik het gevoel dat ik deel uitmaak van het geheel.'

Nou, dacht Toy, de laatste tijd had ze van Stephen niets meer gehoord over God en de wonderen van het leven. Tegenwoordig zag haar man zijn patiënten meer als objecten en beoordeelde hij zijn operaties naar het geld dat hij eraan verdiende en niet naar de hoeveelheid levens die hij ermee redde. Kon iemand zo radicaal veranderen? Ze bedacht dat haar man meer had verloren dan zijn gevoel voor humor. Ergens onderweg had hij ook zijn hart verloren.

De paardehoeven tikten op het asfalt en het koetsje deinde zachtjes. Toy trok de deken die de koetsier haar had gegeven over zich heen en deed haar ogen dicht. Binnen een mum van tijd voelde ze zich zweverig worden en kreeg ze een beklemmend gevoel in haar borst. Maar ze voelde geen pijn of angst. Ze voelde zich volkomen vredig. Toen hoorde ze een zacht gejammer als van een kind dat huilde. Het scheen haar vanuit de duisternis te roepen.

9

Toy liep door het park, over nat gras. Het was donker en ze was bang. Ze was van het pad afgedwaald en wist niet hoe ze uit het park en naar de straat moest komen. Toen ze langs een groepje bomen kwam zag ze in de verte een grote, donkere massa en liep daarop af, in de hoop dat het een gebouw was. Toen ze dichterbij kwam, zag ze echter dat het een draaimolen was. Ze bleef staan, gefascineerd door de kleurige paarden en de manier waarop ze er in het maanlicht uitzagen. Toen hoorde ze geritsel van bladeren en een ander, vreemd geluid, maar ze wist niet waar het vandaan kwam. Ze hield haar adem in om beter te kunnen luisteren en meende dat het klonk als een kind dat huilde. Ze liep snel om de draaimolen heen, maar toen werd het geluid juist zwakker. Ze snapte niet waar het vandaan kwam. Uiteindelijk bleef ze doodstil staan en luisterde ze alleen maar.

Daar had je het weer, een zwak, gedempt geluid dat beslist klonk als dat van een huilend kind. Stap voor stap en steeds stoppend om naar het geluid te luisteren, liep Toy in steeds wijdere kringen rond de draaimolen. Uiterst rechts, ongeveer acht of negen meter van de draaimolen, hoorde ze het geluid iets duidelijker. Ze liet zich op de grond zakken en kroop op haar knieën verder, zonder te weten waar ze naar zocht. Opeens bleef ze als bevroren zitten. Ze hoorde het geluid nu heel duidelijk, een stem die echode alsof hij uit een put kwam.

Toen zag ze het: een gat in de grond van ongeveer een halve meter doorsnee. Er lag een metalen deksel naast en Toy begreep meteen dat het een afvoerput moest zijn die op een riool uitkwam. Ze stak haar hoofd in het gat en hoorde iets dat leek op een grom, een laag, bijna onmenselijk geluid.

Weer bleef ze stil zitten. Misschien was het een hond die in het gat was gevallen en er niet meer uit kon. Of die ziek was en door zijn baas in de put was gegooid omdat hij niet meer voor hem wilde zorgen. Daar zou iedere hond wild van worden. Ze had geen zin om haar hand in het gat te steken en een armstomp terug te trekken.

Toen hoorde ze het geluid weer. Het was meer een kreunend, raspend geluid dan een grom. Ze trok haar hoofd uit het gat en keek om zich heen naar de bomen en struiken. Er waren natuurlijk allerlei dieren in Central Park, dacht ze. Het kon een wasbeer zijn of een eekhoorn, zelfs een uil. Ze hoorde nog meer vreemde geluiden en toen een verstikt, rochelend geluid, dat gevolgd werd door een zware hoestbui.

'Is daar iemand?' riep ze in de put. Haar nieuwsgierigheid had het gewonnen van haar angst.

'Help me,' zei een zwak, angstig stemmetje.

Had ze echt gehoord wat ze dacht dat ze had gehoord, vroeg Toy zich af, of bedrogen haar oren haar? Er was een harde oostenwind op komen zetten. Ze hoorde het geloei van claxons en het geluid van auto's in de verte. Een vliegtuig kwam over. Misschien verbeeldde ze zich dat de stem uit het gat kwam.

'Hé! Daarbeneden!' riep ze weer. 'Als je me kunt horen, geef dan antwoord.'

'Help!' riep het stemmetje. 'Ik wil naar mijn mamma.'

Toy betastte de binnenkant van de punt en voelde iets van metaal dat aan de muur vast scheen te zitten. Ze draaide zich om, steunde op de rand van de put en liet zich in het gat zakken, met haar voeten de muur aftastend. Als ze zich niet vergiste, dacht ze, waren er metalen voetsteunen waarlangs je naar beneden kon komen.

Toy zette haar voet op een van de metalen stangen en liet zich dieper in de put zakken. Ze kon degene die erin zat nu duidelijk horen en was er zeker van dat het een kind was. 'Ik kom eraan, lieverd,' zei ze. 'Hou nog even vol tot ik bij je ben.'

Naarmate ze zich verder liet zakken, moest ze zich steeds kleiner maken. De opening had ongeveer een halve meter in

diameter geleken, maar door de voetsteunen was de binnenkant van de put minstens tien centimeter smaller. Als Toy niet
zo slank was geweest, had ze er nooit in gepast. De wand van
de put schuurde langs haar lichaam en ze kreeg last van claus-
trofobiegevoel. Maar het kind huilde weer en ademde zo moeizaam dat iedere ademhaling klonk alsof er iemand een plank
doorzaagde. Toen Toy dichter bij de bodem kwam, hoorde ze
water stromen en werd ze bang dat het kind zou verdrinken.

'Sta je in het water?' riep ze.

'Ja,' zei de stem. 'Help me. Ik kan er niet uitkomen. Ik moet
mijn medicijnen innemen.'

'Rustig maar. Ik kom eraan,' zei Toy. Ze zag geen hand
voor ogen in de donkere put, maar ze wist dat ze nu dicht bij
het kind was. Het stemmetje klonk vlak onder haar. 'Ik zal
mijn hand naar je uitsteken. Als je hem ziet, moet je hem stevig
vastpakken.'

Toy leunde opzij, maar de put was zo smal dat ze haar arm
niet naar beneden kon wringen om het kind te pakken. Ze
hield haar adem in, maakte zich zo plat mogelijk en wurmde
haar arm naar beneden. 'Zie je mijn hand?' vroeg ze.

'Nee,' zei de stem.

Toy zwaaide haar onderarm heen en weer als een klepel,
in de hoop dat het kind de beweging zou zien. Even later
voelde ze een kleine, glibberige hand tegen haar handpalm
en sloot ze snel haar vingers eromheen. 'Hou goed vast, anders
raak ik je kwijt,' zei Toy. 'Hoe heet je?'

'Lucy,' zei ze zwakjes.

'Lucy,' zei Toy op kalme toon. 'Ik ga nu weer naar boven
klimmen en trek jou met me mee. Probeer je voeten op de
sporten van de ladder te zetten.'

'Dan... val ik,' zei het kind zielig. Haar ademhaling klonk
nog zwaarder en raspender dan voorheen. 'Haalt... u me...
alstublieft... hier uit. Ik... hebeen... astma... aanval.'

'Hou je goed vast,' zei Toy. Ze trok hard aan de hand van
het kind toen ze zich aan haar vrije arm optrok. De spieren
in haar zij deden pijn toen ze haar volle gewicht moesten
dragen, maar daar sloeg Toy geen acht op. Het kind was ziek,
ze had astma. Toy moest ervoor zorgen dat ze in een zieken-

huis kwam. 'Heb je de stangen gevonden waar je je voeten op moet zetten?' vroeg ze.

'Ja.'

'Goed, daar gaan we,' zei Toy. Ze trok het kind weer een stukje naar boven en klom op de volgende sport van de ladder.

'Ik... kan het... niet,' zei het kind. Ze hing met haar volle gewicht aan Toy's hand.

Toy worstelde om haar vast te houden. Het meisje woog niet zo veel, maar Toy was zelf erg tenger en door de zwaartekracht leek het kind loodzwaar. Ze wou dat ze onder haar door kon kruipen om haar op haar schouders te nemen, maar de put was zo smal dat ze dat nooit zou redden. 'Lucy,' zei ze. 'Je moet me helpen. Zullen we het nog een keer proberen?'

Er kwam geen antwoord.

Toy's hart begon te bonken, meer van angst dan van de inspanning. Misschien was het meisje bewusteloos geraakt vanwege gebrek aan zuurstof, dacht ze. Wie weet hoe lang het arme kind al in de put had gezeten. Misschien leed ze ook aan verhongering en uitdroging.

Langzamer nu, uit alle macht proberend het slappe lichaam van het kind niet langs de metalen steunen te laten botsen, worstelde Toy zich stapje voor stapje naar boven. Haar spieren moesten zich zo inspannen dat haar hele arm beefde en ze was doodsbang dat ze het meisje zou laten glippen en dat ze weer op de bodem van de put terecht zou komen. De put kwam uit op een ondergronds kanaal of een riool, dacht ze, of misschien een ondergrondse bron. Als ze het kind liet vallen nu het bewusteloos was, zou het zo goed als zeker verdrinken.

Eindelijk zag Toy een lichte vlek en wist ze dat ze het had gehaald. Ze kroop uit het gat en trok het kind naar boven. Het gezicht van het meisje zat onder de modder, maar Toy schatte haar op een jaar of acht. Ze had gedacht dat het meisje ouder was, omdat ze zulke volwassen antwoorden had gegeven. Toen de maan achter de wolken vandaan kwam en op de open plek tussen de bomen scheen, kon Toy het kind beter bekijken. Ze zag een vuil, verfomfaaid meisje, gekleed in een witte blouse met lange mouwen met een trui eroverheen. Aan haar voeten droeg ze leren schoenen en witte sokjes met een kanten randje. Ze had dik, krullend haar waar nu twijgjes en bladeren in zaten. Haar lippen hadden een blauwige tint.

Haar hersenen kregen niet genoeg zuurstof, besefte Toy. Ze stond snel op en tilde het slappe kind van de grond. Toen begon ze te hollen met het kind in haar armen, maar ze struikelde over een kromme boomwortel die uit de grond omhoog stak. Ze krabbelde overeind, maar verloor weer haar evenwicht en kwam op haar billen terecht op een dik bed van bladeren. Door haar gewicht, samen met dat van het kind, begon ze de heuvel af te glijden alsof ze op een slee zat.

Pas helemaal onderaan kwam ze tot stilstand. Ze krabbelde meteen overeind en zwoegde de heuvel weer op, met het kind in haar armen, zo uitgeput dat ze zelf bijna bezweek. Op dat moment deed het meisje haar ogen open. 'Hou vol, Lucy,' zei Toy tegen haar. 'We zijn er bijna.'

'Ik wil mijn mammie,' snikte het meisje.

Toy had een steek in haar zij en wist dat ze even op adem moest komen voor ze door kon lopen. 'Schatje, kun je me vertellen hoe je in die put terecht bent gekomen? Waar zijn je ouders?'

'U bent mijn mammie niet,' zei het kind, hijgend en hoestend. 'Ik wil mijn mammie. Ik praat niet met vreemde mensen.'

'Gelijk heb je,' zei Toy geduldig, 'maar ik wil je helpen. Kun je me vertellen wat er is gebeurd?'

'Ze hebben me hierheen gebracht. Ze hebben me gedwongen. Ze hebben me uit de zondagsschool gehaald.'

'Wie?' vroeg Toy.

'Boze mannen,' zei het meisje. Er kwam een angstige blik in haar ogen en haar tengere lijfje begon te beven.

Toy drukte haar tegen zich aan en wiegde haar zachtjes terwijl ze sprak. 'Stil maar, lieverd,' zei ze, haar hoofd en rug strelend, 'ik zal je naar een dokter brengen en dan komt alles weer in orde. Alles is nu weer goed. Wees maar niet bang.'

Opeens begon het kind met haar armen en benen te slaan en te schoppen. Ze haalde nog moeizamer adem dan voorheen. Toy hield het tengere lijfje, dat zich probeerde los te wringen, stevig vast. 'Ik ben er nu. Niemand zal je kwaad doen. Daar zal ik voor zorgen.'

'Nee,' gilde het kind. 'Laat me los. U gaat me pijn doen net als die slechte mannen.'

'Luister eens even,' zei Toy op krachtige toon. Ze probeerde haar weer in haar armen te nemen. 'Ik ben schooljuffrouw. Je weet best dat schooljuffrouwen kinderen nooit pijn doen. Ik wil je naar huis brengen, maar dan moet je me helpen je ouders te vinden.' Toen het meisje bleef tegenstribbelen, bedacht Toy iets anders. 'Ik ben je beschermengel, zie je. Heb je wel eens van beschermengelen gehoord? Dat zijn engelen die God stuurt om mensen te helpen die in moeilijkheden verkeren. Dat betekent dat ik bijzondere dingen kan en alles weer goed kan maken. Het enige wat je moet doen, is in me geloven. Denk je dat je dat kunt?'

Het meisje keek Toy aan en knikte zwijgend. Toy tilde haar weer op en begon te lopen. Ze praatte sussend en zong zachtjes voor haar tot ze weer bij de met gras begroeide heuvel was aangekomen, maar het kind kon zich niet ontspannen. Haar lichaam verstijfde steeds in Toy's armen terwijl ze om adem vocht.

Toy had geen idee hoe ze uit het park moest komen en het kind was zwaar, zwaarder dan ze had gedacht. Ze kon niet doelloos blijven lopen. Dan kwamen ze misschien juist dieper in het park terecht.

Ze legde het kind zachtjes neer op het gras. Ze moesten een plan bedenken. Toy moest proberen zich te oriënteren. 'Vertel me eens iets meer over de slechte mannen,' zei ze tegen het meisje.

'De mannen... kwamen... ze hebben me weggehaald uit de zondagsschool waar ik met mijn moeder naar de kerk ga. Mijn moeder was er niet en ik zat op de schommel op de speelplaats. Ze... ze hielden me vast en hebben me meegenomen en nu kan ik mijn moeder niet vinden.'

'Hebben ze je pijn gedaan?' Toy voelde een steek van angst. Het kind was ontvoerd. Ze was van de speelplaats van een zondagsschool gesnaaid. Misschien was ze verkracht of mishandeld. Wie weet wat voor afgrijselijke dingen ze had moeten doorstaan.

'Ze... ze hebben mijn onderbroek afgepakt... en ik kon mijn plas niet ophouden. Ik kon er niets aan doen,' huilde ze.

'Toen hebben ze me geslagen... en geschopt... en in dat gat gegooid.'

'Nadat ze je onderbroek hadden afgepakt,' zei Toy langzaam, 'hebben ze je daarbeneden toen aangeraakt, of iets in je gestopt, of je pijn gedaan?'

Het meisje schudde haar hoofd terwijl haar borstkas zich uitzette en inklapte.

Opeens viel ze achterover op het gras met haar buik naar boven en werd haar hele lichaam stijf. Toen begon ze weer uit alle macht te gillen.

'Gil alsjeblieft niet,' zei Toy. 'Het is nu weer goed. Ik ben bij je.' Ze tilde het meisje weer op en begon weer te lopen, speurend naar de wolkenkrabbers boven de bomen om te weten welke kant ze uit moest. Na een poosje kwam ze bij een open plek en meende ze het geluid te horen van rijdende auto's. Een paar seconden later zag ze de straat en kreeg ze tranen in haar ogen van opluchting.

Een paar taxi's zoefden voorbij, allemaal bezet. Toy stapte van de stoep af en probeerde een auto aan te houden, maar er stopte niemand. Een paar minuten later kwam er een lange, zwarte limousine aanrijden. Toy ging midden op straat staan en zwaaide met haar vrije hand.

De chauffeur draaide zijn raampje naar beneden en stak zijn hoofd naar buiten. 'Wat is er aan de hand? Hebt u een ongeluk gehad?'

'Ja,' zei Toy, die van opluchting bijna tegen het portier van de auto aan viel, het kind nog in haar armen. 'Ze moet zo snel mogelijk naar een ziekenhuis. Ze is ontvoerd van de speelplaats van een kerk en is door de ontvoerders in een rioolput gegooid.'

'Zet haar maar op de achterbank,' zei de man. Hij stak zijn hand naar achteren en maakte het portier voor haar open. 'Bent u haar moeder?'

'Nee,' zei Toy. Ze boog zich voorover en zette het meisje voorzichtig op de zachte, fluwelen achterbank. 'We zullen je naar de dokter brengen, liefje,' zei ze tegen haar. 'Alles komt best in orde, dat beloof ik je.'

Toy keek over het hoofd van het kind heen en zag nu pas dat er in de uiterste hoek een oudere man zat, half aan het oog onttrokken door de schaduwen. Hij leunde naar voren en wilde iets zeggen, maar Lucy was hem voor.

'U bent zo mooi,' zei ze tegen Toy. Ze hield haar armen nog steeds om Toy's nek geklemd. 'Is een beschermengel net zoiets als een fee? Bent u echt een engel?'

'Ik doe mijn best,' zei Toy. Ze glimlachte en drukte een kus op het voorhoofd van het meisje. Toen wendde ze zich snel tot de chauffeur, zonder acht te slaan op de man in de hoek. 'Breng ons naar het dichtstbijzijnde ziekenhuis.'

Toy stak haar hand uit naar het achterportier toen alles opeens zwart werd. Ze voelde zich vallen en vallen, alsof ze door het heelal werd gesleurd.

Het volgende waar Toy zich bewust van werd, waren verblindende, witte lichten. Het licht was zo schel dat ze haar ogen maar heel even opendeed en meteen weer stijf dichtkneep. Ze hoorde iets piepen en tikken en ze had het koud, verschrikkelijk koud. Een scherpe pijn schoot door haar armen. Ze dwong zichzelf haar ogen weer open te doen en zag tralies, waardoor ze meteen dacht dat ze in de gevangenis zat.

'Zo, bent u daar weer?' zei een vrouw in een gesteven verpleegstersuniform.

'Waar ben ik?' vroeg Toy. Haar ogen spiedden nu angstig de kamer af. 'Wat is er gebeurd?'

'U bent in het Roosevelt Hospital. U bent binnengebracht in een ambulance vanuit Central Park. U bent geruime tijd buiten westen geweest.'

'Waar is het meisje? Maakt ze het goed? Hebt u haar ouders gevonden?'

'Welk meisje?' vroeg de verpleegster. Haar ogen werden groot van nieuwsgierigheid. 'Er was niemand bij u toen u bent binnengebracht. Waar hebt u het over?'

'Wat is er met me gebeurd?'

'De hoofdverpleegster heeft uw dokter gebeld, dokter Esteban,' zei de vrouw. 'Ik zal even vragen of hij er al is. U was hier toch gisteren of eergisteren ook? Ik herinner me u.'

De verpleegster verdween, maar Toy zag haar door de ruit. Ze zag ook een balie met verpleegsters erachter die rijen knipperende monitors in de gaten hielden. In Toy's armen zaten injectienaalden met daaraan slangetjes die naar zakjes liepen die aan standaards hingen. Ze betastte haar borst en voelde de elektroden van de ECG. Ze lag weer op de intensive care. Ze bedwong de neiging om te gaan gillen. Ze lag vastgebonden aan deze afgrijselijke machines, terwijl ze het kind wilde zoeken om te zien of dat het had gered, of alles goed was met haar.

De deur van de kamer ging met een klap open en dokter Esteban kwam binnen. 'Mevrouw Johnson,' zei hij. Hij keek met een bezorgde blik in zijn donkere ogen op haar neer. 'Ik ben blij dat u weer wakker bent. Hoe voelt u zich?'

'Ik heb het koud,' zei Toy, 'en ik wil hier weg.'

'Ik zal tegen de verpleegster zeggen dat ze een deken voor u moet halen. Uw bloeddruk is nog steeds erg laag.' Hij wachtte even en zei toen op ernstige, bezorgde toon: 'Uw hart heeft weer stilgestaan. Het spijt me. Er is ons verteld dat u in een koetsje zat in Central Park toen u een hartaanval hebt gekregen. De koetsier kreeg het in de gaten en hij heeft geprobeerd u bij te brengen, maar daar slaagde hij niet in en toen heeft hij een ziekenwagen laten komen. Net toen de verplegers kunstmatige ademhaling wilden toepassen, begon uw hart uit zichzelf weer te kloppen. Gelukkig had u de rekening van uw vorige verblijf hier nog in uw tas en hebben ze u teruggebracht en mij thuis gebeld.'

'Er was een klein meisje bij me. Ze was ontvoerd. Kunt u alstublieft voor me nagaan wat er van haar geworden is?'

Dokter Esteban keek Toy diep in de ogen. Toen deed hij het hekje van het bed naar beneden en ging hij op de rand van het bed zitten. 'Mevrouw Johnson, luistert u nu eens goed naar me. Er was geen klein meisje. U zat in uw eentje in de koets. De politie was bang dat u het slachtoffer was geworden van een misdaad en heeft de koetsier grondig ondervraagd. Hij zei dat hij u in uw eentje door het park zag lopen en u een ritje heeft aangeboden. U bent ingestapt en na een paar ogenblikken hoorde hij een geluid. Toen hij omkeek, was uw hoofd naar voren gezakt en dacht hij dat u in slaap was gevallen. Hij reed gewoon door, omdat zoiets blijkbaar niet ongebruikelijk is. Veel mensen vallen tijdens zo'n ritje in slaap. Toen hoorde hij nog een geluid en keek hij weer om. Dit keer was u van het bankje gevallen en lag u bewusteloos op de vloer van het koetsje.'

Toy schudde ontkennend haar hoofd. Ze herinnerde zich dat ze in het koetsje had gezeten, maar ze wist ook dat ze bij het meisje was geweest. Het was blijkbaar net zo gegaan als voorheen. Toen haar hart tot stilstand was gekomen, was ze op de een of andere manier er op uitgestuurd om het kind te helpen. 'Ik moet hier weg. Ik moet uitzoeken of het meisje het goed maakt. Dat heb ik haar beloofd.'

'Alstublieft,' zei hij, 'begint u nu niet weer. Ik heb uw man al gebeld. Hij maakt zich grote zorgen.'

Dat zal wel, dacht Toy verbitterd. Hij had waarschijnlijk al een kamer voor haar besteld in een gesticht. 'Ik voel me uitstekend, dokter Esteban,' zei Toy. 'Ik ga hier weg. Ik verzoek u dus vriendelijk de buisjes uit mijn armen en de elektrodes van mijn borst te halen. Als u daartoe niet bereid bent, doe ik het zelf.'

Toy probeerde overeind te komen. Dokter Esteban drukte haar zachtjes neer. 'We kunnen ervoor zorgen dat u hier blijft,' zei hij, een verholen dreiging in zijn ogen. 'Dwingt u ons alstublieft niet naar de rechter te stappen en wettelijk toestemming te krijgen om uw leven te redden.'

Toy was woedend. Ze wist wat hij daarmee bedoelde. Met medewerking van Stephen konden ze haar voor de rechtbank slepen en haar ontoerekeningsvatbaar verklaren. Dan konden ze met haar doen wat ze wilden. Ze konden haar gebruiken als proefkonijn, en naar hartelust in haar prikken en haar binnenstebuiten keren.

Esteban zag hoe ongelukkig ze zich voelde. Hij zag ook de blik van felle vastberadenheid in haar ogen. 'We zijn er bijna achter wat u mankeert,' zei hij. 'Als u nu weggaat en ons de kans ontneemt u te onderzoeken, is het zo goed als zeker dat u hieraan doodgaat. Dat is dan alleen nog maar een kwestie van tijd.'

'U zei dat u er bijna achter bent wat ik mankeer,' zei Toy op scherpe toon. 'Wat bedoelt u daarmee?'

'Volgens mij is het een combinatie van diverse problemen,' zei hij. 'Dat is een van de redenen waarom het zo moeilijk is een diagnose te stellen. Toen u de pericarditis kreeg, is uw hartspier hoogstwaarschijnlijk verzwakt. Niet in een dergelijke mate dat men dat vlak na het incident meteen heeft kunnen zien, maar door de jaren heen is die zwakke plek een steeds grotere rol gaan spelen.' Hij stopte en staarde naar Toy. 'Kunt u me volgen? Het is belangrijk dat u de ernst van de situatie beseft.'

'Gaat u door,' zei Toy.

'Ik ben er bijna zeker van dat u aan een zeldzame neurologische ziekte lijdt. Het is iets dat het midden houdt tussen slaap-apnoe en narcolepsie. Hebt u wel eens van slaap-apnoe gehoord?'

Toy schudde haar hoofd.

'Het is een ziekte,' legde Esteban uit, 'waardoor je ademhaling opeens tot stilstand komt wanneer je slaapt. Dat duurt iedere keer maar een paar seconden, maar dat kan gevaarlijk zijn. Mensen die aan narcolepsie lijden, daarentegen, houden niet op met ademhalen. In plaats daarvan vallen ze zomaar in slaap, vaak vele keren per dag. Dat gebeurt over het algemeen zonder waarschuwing vooraf en wanneer ze wakker worden, beseffen ze meestal niet dat ze geslapen hebben. Ze kunnen zelfs midden in een gesprek of een vergadering zomaar in slaap vallen.'

'Wat heeft dat met mij te maken?'

'Daar was ik net aan toe,' zei hij. 'Op de een of andere manier sturen uw hersenen elektrische schokjes naar uw hart, dat daardoor abrupt tot stilstand komt. Korte tijd later krijgt uw hart eenzelfde soort schokje waardoor het weer begint te kloppen. Waar we nog niet achter zijn, is hoe vaak dit voorkomt en of die incidenten steeds volgens hetzelfde patroon verlopen. Hoewel uw hart vanavond spontaan weer is gaan kloppen, weten we niet of dat een volgende keer ook het geval zal zijn. Als we niets doen, kan het de volgende keer...' Hij keek van haar weg. 'Moet ik verder gaan?'

'U bedoelt dat ik dood zou kunnen gaan.'

'Ja, mevrouw Johnson, dat bedoel ik precies. Maar ik heb overleg gepleegd met andere specialisten en ik geloof dat ik de oplossing heb gevonden. We willen graag een pacemaker bij u aanbrengen. Het is een vrij eenvoudige ingreep en ik ben er bijna zeker van dat het probleem daarmee opgelost zal zijn.'

'Dan kan mijn hart niet meer zomaar stilstaan, bedoelt u,' zei Toy.

'Precies,' zei Esteban glimlachend.

Zonder aarzeling zei Toy: 'Ik wil geen pacemaker.'

Esteban verstijfde. 'Mevrouw Johnson, ik heb u net uitgelegd hoe gevaarlijk deze ziekte is. U moet echt uw leven niet op het spel zetten vanwege een eenvoudige chirurgische ingreep.'

'Ik kan het niet uitleggen,' zei ze. 'U zou me bovendien niet geloven. Ik wil nog één ding weten. Is Stephen op weg hiernaartoe?'

Hij omzeilde haar vraag. 'Zal ik hem voor u bellen, zodat u zelf met hem kunt spreken?'

'Nee,' zei Toy. Ze was er nu zeker van dat haar man onderweg was. Ze moest zorgen dat ze uit het ziekenhuis wegkwam voor hij er was. Hij zou erop staan dat ze zich liet opereren en dan zou het afgelopen zijn met de dromen. Dat mocht niet gebeuren. Ze wist dat dit voorbeschikt was. Als ze haar leven op het spel moest zetten om nog een kind te redden, dan vond ze dat het risico dubbel en dwars waard. 'Ik wil hier nu graag weg.'

Esteban fronste. Zijn geduld raakte op. 'U staat al op de lijst om morgenochtend geopereerd te worden. Bovendien heb ik uw man verzekerd...'

Toy ging rechtop zitten en rukte de elektroden van haar borst. Toen keek ze de arts aan. 'Dokter Esteban, mijn man en ik zijn uit elkaar en ik ben een volwassen vrouw die haar eigen beslissingen kan nemen. Ik zal nooit het formulier voor de operatie tekenen. Doet u dus geen moeite, dat is zonde van uw tijd.'

Dokter Esteban was zowel gefrustreerd als vastbesloten haar te overtuigen. 'Uw man is arts. U weet vast wel hoe een pacemaker werkt. Die zorgt voor regelmaat in uw hartslag. Zodra hij is aangebracht zult u nooit meer met dit probleem te maken krijgen. U kunt een normaal leven leiden. En het is een heel eenvoudige ingreep. U mag binnen een week al naar huis.'

Toy liet zijn woorden bezinken en keek hem toen weer aan. 'Nee,' zei ze op luide, bijna schreeuwende toon. Ze voelde een

161

aandrang, een sterke behoefte om uit het ziekenhuis weg te komen, uit deze kamer, buiten het bereik van haar man en dokter Esteban. Ze wilde weten wat er in het park precies was gebeurd en ze moest het meisje zoeken om zich ervan te verzekeren dat ze veilig was, zoals ze haar had beloofd. Het laatste wat Toy zich herinnerde, was dat ze haar op de achterbank van een lange, zwarte auto had gezet. Ze had geen idee wie de chauffeur was en waar hij het kind naar toe had gebracht. Hij kon net zo goed een van de ontvoerders zijn geweest, en dan had Toy het kind zomaar aan hen overgedragen.

'Als u daartoe echt besloten bent,' zei dokter Esteban, 'dan moet ik die beslissing respecteren. Maar neemt u van mij aan dat u een vergissing begaat, de grootste vergissing van uw leven. U bent een mooie jonge vrouw die nog een heel leven voor zich heeft en er is geen enkele aanwijsbare reden waarom u deze eenvoudige chirurgische ingreep niet kunt ondergaan.'

Na die speech draaide hij zich om en liep hij naar de deur. Daar keek hij nog even om. 'De volgende keer dat ik u zie, mevrouw Johnson, zult u misschien niet in staat zijn weg te gaan.'

'Waarom niet? Omdat mijn man me laat opsluiten?'

'Nee, omdat u dan dood bent.' Met die woorden liep hij geruisloos de deur uit.

Toy zag hem hoofdschuddend naar de balie lopen, waar hij wachtte tot hij haar status kreeg aangereikt. Hij schreef er iets in, legde de status met een klap op de balie en liep weg.

Het was een ongewoon warme herfst in Atlanta, maar in de redactiekamer waar de airconditioning aanstond, was het bijna koud te noemen. De vijfendertigjarige Jeff McDonald, die onlangs door CNN bij de *Los Angeles Times* was weggehaald, had avonddienst en zat in de redactiekamer toen zijn baas, Stan Fielder, bij zijn bureau bleef staan. Stan was een doorgewinterde journalist van achter in de vijftig. Hij was een Afrikaans-Amerikaan, klein van stuk en kalend. Hij droeg meestal bretels over zijn witte overhemd en rolde vaak zijn mouwen op wanneer hij aan het werk was. McDonald was bij de *Times* weggegaan omdat hij wel eens iets anders wilde en bij de televisie wilde komen.

'Bekijk dit eens, Mac,' zei Fielder. 'Ben ik gek of hebben we deze dame al eens eerder gezien? Onlangs bedoel ik, een paar dagen geleden.'

McDonald zette zijn bril op en keek naar de krant. 'Waar komt dit vandaan? New York?'

'Ja. Vind je ook niet dat ze eruitziet alsof ze zo uit een Botticelli is gestapt? Je moet twee keer kijken om haar helemaal in je op te nemen. Lees de beschrijving eens. Rood haar, groene ogen, melkwitte huid.'

McDonald besefte dat hij naar een computertekening van een vrouw keek. Het gezicht had iets onwerkelijks, de mooie gelaatstrekken, de tere beenderstructuur, de volmaakt gevormde lippen. 'Ik geloof dat je gelijk hebt, Stan,' zei McDonald. 'Ze komt me bekend voor. Ze kijkt alleen een beetje geschrokken, vind je ook niet?' Hij werd getroffen door het haar, dat uit haar gezicht naar achteren leek te worden geblazen. Het leek bijna alsof ze zich zo snel bewoog dat ze niet op papier kon worden vastgelegd, alsof ze uit de tekening stapte. 'Wat heb je nog meer?'

'Een achtjarige meisje is vanochtend vroeg door twee mannen ontvoerd van een speelplaats bij een kerk in Manhattan, maar ze is vanavond teruggevonden. De ontvoerders hebben geprobeerd haar te verkrachten en haar toen in een rioolput gegooid. Senator Robert Weisbarth en zijn chauffeur zijn gestopt toen een vrouw met het kind in haar armen uit Central Park kwam hollen. Het kind lijdt aan chronische astma.' Fielder zweeg even. Hij had een zoon die aan astma leed. Hij was nu twaalf en er begon eindelijk verbetering in zijn gezondheidstoestand te komen, maar ze hadden een zware tijd achter de rug. Vaker dan hij zich wenste te herinneren was Fielder 's nachts wakker geworden van de moeizame, raspende ademhaling van zijn zoon. 'Door het trauma heeft ze een zware astma-aanval gekregen. En ze was al verkouden, zodat ze er niet best aan toe was. Als die vrouw haar niet had gevonden, was ze misschien gestorven.' Fielder wist daar alles van. Iedere keer dat zijn zoon verkouden werd, sloeg dat om in een longontsteking. Door de astma raakten de bronchiale buisjes ontstoken en opgezet, waardoor vocht in de longen vast kwam te zitten.

Fielder ging door: 'Nadat die vrouw het kind in de limousine had gezet, is ze verdwenen. Daardoor is het hele geval nogal mysterieus. Volgens mij zit er een goed verhaal in. De barmhartige Samaritaan. Wenst niet bedankt te worden. Doet een goede daad en verdwijnt. Klinkt goed.'

'Wacht eens even,' zei McDonald. Hij stak zijn hand op en zocht met zijn andere hand als een bezetene in de papieren op zijn bureau. 'Jongetje. Mooie vrouw die verdween. Ik heb een paar dagen geleden net zo'n soort verhaal gehad. Uit Kansas. We hebben het uitgezonden.' Hij had gevonden wat hij zocht: het verhaal van UPI over de brand in het schoolgebouw. 'Hier,' zei hij, wapperend met het vel papier.

'Laat eens kijken,' zei Fielder. Hij probeerde over McDonalds schouder te lezen wat er stond.

'Nee, nee,' zei McDonald plagend. Hij legde zijn hand op het papier. 'Als hier iets in zit, is het mijn verhaal. Beloof je me dat je het niet aan een ander geeft? De laatste tijd heb ik alleen restjes gekregen.'

Fielder lachte uitbundig en gaf de ander een klap op zijn schouder. 'Jullie stadsjongens denken allemaal dat jullie zomaar naar Atlanta kunnen afzakken en hier de boel even regelen. Bij ons moet je je plek *verdienen*, jochie.'

McDonald mocht Fielder graag. En dat niet alleen, hij had respect voor hem. Fielder was een steengoeie journalist. 'Noem me geen jochie,' zei hij en probeerde zijn gezicht in de plooi te houden. 'Waag het niet een blanke ooit jochie te noemen. Dat zal ik rapporteren. Dat is discriminatie.'

Fielder lachte bulderend. Toen hield hij opeens op. 'Je hebt vijf seconden de tijd, McDonald.'

De jongere journalist draaide zich om in zijn stoel en gaf Fielder het artikel. Toen leunde hij met een voldaan gezicht achterover en vouwde zijn handen achter zijn hoofd. 'Klinkt dat als jouw Botticelli?'

'Ja, inderdaad,' zei Fielder. Hij likte over zijn lippen. 'Er was zeker geen foto bij?'

'*Nada*, maar zoals ik al zei, ik geloof dat we haar op de film hebben.' McDonald voelde opeens een bijtende steek in zijn maagstreek. Hij had de videoband gekopieerd en aan een televisiestation in New York verkocht. Hij voelde zich alsof

164

hij een kogel in zijn eigen voet had geschoten. Als het om dezelfde vrouw ging en als Fielder reden zag om een speciale documentaire van een half uur aan deze mysterieuze heldin te wijden, kreeg Jeff eindelijk zijn kans als producent. Maar hij zou met lege handen komen te staan als het televisiestation in New York hen voor was.

'Goed,' zei Fielder rustig. Hij liet het niet merken, maar hij was opgewonden. En hij was een man die zich zelden ergens over opwond. Hij zat al zoveel jaar in het vak en had zoveel verhalen langs zien komen dat hij zelden meer deed dan een wenkbrauw optrekken. Maar een mooie heldin als deze die uit het niets verscheen, kinderen redde en dan zomaar verdween, dat was misschien iets om opgewonden over te raken, dacht hij. 'Ga die film maar eens halen,' zei hij tegen McDonald, terwijl hij zich omdraaide en terugliep naar zijn kantoor. 'Waar wacht je nog op?'

10

'*Voilà*,' zei Sarah toen ze uit de keuken kwam. Ze draaide midden in de kamer in het rond, bleef toen staan en keek Raymond aan. 'Wat vind je ervan?'

Sarah's prachtige zwarte haar had nu een kunstmatige helderrode kleur. Ze leek sprekend op de vrouw op de schilderijen. Ze liep naar Raymond toe, streelde zijn wang en legde toen haar hand onder zijn kin om zijn gezicht naar haar op te heffen zodat hij wel naar haar moest kijken. 'Snap je het? Nu ben ik de vrouw die je altijd schildert, de vrouw van wie je zoveel houdt. Maar ik ben hier, Raymond, en zij niet.'

Raymond zag alleen haar haren, haar gezicht, haar ogen, alsof ze een lichaamloos portret was. En wat hij zag, zette hem in vuur en vlam. Ze was hier. Zijn engel had hem eindelijk gevonden. Tranen stroomden over zijn wangen. Nu was hij gered. Vreugde en opwinding schoten door zijn lichaam, voedden zijn spieren, zonden felle berichten naar zijn hersenen. Hij draaide zich om en holde naar de hoek van de kamer. Hij kwam terug met een schetsblok en een doos kleurkrijt. Hij liet zich op de grond zakken, greep Sarah's hand en trok haar naast zich neer. Toen koos hij met zorg een kleurkrijtje uit de doos en gaf dat aan haar. 'Hier,' zei hij met een kinderstemmetje, 'jij mag de groene.'

Sarah keek toe toen hij languit op de houten vloer ging liggen en op een vel papier begon te tekenen. Hij keek naar haar op en scheurde toen een vel papier voor haar af, dat hij over de vloer naar haar toeschoof.

Sarah deed hem precies na en ging met haar gezicht naar

hem toe op haar buik liggen. Als twee kleuters begonnen ze te tekenen. Raymond schetste cirkels binnen cirkels. Sarah wist niet wat ze moest tekenen, dus deed ze Raymond na. Na een paar ogenblikken keek hij naar haar op en glimlachte.

Sarah glimlachte stralend terug, in de veronderstelling dat hij op de rand van een doorbraak stond. Laten we het hopen, dacht ze en ze deed haar best haar bezorgdheid te verbergen om de sfeer niet te bederven. De dag daarvoor was die nare Francis Hillburn opeens op de zolderverdieping verschenen met een andere artiest in zijn kielzog. Hij had gezegd dat Raymond het pand binnen een paar dagen moest verlaten. Zo niet, dan zou hij hem eruit laten zetten. Sarah had tevergeefs met hem gepleit. Nu was ze al begonnen Raymonds spullen in te pakken. Ze was van plan hem mee te nemen naar haar flat in Queens, al twijfelde ze eraan dat haar vrouwelijke huisgenoten het goed zouden vinden dat ze een man bij hen in huis haalde. Vooral een man die zo vreemd en verward was als deze.

Maar ze had geen keus. Sarah was hopeloos verliefd op Raymond Gonzales. Ze had zelfs haar baan opgezegd en teerde op het weinige spaargeld dat ze had willen gebruiken om in de herfst weer te gaan studeren. Het kon haar niets schelen. Gedurende de tijd dat ze samen met hem op de zolderverdieping had gezeten nadat ze uit het ziekenhuis waren gekomen, omgeven door zijn visioenen van engelen, had ze in zichzelf iets ontdekt waarvan ze het bestaan niet had geweten. Wanneer Raymond sliep of voor zich uit staarde, had Sarah voor het eerst sinds haar kinderjaren weer gebeden, eerbiedig en hartstochtelijk. Ze had God gesmeekt deze man te redden, hem normaal te maken zodat hij kon blijven schilderen en ze ooit met hem zou kunnen trouwen.

Toen Raymond haar verlegen een ander kleurkrijtje aanreikte, streelde Sarah teder zijn hand en voelde ze een elektrisch schokje. 'Jij wordt nog eens de beroemdste schilder ter wereld,' zei ze profetisch. De woorden hadden zich pas in haar hoofd gevormd toen ze ze al uitsprak. 'In alle museums zullen schilderijen van jou hangen en iedereen zal je willen leren kennen.'

167

Raymond hief zijn hoofd op en mompelde half binnensmonds: 'Michelangelo.'

'Ja, Raymond,' zei Sarah glimlachend. 'Net als Michelangelo.'

Het was druk op de redactiekamer van het hoofdkwartier van CNN in Atlanta. Een hele wand werd in beslag genomen door televisieschermen, printers braakten kopij uit en telefoons rinkelden onophoudelijk. Een van de televisieploegen zat in Wyoming, waar een religieuze sekte zich nu al een maand verschanst had; een onbekende had gebeld dat er in het Empire State Building een bom lag; en in Los Angeles liep een waanzinnige rond, die jonge vrouwen aan stukjes hakte en hun lichaamsdelen bij mensen in de voortuin gooide.

De gebruikelijke ellende.

Jeff McDonald zat over zijn aantekeningen gebogen om tot een besluit te komen op welke manier hij het barmhartige-Samaritaanverhaal zou brengen. Het was een verhaal met enorm veel potentie, maar alleen als ze het op de juiste manier aanpakten. Jeff wist dat programma's over waar gebeurde misdaden bijzonder populair waren, maar Fielder wilde dit als een puur menselijk drama presenteren.

Nieuwe ontwikkelingen over de zaak in Kansas hadden Jeff de keuze uit twee opties gegeven. Experts hadden vastgesteld dat de brand was gesticht, en niet door een kind dat met lucifers had gespeeld. Iemand had een lap stof in benzine gedrenkt en in de kelder van het gebouw gegooid waar de conciërge brandbare spullen had staan. Nu moesten ze er rekening mee houden dat de mysterieuze vrouw de brandstichtster kon zijn. Waarom zou ze het jongetje redden en dan verdwijnen als ze niets te verbergen had? Wie vond het nu niet leuk om een held te zijn en een schouderklopje te krijgen? En brandstichters bleven vaak op de plaats van de misdaad rondhangen om de uitwerking van hun daad te bekijken. Dat ze het jongetje had gered, wilde niets zeggen. De meeste pyromanen wilden niet dat er mensen doodgingen. Ze hadden alleen een tic. Ze kregen een kick van de vlammen, van de opwinding.

De brandweer van Topeka en de politie-experts wilden de

mysterieuze vrouw graag achterhalen en niet om haar een medaille te geven.

Maar bij het incident in Manhattan lag de zaak anders. Er waren nog niet veel details bekend, aangezien het nog maar net was gebeurd en de politie van Manhattan tergend langzaam te werk ging, maar het slachtoffer, een achtjarig meisje met appelwangen en een scherp verstand, hield vol dat het twee mannen waren geweest die haar op de speelplaats bij de kerk hadden ontvoerd en haar in de rioolput hadden gegooid nadat ze hadden geprobeerd haar te verkrachten. Ze had hen van de verkrachting afgebracht door op de hand van een van de mannen te plassen. Ze was de droom van iedere rechercheur: intelligent, vroeg wijs en praatgraag en ze had een uitstekend geheugen. Nee, herhaalde ze keer op keer, de vrouw had op geen enkele manier met de mannen samengewerkt en had niets met hen te maken. Ze was een beschermengel die naar de aarde was gestuurd om haar te redden.

Maar de politie van New York en de FBI waren daarvan minder sterk overtuigd dan het kind. Hoewel ze niet actief naar de mysterieuze vrouw als mogelijke verdachte zochten, werd die mogelijkheid niet uitgesloten. De vooronderstelling luidde dat de vrouw wanhopig graag een kind wilde, de mannen had gehuurd om het meisje te ontvoeren en hun opdracht had gegeven haar in de rioolput achter te laten, waar ze haar zelf op een later tijdstip uit zou halen. Toen het kind een astma-aanval had gekregen en bijna was gestikt, was de vrouw in paniek geraakt en had ze besloten zich van haar te ontdoen. Ze had haar aan de eerste de beste persoon gegeven die ze was tegengekomen en was zelf gevlucht.

Jeff leunde achterover in zijn stoel en zuchtte. Er zat iets in. Kinderloze vrouw wil baby, maar kan niet zwanger worden. Ziet op een dag een mooi meisje op een speelplaats en besluit dat ze haar wil hebben. Huurt een paar kerels om haar te ontvoeren, met de bedoeling haar mee te nemen naar een ander deel van het land waar het kind hopelijk haar oude leven zal vergeten. Het zou niet de eerste keer zijn.

Hadden ze te maken met een heldin, een heilige, een barmhartige Samaritaan? Of met een gevaarlijke kinderlokker? Hij keek naar de foto van de vrouw, die van de videoband was afgedrukt. Hij wist het niet. Het was dezelfde vrouw. Daar was hij zo goed als zeker van. In beide gevallen waren er kinderen bij betrokken geweest. Wie weet was de brandstichtster in Kansas van plan geweest van de chaos gebruik te maken om een kind te ontvoeren, maar had ze beseft dat haar plan was mislukt toen ze de drommen verslaggevers en camera's zag. Ze had een vliegtuig naar New York genomen en was daar overgegaan op plan B.

Jeff zette de rugleuning van zijn stoel rechtop en wreef in zijn ogen. Hij mocht officieel om middernacht naar huis, maar hij zat met een groot probleem. Toen hij had geprobeerd de vrouw te bellen aan wie hij de kopie van de videofilm had verkocht, was hij tot de ontdekking gekomen dat er in New York helemaal geen WKRP bestond. Een van de programmamakers had hem zelfs uitgelachen. 'Je bedoelt zeker WKRP in Cincinnati,' had hij plagend gezegd. 'Dat is een televisieserie die nog niet zo lang geleden op het scherm is geweest, sufferd. Het is geen echt televisiestation. Iemand heeft je in de maling genomen.' En alsof dat nog niet genoeg was, ging het in de televisieserie om een radiostation en niet om televisie. Jeff had de videofilm waarmee hij carrière kon maken verkocht aan een firma die niet bestond.

Hij speelde met een stukje papier op zijn bureau: de bon van Emerson Air Freight die het pakje bij Toy Johnson in het Montrose Hotel in Manhattan had afgeleverd. Toen stak hij zijn hand onder het vloeiblad op zijn bureau en haalde de cheque te voorschijn, die hij nog niet naar de bank had gebracht. Het enige wat hem vanavond meezat, was dat hij geen tijd had gehad om die cheque te innen. In de linkerbovenhoek stond precies wat hij nodig had om de film terug te krijgen: Dr. en Mrs. Stephen Johnson, met hun adres en telefoonnummer. En dat was nog niet alles. Het echtpaar had blijkbaar geen zin om zich iedere keer dat ze een cheque uitschreven, te identificeren, en had daarom de nummers van hun rijbewijzen op de cheques laten afdrukken.

'Wat aardig van ze,' zei hij. Hij greep de telefoon en belde de FBI.

'Stan,' zei hij een half uur later tegen Fielder, 'het verhaal over de mysterieuze heldin wordt allengs groter en interessanter. Maar als we dit op tijd de lucht in willen krijgen, moet ik er zelf op uit. Als we te lang op onze kont blijven zitten, komt die vrouw naar voren of ze wordt gearresteerd en dan is het nieuwtje eraf.' McDonald stond voor Fielders overvolle bureau. Achter de glazen wand was de hele redactiekamer te zien, waar het gonsde van de activiteiten. 'We mogen niet het risico nemen dat iemand ons vóór is.'

'Dat weet ik,' zei Fielder bedachtzaam. 'Hoeveel tijd heb je nodig?'

'Niet meer dan een paar dagen. Ik heb een goed idee voor een produktieschema. Ik moet alleen even naar New York om te proberen wat bijbehorend filmmateriaal los te krijgen, zodat we genoeg hebben om een programma van een halfuur te maken.'

Fielder kneep zijn ogen toe. 'Wat voor filmmateriaal?'

Fielder was niet van gisteren, dacht McDonald. Die rook een leugen van een kilometer afstand. Maar McDonald was niet ver van South Central in Los Angeles opgegroeid. Hij was er klaar voor. Hij wilde er zeker van zijn dat CNN zijn onkosten zou betalen wanneer hij er op uitging om schoon schip te maken. 'Ik heb het in gedachten al helemaal uitgewerkt. We gaan de zaak verheerlijken tot in het hemelse. Ik ga interviews afnemen met de kinderen die ze heeft gered, de dankbare ouders, de senator en zijn chauffeur, noem maar op. Verder kunnen we het programma doorspekken met soortgelijke heldenverhalen. Als ik genoeg materiaal bij elkaar krijg, kunnen we er misschien zelfs een show van een vol uur van maken, op prime time. Ik heb al aan titels zitten denken als *Hemelse heldin* of *De reddende engel*. Afijn, je snapt het wel.'

Fielder had zijn kin tot op zijn borst laten zakken en keek alleen met zijn ogen op naar de jongere man. McDonald sprak altijd in steno wanneer hij hem een zaak voorlegde. Fielder had hem nog nooit zo loslippig meegemaakt. 'Ik dacht juist dat je dit van de andere kant wilde benaderen.'

'Kijk,' zei McDonald, 'het is helemaal niet moeilijk om haar af te schilderen als een verdachte, een duivelse, waanzinnige kinderlokker. De politie van Kansas en New York zullen maar al te graag hun medewerking verlenen. Ze zijn nog op zoek naar verdere aanwijzingen, dus als je het zo brengt...'

'Nee,' zei Fielder bedachtzaam, 'er lopen al genoeg misdadigers rond in dit land. Onze kijkers hebben ook wel eens behoefte aan iets dat hen een fijn gevoel geeft en ik vind dat we verplicht zijn daarvoor te zorgen.'

McDonald glimlachte. Hij had Fielder juist beoordeeld: een ouder wordende verslaggever bij wie de hang naar bloederige sensaties was afgezwakt. 'Ik ben blij dat we het met elkaar eens zijn,' zei McDonald met een knikje. 'Dus? Heb ik toestemming om op stap te gaan?'

Fielder staarde langs hem heen naar de redactiekamer. Toen keek hij Jeff weer aan. 'Ik geef je drie dagen. Zorg voor iets moois en doe rustig aan met je onkostenrekening. Geen hotelsuites van driehonderd dollar.'

'Bedankt,' stootte McDonald uit. 'Je zult er geen spijt van krijgen, Stan. Dit wordt een loeigoed verhaal. We krijgen er vast een Emmy voor. Let op mijn woorden.'

Fielder liet een bulderende lach horen die uit zijn binnenste scheen te komen. McDonald boog zich over het bureau heen en zwengelde zijn hand. Toen maakte hij een pirouette en verdween.

Wat niet weet, wat niet deert. Zodra hij de film terug had en er zeker van was dat hij niet was uitgezonden, zou hij de mysterieuze heldin afschilderen als de walgelijkste misdadigster die er rondliep. Fielder was misschien niet meer op sensatie belust, maar Jeff McDonald was nog even bloeddorstig als altijd. Wie nieuws moest brengen en sentimenteel begon te worden, kon er beter mee kappen.

Hij keek glimlachend om zich heen toen hij door de redactiekamer naar zijn bureau liep. Op een dag zou hij misschien degene zijn die achter een glazen wand aan een groot bureau zat, in een gerieflijke stoel, in een kantoor met een echte deur, en dan zou deze gonzende bijenkorf zijn eigen kleine koninkrijkje zijn. 'Ja,' zei hij, met zijn vuist een boksbeweging makend toen hij zich op zijn stoel liet vallen. Jeff McDonald was op weg naar de top.

Er was nog één probleem, maar ook dat kon hij makkelijk

aan. Hij reikte naar de telefoon en belde het vliegveld. 'Ik moet binnen een uur naar New York. Wat heeft u voor me? Het maakte me niet uit of het een vrachttoestel is, als ik er maar zo snel mogelijk ben.'

Toy liep van het Roosevelt Hospital terug naar het hotel. Ze was moe en voelde zich verward, meer dan ooit tevoren. Ze draaide nu al dagenlang op religieuze hartstocht en had opeens het gevoel dat ze vergeten was haar eigen batterijen op te laden. Haar hele lichaam deed pijn en ze miste haar huis, haar rozestruiken en haar autootje. Ze miste de oceaan, het geluid van de golven, de geur van zout water. Ze miste haar leerlingen. Maar boven alles miste ze Margie Roberts. De afgelopen twee jaar was ze een tweede moeder voor het meisje geworden, hoewel Margies eigen moeder zielsveel van haar hield en voor haar deed wat in haar vermogen lag. Maar wanneer een kind zo ziek was, wist Toy, kon ze nooit genoeg liefde en aanmoedigingen krijgen. Het werkte ook omgekeerd, want Margie was de dochter geworden naar wie Toy altijd had verlangd.

Denk daar nu niet aan, vermaande ze zichzelf. Als ze zelf niet gezond was, kon ze Margie niet helpen.

De wetenschap had het weer eens van het geestelijke gewonnen, dacht ze bitter. Dokter Esteban en zijn collega's waren erin geslaagd een handjevol wonderen om te zetten in een warboel van afschuwelijke ziekten. Ze waren van plan haar open te snijden om een pacemaker in haar te stoppen en dan zou het hart van Toy Johnson blijven kloppen met de regelmaat van een Timex-horloge. Op dit moment was ze er helemaal niet zeker van dat ze wilde dat het bleef kloppen. Het was alleen maar een reserveonderdeel. Een echt hart, het hart van dichters, minnaars, hopeloze romantici, bestond immers niet. Toen ze daaraan dacht tastte Toy naar haar halsketting, de ketting met het hartvormige medaillon die ze van Stephen had gekregen. Het was een van haar dierbaarste bezittingen. Ze had er fotootjes van haarzelf en Stephen ingestopt, geknipt uit een van hun trouwfoto's. Eerst dacht ze dat de ketting onder haar blouse zat, maar toen besefte ze dat hij verdwenen was. Ze wist dat ze hem niet had afgedaan. Ze deed hem nooit af. Ze besloot het ziekenhuis te bellen om te vragen of men hem daar had afgedaan toen ze was binnengebracht.

De portier knikte tegen haar toen ze het hotel binnenging. Toy knikte terug en liep toen met gebogen hoofd snel de lobby door. Toen ze langs de receptie kwam, sprak een van de receptionisten haar aan.

'Pardon, mevrouw Johnson,' zei de man beleefd, 'de manager had graag dat u uw rekening betaalde.'

'Ik heb u mijn creditcard gegeven,' zei Toy. 'Daarmee kunt u het bedrag van mijn rekening laten afschrijven.'

'Uw creditcard is niet geldig meer. We wilden hem gisteren gebruiken en toen bleek dat hij is geannuleerd. De manager had daarom graag dat u uw huidige rekening betaalt en ons een voorschot in contant geld geeft als u van plan bent nog langer te blijven.'

Toy trok wit weg. Ze had gelijk gehad wat Stephen betrof. 'Hoe... hoeveel ben ik u schuldig?'

'Een ogenblikje,' zei hij, terwijl hij haar nummer intikte op de computer. 'Hebt u vanochtend iets via room service besteld of iets uit uw minibar gehaald?'

'Nee,' zei Toy, haar hoofd schuddend.

'Dan bedraagt de huidige rekening vijfhonderddrieënvijftig dollar.'

'Hoe kan dat?' sputterde Toy tegen. 'Ik heb die kamer pas twee nachten.'

'De kamer kost honderdvijftig dollar per dag,' zei hij, 'en uw man heeft hier ook een kamer gehad. Nu uw creditcard is geannuleerd kunnen we ook dat bedrag niet innen.' Hij bekeek de rekening nog even voor hij haar aan Toy gaf. 'Verder hebt u een aantal keren iets via room service besteld.'

Wat stom van haar. Ze had geweten dat dit kon gebeuren, dat Stephen de creditcard zou annuleren en al het geld van hun rekening zou halen, maar ze had er niets aan gedaan. Ze had misschien nog twintig of dertig dollar in haar portemonnee en verder niets. 'Ik kan u een cheque geven,' zei ze. Ze deed haar tas open en haalde haar chequeboekje te voorschijn.

'Gezien de omstandigheden,' zei de receptionist verontschuldigend, 'heeft de manager echt liever dat u contant betaalt.'

174

Toy liet het chequeboekje weer in haar tas vallen en pakte in plaats daarvan haar portemonnee. Ze haalde alle verfrommelde bankbiljetten eruit en legde die op de balie. Toen keerde ze de portemonnee om en telde het kleingeld. 'Hier hebt u bijna veertig dollar. Ik verzeker u dat er een vergissing in het spel is,' zei ze. 'Ik zal morgenochtend meteen wat geld laten overmaken.'

Voor de receptionist iets kon zeggen draaide ze zich om en liep ze naar de lift. Zouden ze haar morgen haar kamer uitzetten? vroeg ze zich af. Maar haar financiële problemen vielen in het niet bij veel grotere zorgen. Stephen was waarschijnlijk al onderweg hiernaartoe om haar te dwingen zich te laten opereren. Toy moest dat feit onder ogen zien. Het bovennatuurlijke leek opeens ver van haar verwijderd. Ze had geen cent meer op zak, stond voor een echtscheiding en nu werd haar ook nog een operatie opgedrongen.

Haar Newyorkse avontuur was knarsend tot stilstand gekomen, samen met haar korte carrière als beschermengel.

Ze liep naar haar kamer, ging naar binnen en bleef in gedachten verzonken staan. Ze was pas negenentwintig maar ze had een machine nodig om haar hart te laten kloppen en te voorkomen dat ze zou sterven. Als ze toestemming gaf voor de operatie, zou er voorgoed een vreemd voorwerp in haar lichaam komen te zitten. Ze konden haar net zo goed een kunsthart geven en een kunstziel. Dan konden ze haar aan een computer koppelen en haar gegevens laten uitbraken met behulp van haar kunstbrein.

Ze bracht haar hand weer naar haar hals en ging aan het schrijfbureautje zitten om het ziekenhuis te bellen. Nadat ze haar naam had opgegeven, vroeg ze: 'Hebt u mijn halsketting soms?'

'Nee,' zei de verpleegster. 'We hebben u al uw bezittingen teruggegeven toen u weg bent gegaan.'

'Maar ik had een halsketting met een gouden hartje om,' hield Toy vol. 'Die moet bij u zijn achtergebleven.'

'Het spijt me, maar we letten altijd heel goed op die dingen. Misschien hebt u zich vergist en had u de ketting niet om.'

Toy bedankte de vrouw en legde neer. Normaalgesproken gaf ze niet veel om haar spullen, maar dit was iets waar ze erg aan gehecht was. Stephen had haar het medaillon gegeven toen ze zich verloofd hadden. Wat waren ze toen gelukkig geweest. Toy zocht voor alle zekerheid in haar koffer en toilettas en zag toen in een flits opeens het meisje in het park, zoals ze haar had gezien vlak voor alles donker was geworden. De enige mogelijkheid die ze kon bedenken was dat het kind de ketting had vastgegrepen en per ongeluk van haar nek getrokken. Nou, dacht ze, dat is dan het eind van Stephen en van haar medaillon. Ze scheen niets voor zichzelf te kunnen houden – haar sieraden niet, haar man niet, en zelfs haar verstand niet. Ze liet zich op het bed vallen en bad dat het allemaal gauw afgelopen zou zijn. Ze zou hier blijven liggen en het hotel niet meer verlaten. Uiteindelijk zou haar hart weer blijven stilstaan en dan zou niemand haar kunnen redden. Ze hoorde de telefoon rinkelen en probeerde het geluid te negeren door het kussen tegen haar oren te drukken. De enige die haar kon bellen was Stephen, of misschien Sylvia, en ze had tegen geen van beiden iets te zeggen. Sylvia zou alleen maar proberen haar over te halen de operatie te ondergaan.

Op een gegeven moment kon Toy het niet meer verdragen en pakte ze de hoorn van de haak.

'Hallo, spreek ik met Toy Johnson?' zei een mannenstem. 'Je spreekt met Joey. Je weet wel, je goede vriend Joey Kramer.'

'O,' zei Toy, 'hoe is het ermee?'

'Prima,' zei hij. 'En met jou?'

'Best,' zei Toy, niet wetend wat ze anders moest zeggen.

'Heb je zin om beneden te komen? Je hebt bezoek.'

'Ben je hier in het hotel?' vroeg ze verbaasd. Het was laat, al over twaalven.

'Ja,' zei hij. 'Kom je of kom je niet?'

'Ik weet het niet,' zei Toy. 'Misschien is het beter van niet.'

'Waarom niet? Je hebt toch niets beters te doen.'

'Het is al laat,' zei Toy, 'en ik voelde me daarstraks niet erg lekker. Ik blijf liever in bed, maar toch bedankt.' Ze wilde al neerleggen toen ze hem nog iets hoorde zeggen.

'Doe niet zo flauw,' zei hij. 'Je bent helemaal niet ziek. Je hebt gewoon de verkeerde mensen om je heen gehad. Vooruit, ik trakteer je op een lekkere kop koffie, of kippesoep als je dat liever hebt. Dan ben je zo weer de oude.'

Toy moest onwillekeurig lachen. 'Vooruit dan maar,' zei ze. 'Maar ik moet me eerst even aankleden. Ik lag al in bed.'

'Doe dan dat T-shirt aan waar ik zo dol op ben,' zei hij.

Hij hing op en Toy deed wat hij gevraagd had. Ze trok haar baseball T-shirt en een spijkerbroek aan en daalde af naar de lobby.

Joey Kramer was gekleed in een spijkerbroek, een geruit overhemd met korte mouwen en een felgekleurd windjack. Hij was nogal klein van stuk, maar Toy vond hem er gezelliger en aantrekkelijker uitzien dan welke andere man ook die ze kende. Hij stond de receptionisten van de nachtdienst een verhaal te vertellen en ze hikten van het lachen. Zodra hij Toy zag, liep hij naar haar toe en legde hij zijn arm om haar schouders om haar tegen zich aan te drukken. 'Dit is mijn engel,' zei hij tegen de receptionisten en hij glimlachte trots. 'Is ze niet geweldig?'

'Ik weet niet of het restaurant van het hotel nog open is,' zei Toy toen ze bij de balie waren weggelopen, 'maar we kunnen wel naar de bar gaan. Die is daar.'

Joey keek achterom en schudde zijn hoofd. 'Ik weet een leuk tentje een eindje verderop,' zei hij. 'Hier rekenen ze vijf dollar voor een glas water.'

'O,' zei Toy, 'maar het is al zo laat. Ik dacht dat we gewoon hier een kop koffie zouden nemen.'

'Waar maak je je zo druk om?' zei Joey. Hij hield zijn hoofd schuin en grijnsde tegen haar. 'Ben je bang dat je wordt overvallen? Zolang ik bij je ben, hoef je je nergens ongerust over te maken.'

Ze liepen naar buiten. Joey haakte gezellig zijn arm om die van Toy. De temperatuur was flink gedaald en het was kil, maar Toy vond dat niet onplezierig. Het was juist stimulerend. In alle gebouwen brandde nog licht en de stad bruiste van leven. Uit een nachtclub dreven de gladde, heldere tonen van een tenorsaxofoon naar buiten.

'Hier is het,' zei Joey. Hij duwde de deur van een schemerig verlicht café open en deed een stapje opzij om Toy voor te laten gaan.

Toen ze door het café naar achteren liepen leek het alsof ze op een bruiloftsreceptie waren. Joey kende bijna iedereen aan de bar en aan de tafeltjes. 'Hoi, Joey,' hoorde ze steeds weer en iedere keer bleef hij glimlachend staan en werd er onder veel schoudergeklap weer iemand begroet. Na het 'Hoe is het met je vrouw en kinderen?' had hij er nu een vaste regel bij: 'Dit is mijn engel. Is ze niet geweldig?'

Hij pakte twee mokken koffie van de barkeeper aan en liep ermee naar een tafeltje achterin. 'Als je het hier te lawaaierig vindt,' zei hij tegen Toy, 'kunnen we ook ergens anders naar toe gaan. Ik had niet gedacht dat het zo druk zou zijn. Hoop collega's van me.'

Toy was nieuwsgierig geworden. 'Zijn dit nou politieagenten of mensen van de burgerwacht?' Ze vond ze er zo gewoon uitzien, zo alledaags. Ze deden haar denken aan familieleden van haar vaders kant. De meesten waren een stuk ouder dan Joey, hadden bierbuiken, lieten een sigaret aan hun lip bungelen en zagen eruit alsof ze onmiddellijk een hartaanval zouden krijgen als ze zouden proberen iemand te overmeesteren. Maar ze glimlachten tegen haar, hadden haar stuk voor stuk een hand gegeven en gaven haar het gevoel dat ze welkom was. In Los Angeles, dacht ze, zagen de politieagenten eruit als Romeinse gladiators, met hun nauwsluitende overhemden over hun dikke spierbundels en gezichten die gebruind waren door de eeuwige zon. En ze glimlachten nooit. Maar dan ook nooit. Hier in New York ging het duidelijk anders toe.

'Dat is de Murph Man,' zei Joey, naar iemand wijzend. 'Inspecteur Paul Murphy. Die gaat volgende week met pensioen. Naast hem zit zijn schoonzoon, Harry Maitland en naast hem Murph's zoon, Billy. Die zit nu twee jaar bij de politie.' Er zat nog een man aan de bar, gebogen over een glas Jack Daniel's. 'O, en dat is Snoop. De beste rechercheur in het hele land. Er is geen misdaad die de ouwe Snoop niet weet op te lossen.'

Toy sloeg haar ogen neer. 'Ik had beter niet met je mee kunnen komen. Ik voel me een beetje down.'

'Ik ook,' zei Joey. Er gleed een sombere uitdrukking over

zijn gezicht. 'Vandaag een jaar geleden is mijn moeder gestorven.'

'O,' zei Toy, 'wat erg voor je. Je hebt vast veel van haar gehouden.'

'Ja,' zei hij, een ogenblik verzonken in zijn leed, neerkijkend op zijn koffie. Toen tilde hij de mok op, nam een slokje en zette hem weer neer. 'En mijn meisje heeft me vorige maand in de steek gelaten. Dat geeft je ook een rotgevoel, hoor.'

Toy voelde zich verplicht haar koffie te drinken, al was ze bang dat ze door de cafeïne straks niet in slaap zou kunnen komen. 'Waarom heeft ze je in de steek gelaten?'

'O, vanwege mijn werk. Ik ben 's avonds bijna nooit thuis. Ze houdt van uitgaan. Bovendien vindt ze dat ik niet met geld kan omgaan.'

'Ik ben getrouwd,' flapte Toy eruit.

'O ja?' zei Joey. 'Ja, da's waar ook. Je man doet vervelend. Dom van hem, als je het mij vraagt.'

'We zijn uit elkaar,' zei Toy. Zodra ze het had gezegd, had ze spijt van haar woorden. Ze wilde niet een verkeerde indruk maken en hem het idee geven dat ze in hem geïnteresseerd was als minnaar. Maar Joey Kramer had wel iets. Hij zag er goed uit op een burgerlijke manier: donker haar, leuke ogen, lange wimpers, gladde huid, een snor die zijn bovenlip kietelde. Hij was geen gladiator, maar had voorlopig nog geen bierbuik en had het gezicht van de mannen die altijd meteen komen opdagen wanneer je ze nodig hebt: loodgieters, elektriciens, ziekenbroeders, brandweermannen.

'Waar is hij nu?' vroeg hij aan Toy.

'Hij is teruggegaan naar Los Angeles, maar ik heb het gevoel dat hij terugkomt om me te halen.'

'Hoe lang blijf je hier?'

'Dat weet ik niet,' zei Toy. 'Ik moet misschien een operatie ondergaan. Als ik besluit dat te doen, ga ik er waarschijnlijk voor terug naar Los Angeles.'

Joey trok zijn wenkbrauwen op. 'Wat voor operatie?'

'Niets bijzonders,' zei Toy. Ze duwde haar haar uit haar gezicht en nam nog een slokje koffie. 'Waar woon je?'

'In Brooklyn. Ooit in Brooklyn geweest?'

'Nee.'

'Heb je niks gemist. Vertel eens iets meer over die operatie.'
'Liever niet,' zei Toy. 'Het is echt niets bijzonders.'

Joey's gezicht betrok. Het was de eerste keer dat ze dat bij hem meemaakte. Ze zag woede in hem sluimeren. Die knetterde als het ware om hem heen. Een schouder trilde licht toen hij sprak. 'Niets bijzonder, zeg je? Dat hadden ze ook tegen mijn moeder gezegd. Een kleine ingreep. U komt 's ochtends, we maken u weg, en 's middags kunt u alweer naar huis. Niets bijzonders. Weet je waar mijn moeder aan is gestorven? Een doodgewone cataractoperatie.' Joey zweeg en schudde zijn hoofd. 'Ze hebben haar inderdaad weggemaakt. Voorgoed.'

Toy staarde naar hem maar kon zijn gezicht niet zien. Het enige wat ze zag was een open mond, twee rijen niet al te regelmatige tanden, de achterkant van zijn keel, zijn roze tong die in zijn mond bewoog terwijl hij sprak. Zouden ze haar ook voorgoed in slaap maken? 'Wat is er gebeurd? Was ze allergisch voor de narcose?'

'Zo zou je het kunnen noemen. Ze is eraan gestorven.' Nu begon Joey's andere schouder te trillen. 'Wanneer ik eraan denk word ik halfgek.'

Toy kreeg nu een gevoel van samenhorigheid. 'Ik wil deze operatie helemaal niet, Joey, maar ze zeggen dat ik doodga als ik het niet doe. Ik neem aan dat ik uiteindelijk voor hen zal bezwijken.'

Joey boog zich over de tafel, zette zijn ellebogen wijd uiteen en duwde zijn borst naar voren. 'Je ziet er helemaal niet ziek uit,' zei hij. 'Laat je niet dwingen iets te doen wat je niet wilt. Dat iemand nu toevallig arts is, wil nog niet zeggen dat hij altijd weet wat hij doet. Als er ooit iemand een kogel in me pompt, pak ik een nijptang en trek ik hem er zelf uit. Ze krijgen mij het ziekenhuis niet in.'

Toy dronk het restje van haar koffie op zonder haar ogen van Joey Kramer af te wenden. Toen grijnsde ze tegen hem. 'Ik mag jou wel,' zei ze.

'O ja?' zei hij met een glimlach. 'Heeft iemand je al eens verteld dat dat kuiltje in je kin je erg leuk staat?'

'O ja, zo vaak,' zei Toy. Ze gooide haar haren naar achteren en lachte. 'Heeft iemand jou wel eens verteld dat je een prima vent bent?'

'Iedere dag,' zei hij. 'Hé, Murph,' riep hij. 'Zeg eens tegen mijn engel dat ik een prima vent ben. Ze weet dat nog niet zeker.'

'Hou je kop, Kramer,' zei de andere man schertsend. 'Je moet eens ophouden met al die zwervers van de straat te halen. Je zult er nog eens een ziekte van oplopen. Volgens mij zit er een schroefje los in die rare kop van je. Je bent misschien een weldoener, maar je bent volkomen getikt.'

'Het had slechter gekund,' zei Toy snel. Toen voegde ze eraan toe: 'Mag ik je iets vragen? Wat doe je eigenlijk precies voor de dakloze mensen? Bij Wolfe's zeiden ze dat je visite-kaartjes uitdeelt aan de winkeliers en in restaurants, zodat ze je kunnen bellen als er een zwerver bij hen binnenkomt.'

'O dat,' zei Joey. 'Dat is niets bijzonders. Ik zorg er alleen voor dat ze ergens onderdak krijgen en geef ze wat geld om eten te kopen, en soms nog een extraatje zodat ze zich kunnen redden tot ze weer voor zichzelf kunnen zorgen.' Hij keek Toy in de ogen. 'Heb je wel eens iemand met bevriezingsverschijn-selen gezien?'

'Nee,' zei ze.

'Dan moet je maar eens met me meegaan naar de tunnels als het koud is, dan zie je er genoeg. In het begin lijkt het niet zo erg. Maar alles wat bevriest, moet geamputeerd worden. Ik heb een keer een man uit een tunnel gehaald en naar het ziekenhuis gebracht. Toen ik hem later terugzag, was hij zijn benen kwijt.'

'Hoe kom je aan het geld daarvoor?' vroeg Toy. Ze dacht aan haar eigen problemen wanneer ze probeerde arme gezin-nen te helpen. Toen bedacht ze dat Joey Kramer niet getrouwd was. Dat maakte het een stuk gemakkelijker.

Hij had een kleur gekregen en zat te draaien op zijn stoel. 'Ik heb zelf niet veel nodig,' zei hij uiteindelijk. 'Ik heb niet eens een eigen flat. Ik slaap op de bank bij mijn oom thuis. Daarvoor geef ik hem iedere maand wat geld.' Zijn schouder begon weer te trillen. 'Iemand moet het toch doen? Je kunt de mensen niet op straat laten bevriezen.'

'Zo te horen hebben we veel gemeen,' zei Toy. 'Ik doe ook mijn best om mensen te helpen. Het is niet veel, maar het geeft me een goed gevoel.'

'Daklozen?' vroeg Joey. 'Pas maar op,' waarschuwde hij. 'Daar kan een vrouw als jij beter niet bij betrokken raken. Sommige van die lui zijn niet helemaal goed bij hun hoofd, zie je, en soms worden ze vervelend. Laatst heeft een van die ellendelingen me een schop gegeven. Het was niet persoonlijk bedoeld, natuurlijk. Hij was gewoon kierewiet.'

'Ik werk niet met daklozen,' zei ze. 'Ik probeer alleen arme gezinnen en de kinderen op de school waar ik les geef, te helpen.'

'Dat is beter,' zei hij opgelucht. 'Je werkt dus met kinderen. Daar ben je vast goed in.' Hij dacht even na en vervolgde toen: 'Ja, ik zie dat wel zitten. Ik wil wedden dat al je leerlingen stapelgek op je zijn, met die mooie ogen van je en dat prachtige rode haar.'

Toy keek hem met een warme blik aan. Ze waren precies eender, dacht ze. Twee verwante zielen die in een rivier van wanhoop tegen de stroom op probeerden te zwemmen. En haar nieuwe vriend had gelijk. Werken met kinderen was haar sterke punt. Voor de problemen rond geesteszieken en daklozen waren mannen als Joey nodig, vooral in een stad waar het leven zo zwaar was als in New York.

'Zullen we gaan?' zei Joey uiteindelijk. Hij gooide wat geld op de tafel. Op weg naar buiten bleef hij naast de bar staan en wees hij naar Toy's borst. 'Zie je wat er op haar T-shirt staat?'

'Ja, ja, ik zie het,' zei de rechercheur die ze Snoop noemden. Hij zat met afhangende schouders over de bar gebogen, zo dronken dat hij nauwelijks zijn ogen kon openhouden. 'En wat dan nog?'

'Dit is niet zomaar een engel, Snoop. Ze is mijn Californische engel. Onthou dat goed.'

Toen Toy en Joey het café uitliepen, lalde Snoop: 'Kijk 's aan, Kramer heeft een engeltje gevonden. Ik denk dat ik ook maar 's een engel ga zoeken.' Hij duwde zich tegen de bar af en liep waggelend het café uit.

Jeff McDonald liep naar de receptie van het Montrose Hotel en vroeg wat het nummer van Toy Johnsons kamer was.

'Mevrouw Johnson is momenteel niet aanwezig,' zei de receptionist. 'Wilt u een boodschap achterlaten?'

'Nee,' zei McDonald. 'Enig idee wanneer ze terugkomt?'

De man keek de verslaggever met half toegeknepen ogen aan. 'Onze gasten zijn vrij in hun doen en laten.'

'Snap ik,' zei McDonald. Hij haalde zijn perskaart uit zijn zak. 'Ik ben van CNN, Cable Network News. Kunt u mevrouw Johnson beschrijven? Het is dringend.'

'O,' zei hij, 'mevrouw Johnson is erg mooi. Ze heeft lang rood haar. Haar ogen zijn geloof ik groen en…' De receptionist boog zich over de balie. De verslaggever was halsoverkop naar de rij telefooncellen tegen de zijmuur van de lobby gehold.

Zodra McDonald de woorden rood haar had gehoord, wist hij hoe de vork in de steel zat. Het klopte allemaal: de naam van het televisiestation dat niet bestond; het vurige verlangen van de vrouw om die film in handen te krijgen. Hij gooide wat muntjes in de gleuf en belde Inlichtingen. Even later sprak hij met de FBI in New York.

'U werkt samen met de politie van Kansas aan een zaak betreffende een vrouw die wordt verdacht van brandstichting in een schoolgebouw.' McDonald zweeg, keek over zijn schouder en vervolgde toen: 'Als jullie een paar mannetjes naar het Montrose Hotel sturen, kunnen jullie zo dadelijk de verdachte in hechtenis nemen.'

11

Niet ver van Toy's hotel bleef Joey op de hoek van de straat staan bij de ingang van de ondergrondse waar hij de metro naar Brooklyn kon pakken. 'Vind je het echt niet erg om het laatste stukje in je eentje te lopen? Misschien kan ik toch beter met je meegaan.'

'Nee, dat hoeft echt niet,' hield Toy vol. 'Het is niet ver en de straat is goed verlicht. Ga nu maar naar huis. Het is laat. Als we nog langer wachten, komt de zon op.'

'Da's waar,' zei hij. Hij rekte zich uit en geeuwde. 'Wanneer zie ik je weer?'

'Dat weet ik niet,' zei Toy.

'Nou, tot kijk,' zei hij. 'Maak je geen zorgen. Voor mensen die ik graag mag, ben ik altijd beschikbaar. Je hoeft maar met je vingers te knippen,' zei hij met een lachje, zelf met zijn vingers knippend, 'en ik sta al voor je neus.'

Toy vond het jammer dat ze afscheid van hem moest nemen en was bang dat ze hem nooit meer zou zien. Hoewel ze elkaar pas heel kort kenden, was ze erg op hem gesteld geraakt. Hij had iets goeds over zich, iets dat je niet vaak tegenkwam. 'Pas goed op jezelf,' zei ze. 'Pas op in je werk en wanneer je probeert mensen te helpen. Laat je door niemand in een hoek drukken.'

'Jij ook niet,' antwoordde hij. 'En laat je niet door die dokters op je kop zitten. Je hebt mijn kaartje, hè? Als iemand je lastigvalt…'

'Ik red me wel,' zei Toy. Ze boog zich naar hem toe en gaf hem een kus op zijn wang. 'Ga nu maar,' fluisterde ze in zijn oor. 'Ik word altijd naar van uitgebreid afscheidnemen.'

Nadat Joey de trap van de ondergrondse was afgedaald liep Toy door naar het hotel. In de lobby zaten twee mannen in donkere regenjassen met sombere uitdrukkingen op hun gezicht.

'Toy Johnson?' zei een van hen.

'Ja?' zei Toy.

'FBI,' zei hij. Hij hield haar zijn penning voor. 'We hebben bevel u te arresteren.'

Zijn partner greep Toy's hand en draaide die op haar rug.

'Wat? Wat is er aan de hand?' zei Toy gejaagd. Toen hoorde ze het. Een uniek geluid. Het geluid van roestvrijstalen handboeien die werden dichtgeklikt.

'Nee. O God,' zei ze, in paniek nu, 'ik heb niets gedaan. Eerlijk niet.' Het ging zeker om ongedekte cheques, probeerde Toy zichzelf wijs te maken. Stephen had al het geld van de bank gehaald en nu waren al haar cheques teruggekomen. Maar de FBI? En zo snel?

Opeens flitste er fel licht vlak voor haar gezicht. Toy werd er tijdelijk door verblind en ze hoorde het snelle klikken van een fototoestel.

De mannen van de FBI trokken aan Toy's arm om haar mee te krijgen. Ze begon te schoppen en te schreeuwen en al die tijd bleef het flitslicht vlak voor haar opvlammen. 'Waar word ik van beschuldigd? Ik wil weten waar ik van word beschuldigd. Dit is waanzin.'

'U bent gearresteerd op beschuldiging van het plegen van drie moorden met voorbedachten rade, en brandstichting. U hebt het recht te zwijgen,' zei de agent. 'U hebt recht op de aanwezigheid van een advocaat tijdens de ondervraging. Als u geen advocaat hebt...'

Toy luisterde niet. Ze staarde recht voor zich uit toen ze haar haar rechten voorlazen. Het fototoestel bleef genadeloos klikken. Ze was verlamd van angst. Moord, had de man gezegd. Haar hart klopte in staccato; ze was er zeker van dat ze ieder ogenblik kon flauwvallen, op de grond in elkaar kon zakken.

Ze liep met hen mee, met haar handen op haar rug geboeid, haar hoofd hangend, nog steeds gekleed in het donkerblauwe baseballshirt en haar spijkerbroek. Ze voelde de buitenlucht op haar gezicht, zag de bruine auto langs de stoeprand. De ruwe stof van de pakken van de FBI-agenten schuurde tegen haar armen toen ze haar meetrokken, haar voeten over de grond slepend.

'Toy,' riep een stem naar haar. 'Kijk eens deze kant op.'

Ze keek op in de verwachting dat het iemand was die ze kende, iemand die haar kwam redden en zou uitleggen wat er aan de hand was, hoe het mogelijk was dat ze was gearresteerd wegens moord. Maar toen ze opkeek zag ze alleen een man die met een fototoestel in zijn hand geknield zat en snel foto's nam. 'Goed zo. Blijf zo even staan,' zei hij. 'Uitstekend.'

Achter hem stond iemand met een grote camera op zijn schouders gebonden. Toy wist meteen dat het een televisie-camera was. De andere man gaf hem luidkeels aanwijzingen. 'Film haar als ze in de auto stapt. Zorg dat je een close-up krijgt van haar gezicht.'

Toy probeerde ter bescherming haar handen op te heffen, maar die zaten op haar rug geboeid. In plaats daarvan liet ze haar kin op haar borst zakken. De FBI-agent maakte het portier open, drukte haar hoofd naar beneden en duwde haar op de achterbank.

Toen de auto wegreed, keek Toy om naar de mensen op de stoep: de verslaggevers, fotografen, omstanders. Ze waren allemaal gekomen om naar haar te kijken. Ze had zich dit moment vaak ingebeeld, de pers die zich om haar heen schaarde terwijl ze haar ongelooflijke verhaal vertelde, de omstanders die oooh en aaah zuchtten, de sensationele koppen in de kranten. In haar verbeelding was ze er op uitgestuurd om de mensen hoop te geven, om ze weer in wonderen te laten geloven. Ze had achter de sluier van de dood kunnen kijken en een andere wereld ontdekt. Maar in haar dagdromen was ze niet gearresteerd op beschuldiging van moord. Toy bleef naar de mensen kijken tot ze kleiner werden en uit het gezicht verdwenen.

'Wat denk je?' zei FBI-agent Reggie Briggs terwijl hij door de eenzijdige spiegelruit naar de vrouw keek.

'Schuldig,' zei Paul Davidson.

Briggs wreef met de toppen van zijn vingers over zijn stoppelige kin. Hij en zijn partner waren gisteren om vijf uur hun dienst begonnen met deelname aan een raid op drugsdealers. Het was nu over vieren 's nachts en ze waren allebei doodmoe. 'Ik weet het niet. Het lijkt me nogal vergezocht. Als het waar is dat ze die brand in Kansas heeft gesticht en het jongetje gered, moet ze diezelfde dag nog een vliegtuig teruggenomen hebben hiernaartoe. Toen heeft ze een meisje uitgezocht om te ontvoeren en een paar kerels gehuurd om dat te doen. Nogal vreemd allemaal, als je het mij vraagt, vooral gezien het korte tijdsbestek.'

'Ik zei niet dat ik weet hóe ze het heeft gedaan,' zei Davidson. 'Ik zei alleen dàt ze het volgens mij heeft gedaan.'

'Wat zegt haar man ervan?'

'Haar man lijkt me een arrogante klier. Volgens hem zijn we natuurlijk stapelgek. Hij is momenteel onderweg hiernaartoe vanuit Los Angeles en heeft een of andere beroemde advocaat in de arm genomen.'

Briggs ging zo dicht bij het raam staan dat zijn adem een mistig plekje op de ruit maakte. Toy zat aan een lange tafel en staarde in het niets. Ze zag er klein, teer en ongelukkig uit. Briggs voelde heel even een opwelling van medelijden met haar. Ze had het soort gezicht dat je meteen ontwapende en veroverde. Hij haalde zijn schouders op. Waarom zou een aantrekkelijke vrouw als zij, die getrouwd was met een vooraanstaande arts, dergelijke afschuwelijke misdaden plegen? Om een kind te krijgen, zeiden ze, maar dat tartte evengoed iedere beschrijving. Drie onderwijzeressen waren bij de brand omgekomen, om nog maar te zwijgen over wat Lucy Pendergrass allemaal had moeten doorstaan in Central Park.

Davidson kwam naast hem staan. 'Die advocaat is er nu niet, maar morgen komt hij beslist.'

Brigss keek opzij naar hem. 'Daar zat ik ook net aan te denken. Zullen we proberen haar aan de praat te krijgen?'

'Waarom niet?' zei Davidson.

De deur ging open en twee mannen kwamen binnen, dezelfde twee FBI-agenten die haar hadden gearresteerd. Toy probeerde te slikken, maar haar mond was te droog. Wat zouden ze nu met haar doen? dacht ze. Haar in haar eentje in een cel opsluiten? Haar aan haar enkels ophangen?

'Mevrouw Johnson, ik geloof niet dat we officieel aan elkaar zijn voorgesteld. Dit is speciaal agent Davidson, en ik ben speciaal agent Briggs. We zijn van de FBI. Kunnen we u ergens een plezier mee doen? Frisdrank, sigaretten, iets te eten?'

'Frisdrank,' wist Toy uit te brengen.

Briggs stond op en liep de kamer uit om een blikje te halen. Davidson keek Toy aan met een vriendelijke, ontspannen uitdrukking op zijn gezicht die bedoeld was om haar te laten zien dat hij alleen maar een praatje met haar wilde maken; niets om je druk over te maken. 'Weet u waarom u hier bent? Weet u waar u van wordt beschuldigd?'

'Nee,' zei Toy.

'Had u graag dat ik u dat nog een keer vertelde?'

'Ja.'

'Het arrestatiebevel is uitgegaan van het gerechtshof van Topeka County. Zegt de naam Topeka u iets?'

'Ja,' zei Toy. 'De brand.'

Davidson voelde iets kriebelen in zijn maag. Bekentenis nummer een hadden ze te pakken. Nu kon hij overgaan op het grote werk. 'U was bij die brand, nietwaar?'

'Ja,' zei Toy. Ze keek de FBI-agent recht in de ogen.

'U hebt dus,' zei hij, langzaam te werk gaand omdat hij geen fouten wilde maken, 'uw hotel hier in Manhattan verlaten en bent naar Kansas gevlogen, waar u naar die school bent gegaan. Is dat juist?'

'Nee.'

Briggs kwam weer binnen en gaf Toy een blikje cola. 'Ik hoop dat cola goed is,' zei hij beleefd.

Reggie Briggs was achter in de twintig en zag er jongensachtig uit, nog nat achter zijn oren. Hij had blond, kortgeknipt haar, ogen met een onbestendige grijze kleur en een klein, hoekig postuur. Davidson daarentegen was ruim een meter negentig lang, een voormalige football-speler van Notre Dame. Zijn haar had bijna dezelfde kleur als dat van Toy. Vorige week had hij zijn veertigste verjaardag gevierd.

Toy pakte het blikje cola en dronk het bijna in één teug leeg. Toen zette ze het weer op de tafel.

Davidson ging door, nadat hij een betekenisvolle blik had uitgewisseld met Briggs. 'U was dus in Kansas, maar u bent niet naar de school gegaan. Bedoelt u dat?'

'Nee,' zei Toy. 'Ik ben wel naar de school gegaan. Dat weet u al. Ik ben de vrouw die dat jongetje heeft gered. Dat staat op de film. Ik heb het zelf op de televisie gezien.'

Briggs mengde zich in het gesprek. 'We willen over dit punt geen misverstanden laten bestaan, mevrouw Johnson. Zoals u ziet wordt dit gesprek niet op de band opgenomen. Daarom willen we graag dat alles glashelder is.'

'Dat wil ik ook,' zei Toy.

'U hebt dat jongetje gered?'

'Ja.'

Briggs had nu de leiding overgenomen. Davidson leunde achterover en liet de jongere man zijn gang gaan.

'Hoe bent u naar Kansas gereisd?'

'Dat weet ik niet.'

Briggs zweeg en bekeek haar gezicht en lichaamstaal. Ze zat er volkomen stil bij. Alleen een mondhoek trilde.

Hij ging weer door: 'Waar was u voordat u naar Kansas bent gegaan? Hier in New York, zei u?'

'Eerst was ik in het Gotham City Hotel met mijn vriendin Sylvia Goldstein. Ik heb haar telefoonnummer als u dat wilt controleren. Toen ben ik in een ziekenauto naar het Roosevelt Hospital gebracht.'

'Dat was op de dag van de brand, op vrijdagochtend.'

'Ja.'

'Wilt u beweren dat u voor die hele dag een alibi hebt?'

'Precies,' zei Toy gretig. 'Als u me zou toestaan terug te gaan naar het hotel, kan ik verklaringen voor u halen van diverse mensen die me hebben gezien.'

'Welke mensen?' vroeg Briggs.

Toy sprak langzaam. 'Ik heb in de namiddag het ziekenhuis verlaten en ben naar een restaurant gegaan. Ik had mijn tas niet bij me en kon niet voor de koffie betalen, dus hebben ze er een agent van de burgerwacht bij gehaald, die me door een andere agent heeft laten terugbrengen naar het ziekenhuis.'

'Wacht eens even,' zei hij. 'De brand was 's ochtends, niet 's middags.'

'Dat weet ik,' zei Toy. 'Ik vertel u wat ik die hele dag heb gedaan. Denkt u even na. Als ik een vliegtuig naar Kansas had genomen, had ik ook terug moeten vliegen. Ik wil duidelijk maken dat ik het zo niet heb gedaan.'

'Aha. Was u uit het ziekenhuis ontslagen?'

'Niet precies,' zei Toy. Ze dronk het restantje van de cola en zette het blikje met een klap op de tafel. 'Op het tijdstip van de brand in Kansas had ik een hartverlamming. Dat kunt u navragen in het ziekenhuis.'

Briggs en Davidson keken allebei scherp op. 'Bedoelt u dat uw hart stilstond?' zei Davidson.

'Ja,' zei Toy, 'maar ze hebben me weer bijgebracht. Ik lijd aan een ziekte waardoor mijn hart af en toe ophoudt met kloppen. Het is moeilijk uit te leggen.'

'Dat zal wel,' zei Davidson smalend. 'Hoor eens, ik weet niet wat u ons probeert wijs te maken, maar u kunt niet het ene moment zeggen dat u bij die brand in Kansas bent geweest, en ons twee minuten later vertellen dat u een alibi in Manhattan hebt.'

Toy keek hem uitdagend aan. 'Toch is het zo.'

'O ja?' zei Briggs fel.

'Ja.'

De twee mannen wisselden een blik uit alsof ze wilden zeggen dat ze hun verdachte lelijk hadden onderschat. Ze leidde hen in kringetjes rond. Dit was zonde van hun tijd. Ze was ofwel volslagen krankzinnig of een egomaniak, dacht Briggs. Ze dacht blijkbaar niet alleen dat ze kon doen wat ze wilde zonder ervoor gestraft te worden, maar ook dat ze hen een dergelijk belachelijk verhaal wijs kon maken. 'Hebt u ooit in een inrichting voor geesteszieken gezeten?' vroeg hij. Als hij haar daarmee niet klein kreeg, wist hij het ook niet meer.

'Nee,' zei Toy. Haar felle blik gleed van de een naar de ander.

Davidson begon geïrriteerd en rusteloos te worden. 'Ik zal u eens iets vertellen, mevrouw Johnson... Toy. Mag ik u Toy noemen?'

'Nee.'

190

Het werd met de minuut erger, dacht Davidson. De vrouw die tegenover hen zat en eerder op de dag zo bang en verward was geweest, was nu volkomen beheerst. Ze wist precies wat ze zei en wat ze deed.

'Ik zal je eens iets vertellen, Toy,' zei hij met nadruk op haar naam, 'er zijn bij die brand drie onderwijzeressen omgekomen. De politie heeft verklaard dat er sprake is van brandstichting. Ze zijn van mening dat jij die brand hebt gesticht, dat je het hebt gedaan om de kinderen het schoolgebouw uit te krijgen. Toen je dat eenmaal voor elkaar had, zeggen ze, was het je bedoeling een van die kinderen te ontvoeren.'

Toy's hand vloog naar haar borst. 'Een kind ontvoeren? Waarom zou ik zoiets doen? Ik zou een kind nooit kwaad kunnen doen.'

'Heb je zelf kinderen?' vroeg Briggs, hoewel hij van haar man al wist dat dat niet zo was.

'Nee,' zei Toy, nog geschokt door die laatste opmerking.

'Maar je wilt wel graag een kind, nietwaar?'

'Natuurlijk,' zei Toy, 'maar wie een kind ontvoert omdat ze zelf geen kinderen kan krijgen, moet volslagen krankzinnig zijn.'

'Maar je kunt zelf geen kinderen krijgen? Je bent lichamelijk niet in staat een kind te krijgen? Is dat juist?'

Toy gaf geen antwoord. Ze vond die vragen ongepast en te persoonlijk.

'Hoor je me?' vroeg Davidson, naar voren gebogen met zijn gezicht vlak bij dat van Toy.

'Ja, ik hoor u. Er is geen medische reden waarom ik niet zwanger kan raken. Ik ben niet onvruchtbaar.'

'Maar je hebt je wel door specialisten laten onderzoeken.'

'Ja,' zei Toy. Ze vroeg zich af hoe ze aan al die inlichtingen waren gekomen. Ze nam niet aan dat Stephen hun iets verteld had, vooral niet als ze echt van plan waren haar in staat van beschuldiging te stellen. Daarvoor was Stephen te gewiekst. De FBI-agenten bluften vast en raadden naar dingen die toevallig juist waren.

'Je man zegt dat je aan waanvoorstellingen lijdt. Is dat zo?' vroeg Briggs.

Toy sloeg haar ogen neer. Stephen had hun dus wèl alles verteld. Ze had het kunnen weten. Ze had zich nog nooit zo klein, zo vernederd gevoeld. Het had geen zin om te liegen. Uiteindelijk zou het allemaal aan het licht komen. 'Ja,' zei ze zonder op te kijken. Een gevoel van bitterheid trok door haar heen. 'Ik beschouw ze zelf niet als waanvoorstellingen, maar mijn man wel.'

'Er is nog een ernstig probleem dat we met u willen bespreken. Gisteren is er een meisje op de speelplaats van een zondagsschool ontvoerd en later in een rioolput gegooid. Hebt u dat meisje gezien? Was u bij deze misdaad betrokken, net zoals bij de misdaad in Kansas? Hebt u ook dit kind proberen te stelen?'

Toy leunde opgewonden naar voren. 'Hoe is het met Lucy? Maakt ze het goed?'

Briggs trok zijn wenkbrauwen op. 'U weet daar dus van?'

Toy verstijfde opeens. Haar man was misschien een dwaas die hen in de kaart speelde, maar zij wist wel beter. Dit waren serieuze aantijgingen. 'Ik had liever dat u me geen vragen meer stelde tot mijn advocaat er is.'

De mannen stonden op. De ondervraging was afgelopen.

Op maandagochtend om negen uur werd Toy naar de vrouwengevangenis gebracht. Ze had de hele nacht niet geslapen en was zo moe dat ze bang was dat ze zou flauwvallen.

Ze had de hele nacht in de verhoorkamer gezeten, terwijl de klok de minuten wegtikte. De agenten hadden haar tot vier uur 's nachts ondervraagd. Toen waren ze weggegaan en niet teruggekomen. Op een gegeven moment was Toy naar de eenzijdige ruit gelopen in de wetenschap dat de agenten erachter zaten en naar haar keken, maar er was niemand gekomen om haar te verlossen. Uiteindelijk had ze zich erbij neergelegd. Het was zeker een tactiek van de FBI, had ze gedacht. Haar in haar eentje in dat kamertje laten zitten tot ze er gek van werd en zou bekennen. Maar ze kon niets iets bekennen dat ze niet had gedaan.

In het huis van bewaring werd Toy gefouilleerd en onder een ontluizingsdouche gezet. Daarna kreeg ze een stapeltje kleren en een handdoek en liep ze achter een gevangenbewaarster aan een lange gang door met aan weerskanten cellen. De vrouwen in de cellen stonden op om de nieuweling te bekijken en sloegen met metalen bekers tegen de tralies. Een van hen floot op een wolfachtige manier. Toy draaide zich om, maar de gevangenbewaarster greep haar arm en trok haar in een sneller tempo met zich mee. 'Er zitten hier rauwe meiden, Johnson. Je moet goed oppassen en je kunt je beter met niemand bemoeien. Deze vrouwen maken gehakt van een lekker stuk speelgoed als jij.' Ze lachte om haar eigen zinspeling op Toy's naam. De arme vrouw zou het zwaar te verduren krijgen, dacht ze.

Toy keek op naar de oudere vrouw. Ze was lang, minstens een meter vijfenzeventig en zag eruit alsof ze voor niets en niemand uit de weg ging. Uit de korte mouwen van haar uniform staken pezige armen met spieren die even goed ontwikkeld waren als bij de meeste mannen en de huid van haar gezicht was leerachtig en verweerd. Sandy Hawkings werkte al ruim vijftien jaar in gevangenissen en begon meer en meer op een gevangene te lijken.

'We zijn er,' zei ze. Ze bleef staan en sprak in haar walkietalkie. 'Doe drieënzestig west even open.' Een paar seconden later gleed de metalen deur opzij.

Toy stapte naar binnen. Op een van de bedden zat een vrouw een paperback te lezen. Toy wilde net iets tegen haar zeggen toen ze de metalen deur hoorde dichtglijden met een venijnige klik die voor haar het einde scheen in te luiden. Ze liet haar kleren en handdoek op de grond vallen, draaide zich om naar de tralies en keek de gang in, zich aan het metaal vastklampend alsof haar leven ervan afhing. Als ze zo bleef staan, dacht ze, overmand door claustrofobie en paniek, kon ze de gang zien, open ruimten.

'Raap je spullen op,' zei een harde stem. 'Over een kwartier is er celinspectie. Ze slingeren je zó op rapport.'

Toy was niet in staat zich te bewegen. Ze kon zichzelf er niet toe brengen zich om te draaien, want dan zou ze de muur van de cel niet meer dan twee meter achter zich zien, en het feit moeten aanvaarden dat ze samen met een volkomen vreemde in deze kleine, nauwe ruimte zat opgesloten. Haar gezicht was smal. Ze probeerde het tussen de tralies door te wringen. Ze slaagde erin haar kin en neus erdoorheen te krijgen, maar dat was niet genoeg om het eind van de gang te kunnen zien. Als ze iets van de buitenwereld kon zien, dacht Toy, redde ze het wel. Het enige wat ze wilde, was de deur te kunnen zien die naar buiten leidde. Dan kon ze dat beeld in zich vasthouden en hier blijven staan tot iemand haar kwam halen.

'Ga bij die tralies vandaan,' zei haar celgenote, die naast haar was komen staan. Ze trok aan Toy's T-shirt. Toy deed een stapje achteruit. 'Als Hawkings of een van de andere gevangenbewaarsters langskomt, slaat ze je neus eraf met haar knuppel.'

'O,' zei Toy met neergeslagen ogen, een misselijk gevoel in haar maag. Langzaam hief ze haar ogen op en keek naar de vrouw. Ze was niet veel ouder dan Toy. Haar halflange donkere haar was prachtig gekapt, haar nagels gelakt en ze was zorgvuldig opgemaakt alsof ze op het punt stond uit te gaan. Ze was een beetje te dik, maar was evengoed erg aantrekkelijk. Ze leek van Latijnse afkomst, al kon je dat moeilijk met zekerheid zeggen.

'Ik ben Bonnie Mendoza,' zei ze, Toy's slappe hand schuddend. 'Hoe heet jij?'

'Tony,' zei Toy snel. Ze wist dat ze de spot met haar zouden drijven als ze haar echte naam wisten. 'Tony Johnson.'

'Goed, Tony Johnson. Raap je spullen op en leg ze weg.'

Toy deed wat haar gezegd werd en legde haar spullen op de plank boven haar bed. Ze keek naar Bonnies kant van de cel en zag dat de jonge vrouw haar kleren netjes had opgevouwen en op eenzelfde plank gelegd. Op de plank stonden verder wat ingelijste foto's, een tiental flesjes nagellak en een doos vol make-upspulletjes. Toy vroeg zich af waarom ze de moeite deed zich op te maken in een dergelijke omgeving.

'Waar zit je voor?' vroeg Bonnie. Ze was op haar bed gaan zitten en begon haar nagels te vijlen.

'Moord,' zei Toy. Ze slikte en verwachtte een geschokte uitdrukking op het gezicht van de ander.

'Ik ook,' zei ze. 'Ben je al voor de rechter geweest?'

'Nee,' zei Toy. 'De FBI heeft me gearresteerd op een arrestatiebevel uit Kansas.' Toen voegde ze eraan toe: 'Ik geloof dat ze me ook van ontvoering gaan beschuldigen.'

Het gezicht van de andere vrouw lichtte op toen ze Toy herkende. 'Jezus, jij bent de kinderlokker. Dat ik je niet heb herkend! Je bent vanochtend op het nieuws geweest.'

Toy voelde de cel om zich heen draaien. Zo dadelijk viel ze flauw. Was ze echt op het nieuws geweest? Noemden ze haar een kinderlokker? Ze hield zich aan de rand van het bed vast om zich overeind te houden. 'Ik heb niets gedaan. Ik heb geen kinderen ontvoerd.'

'Tuurlijk niet,' zei Bonnie sarcastisch. 'Je hebt alleen maar geprobeerd er eentje mee te nemen nadat je de school in brand had gestoken. Drie onderwijzeressen zijn bij die brand omgekomen, maar dat maakt niet uit. En hoe zit het met dat meisje in die put in Central Park? Ze zeggen dat je haar ook wilde ontvoeren.'

Toy trok wit weg. 'Ik heb die school niet in brand gestoken. Ik heb dat jongetje juist gered. Eerlijk waar. En het meisje zat onder in die put en kon er niet uitkomen. Ik heb haar geholpen. Ik heb haar niet ontvoerd.'

'Hé zeg,' zei Bonnie, 'je hoeft mij niet te overtuigen. Bewaar dat maar voor de rechter.'

'Wat gaan ze nu met me doen?' vroeg Toy, haar hand tegen haar borst gedrukt.

'Dat moet je mij niet vragen,' zei Bonnie. Ze gooide de vijl terug in de doos. 'Ik weet alleen dat je zo goed als zeker naar Kansas wordt overgebracht. Ze hebben het uitleveringsbevel waarschijnlijk al klaarliggen.'

'Naar Kansas? Waarom?'

Bonnie keek haar aan alsof ze niet goed bij haar hoofd was. 'Ben je echt zo dom of doe je maar alsof? Ze kunnen je in New York toch niet terechtstellen voor een misdaad die in Kansas is gepleegd? Heb je nooit van jurisdictie gehoord?'

Toy ging op het bed liggen en staarde in het niets. Als ze haar naar Kansas brachten, had ze helemaal niemand meer. Hier had ze tenminste Joey Kramer nog. Ze zou hem bellen. Hij was haar belangrijkste getuige. Hij zou verklaren dat ze hier in Manhattan was geweest en niet op de plaats van het misdrijf. Toen dacht ze aan haar ouders. Hadden die het nieuws op de televisie gezien? Hadden ze gezien hoe hun enige dochter geboeid was weggeleid? Haar moeder was hartpatiënte. Toy voelde tranen op haar wangen.

'Niet huilen,' zei Bonnie kortaf. 'Daar schiet je niks mee op.'

Toy stond op en pakte een van de kleine ingelijste foto's. 'Is dit je dochter?'

'Geef hier,' zei Bonnie. Ze griste de foto uit Toy's handen en zag eruit alsof ze zelf op het punt stond in tranen uit te barsten. 'Daar mag je niet aankomen. Hoor je me? Blijf er met je fikken af!'

'Hoe oud is ze?'

'Ze zou volgende week zeven zijn geworden.'

Toy voelde het bloed uit haar gezicht wegtrekken. Het kind was dood; Bonnie moest haar vermoord hebben. Zou ze echt de hand geslagen hebben aan haar eigen kind? 'Wat is er gebeurd?'

'Hij heeft haar vermoord,' zei Bonnie. Bittere tranen stroomden over haar wangen. 'Hij heeft mijn kleine meisje vermoord.'

Toy deed aarzelend een stapje naar de donkerharige vrouw toe. Toen ze niet terugdeinsde ging Toy naast haar op het bed zitten. 'Wie heeft haar vermoord, Bonnie?'

'Mijn ex.'

'En heb jij hèm toen gedood?'

Bonnie veegde met de rug van haar hand haar tranen weg. 'Ja, wie dacht je anders? De paashaas?'

Twee uur later kwam Sandy Hawkings naar de cel. 'Je hebt bezoek, Johnson,' zei ze. Ze wachtte tot de deur opengleed. 'Kom mee.'

Toy lag op haar bed. Ze stond op, liep de cel uit en ademde de vrijheid diep in. 'Weet u wie het is? Is het mijn man? Of mijn advocaat?'

'Kop dicht en doorlopen, Johnson,' zei Sandy nors.

Ze liepen door een sluis naar een ander deel van de gevangenis. Op een gegeven moment bleef Sandy bij een kamer staan, zocht een sleutel uit haar grote sleutelbos en deed de deur open. Ze duwde Toy naar binnen.

196

Een man in uniform stond op. 'Ik ben agent Hill van de politie. Bent u Toy Johnson?'

'Ja,' zei ze. 'Dat weet u toch wel? U hebt me toch laten halen?'

'Ik moet het zeker weten, mevrouw.'

Toy ging aan de tafel zitten. De agent bleef staan en haalde een opgerold vel papier uit zijn zak. 'Toy Johnson, ik ben gemachtigd door de regering van de Verenigde Staten om u te arresteren op verzoek van het hooggerechtshof van Topeka County. U wordt beschuldigd van drie moorden, brandstichting en het in gevaar brengen van een kind. Hebt u dat begrepen?'

'Nee,' zei Toy. Ze trilde van angst. Dit was een nachtmerrie waar geen eind aan scheen te komen. Hoe lang zou het nog doorgaan? Wat zouden ze haar nog meer aandoen?

De agent had een benepen uitdrukking op zijn gezicht. 'Ik vraag u niet of u begrijpt waarom u in staat van beschuldiging bent gesteld en ik vraag u ook niet of u schuldig bent of niet. U hoeft alleen maar hardop te bevestigen dat u formeel gearresteerd bent op grond van deze aanklachten, en dat u begrepen hebt wat er zojuist in dit vertrek is voorgevallen.'

'Maar wat houdt dat in?' vroeg Toy. 'Word ik nu overgebracht naar Kansas?'

'Er is een arrestatiebevel voor u uitgevaardigd, mevrouw Johnson. De autoriteiten van New York zullen u morgen officieel in staat van beschuldiging laten stellen vanwege medeplichtigheid aan een ontvoering. Aangezien u lijfelijk in de staat New York bent, zullen ze u eerst voor die aanklacht laten berechten en daarna zal Kansas om uitlevering vragen. Dat houdt in dat als de autoriteiten in New York om welke reden dan ook besluiten de aanklacht te laten vallen en u vrijlaten, u evengoed wordt overgedragen aan de autoriteiten in Kansas.'

Toy was zo bang dat ze niet kon nadenken. 'Dus zelfs als ze in New York zeggen dat ik mag gaan, blijf ik in de gevangenis?'

'Precies.'

'En wat gebeurt er dan?'

'Ik ben geen advocaat,' zei de agent. 'En we mogen geen

197

gerechtelijk advies geven.' Hij keek naar haar en zijn blik verzachtte. Ze had zo'n lief gezicht, zulk mooi rood haar. Ze had veel weg van zijn jongere zusje, al was ze een paar jaar ouder.

Toy's hart klopte zwaar tegen haar borstbeen. Ze was er zeker van dat ze het dwars door haar huid zou zien kloppen als ze naar beneden keek. Ze hield haar handen zo stijf gevouwen op haar schoot dat haar knokkels wit waren. Ze had eruit begrepen dat er niemand zou komen om haar vrij te laten, dat ze hier nooit meer vandaan zou komen. En zo ja, dan zou er een andere gevangenis zijn, andere tralies. Zelfs als alle aantijgingen uiteindelijk ingetrokken werden, zou het weken, maanden, misschien jaren duren voor men zich door de honderden formulieren van de twee staten zou hebben heen geworsteld.

'Dat was het,' zei de agent. Hij sloeg met zijn vuist op de deur. Iemand liet hem eruit. Toy bleef in haar eentje in de kamer achter.

12

Het advocatenkantoor van Miles Spencer was gevestigd op de hoek van Madison Avenue en Fifty-ninth Street en nam de hele negende verdieping van de wolkenkrabber in beslag. Miles was de eigenaar van de firma. Er werkten vijftien advocaten voor hem, van wie de meesten pas afgestudeerd waren en die er allemaal van droomden ooit partner in de firma te worden. Maar Miles hield niet van partners. Zodra de jonge rekruten zeebenen kregen, geleerd hadden hoe ze zich als advocaat moesten gedragen en hoe ze een zaak moesten voorbereiden en behandelen, zochten ze een baan bij een andere firma. Degenen die bleven waren degenen die altijd zouden blijven.

Wie voor Miles Spencer werkte, had voortdurend het gevoel in het oog van een orkaan te zitten. Hij wees geen enkele zaak van de hand. Hij verdedigde leden van de maffia, moordenaars – zelfs degenen die een politieagent hadden vermoord – verkrachters, kinderlokkers, drugdealers, iedereen die zich hem financieel kon veroorloven. En hij schrok nergens voor terug als hij er een zaak mee kon winnen. Het woord *slachtoffer* kwam in zijn woordenboek niet voor. Hij beschouwde alle slachtoffers als slappelingen, mensen die niet sterk genoeg waren om zichzelf te beschermen, die door hun zwakte juist straf verdiend hadden.

Doordat hij geen partners had, kon hij het grootste deel van zijn winst zelf opstrijken. Hij betaalde zijn jonge advocaten een hongerloontje vergeleken bij de enorme bedragen die hij naar zijn bankrekeningen in het buitenland liet overmaken. Miles vond zelfs dat ze eigenlijk hèm zouden moeten betalen voor de eer dat ze bij de beste in de leer mochten.

Maar geld was nu niet meer het belangrijkste voor de achtenvijftigjarige, elegante advocaat. Hij hield nog meer van roem. Hij vond het heerlijk als hij 's avonds op het journaal kwam, en genoot ervan om 's ochtends bij zijn kop koffie de krant op te slaan en zijn eigen gezicht te zien.

Het gezicht dat de laatste tijd naar hem terugstaarde was echter niet jong meer en vorig jaar was zijn vrouw aan kanker gestorven. De laatste tijd had hij veel nagedacht over de dood en zich afgevraagd waar zijn vrouw nu was en of er leven na de dood bestond. Hij had zijn vrouw verboden ooit kinderen te krijgen, omdat hij had gevonden dat er voor hen geen plaats was in zijn jachtige leven. Zijn vrouw had hem nooit de leegte vergeven die ze had gevoeld naarmate ze ouder werd en Miles begreep nu pas ten volle wat hij had opgegeven. Nu had hij niemand. Niemand die thuis op hem wachtte, niemand die zich om hem bekommerde wanneer hij zich niet lekker voelde of een vermoeiende dag achter de rug had. Veel van zijn collega's hadden respect voor zijn expertise, maar vonden hem in hun hart ook wreed en louter op geld belust. In zijn strijd om zo hoog mogelijk op de ladder te komen had hij ontelbare onschuldigen misbruikt en hij wist dat hij altijd getekend zou blijven door hun lijden en verdriet. Zou hij, vroeg hij zich nu dagelijks af, daarvoor moeten boeten wanneer hij dood was? Zou er echt een oordeel over hem worden uitgesproken? Zou hij voor eeuwig verdoemd worden?

Miles Spencer stond oog in oog met zijn eigen sterfelijkheid. Zijn eigen verdediging voor de hoogste van alle rechtbanken zou de grootste uitdaging van zijn carrière zijn, maar de beroemde advocaat wist dat hij geen been had om op te staan. Er bestond geen verdediging tegen beschuldigingen als meedogenloosheid en hebzucht. Hij had geen nare jeugd gehad. Hij droeg geen verborgen geheimen met zich mee. Als hij erin zou slagen de zaak aan te pakken als iedere andere zaak, hield hij zichzelf voor, op een logische en realistische manier, kon hij hem waarschijnlijk winnen, zoals gewoonlijk. Hij bezat een oneindig zelfvertrouwen, maar wat hulp van buitenaf zou hem niettemin welkom zijn, een getuige die zich ten gunste van hem zou uitspreken. Het ging erom die te vinden voor het te laat was. Hij had zijn hele leven lang mensen uitgebuit. Waarom zou hij daar niet tot in het eeuwige mee doorgaan?

Miles liep met grote passen de vergaderkamer in, legde met een klap een dossier op de tafel en keek de rij gezichten langs. 'Zijn we zo ver? Hebben jullie allemaal de informatie bekeken?'

'Ja,' zei Philip Connors. Hij werkte nu vijf jaar voor Miles.

'En?' zei Miles, achterovergeleund in zijn stoel aan het hoofd van de tafel. 'Moeten we deze zaak aannemen of niet?'

'Het is een vreemd geval, Miles,' zei Connors met opgetrokken wenkbrauwen. 'En ik bedoel echt vreemd. Wie dit op zich neemt, zal er voor lange tijd aan vastzitten.'

'Dat weet ik,' zei Miles. 'Maar kunnen we hem winnen? Wat hebben ze? Hoe staan de kansen?'

Connors sloeg het dossier dat voor hem lag open. Zijn collega's, inclusief Miles, hadden precies zo'n zelfde map voor zich liggen. 'Toy Johnson beweert dat ze met een hartverlamming in New York in het ziekenhuis lag toen de brand in Kansas uitbrak. Ze beweert verder dat ze met een tweede hartverlamming op de eerstehulpafdeling van het Roosevelt Hospital lag toen het kind in Central Park werd gered. Ik heb vanochtend haar man gesproken. Hij belde me vanaf het vliegveld. Hij zei dat ze op de dag van de brand in het ziekenhuis lag, maar dat ze diezelfde middag een paar uur is verdwenen. Het ziekenhuis heeft bevestigd dat ze daar opgenomen is geweest, maar heeft ook verklaard dat ze tegen het eind van de middag is teruggebracht door een politieagent.'

'Prachtig,' zei Miles. 'Als dat geen waterdicht alibi is, dan weet ik het niet meer.'

Connors keek op en wreef over zijn ogen. Hij was de hele nacht opgebleven om de zaak te bestuderen, alle aspecten ervan te analyseren en alle valkuilen te zoeken. 'Bij de politie staat niet genoteerd dat ene Toy Johnson of wie dan ook door een agent is opgepakt en naar het Roosevelt gebracht. Ik heb nogmaals navraag gedaan bij het ziekenhuis. Daar wisten ze me alleen te vertellen dat mevrouw Johnson door een man in uniform bij de eerstehulpafdeling was afgeleverd.'

'Aha,' zei Miles. 'Maar ze hèbben bevestigd dat ze in het

ziekenhuis was en dat ze een hartverlamming had. Als ze in het ziekenhuis lag, hoe kon ze dan in Kansas zijn?'

'Het punt is,' zei Connors met een wanhopige uitdrukking op zijn gezicht, 'dat ze zelf toegeeft dat ze in Kansas was. Ze heeft tegen haar man gezegd dat ze in Kansas was. Ze heeft tegen dokter Esteban gezegd dat ze in Kansas was. Ik wil wedden dat ze tegen de agenten die haar gearresteerd hebben, ook heeft gezegd dat ze in Kansas was. Als ze in de getuigenbank ook bevestigd dat ze op de plaats van de misdaad was, maakt de rest niets meer uit. We kunnen moeilijk onze eigen getuige in staat van beschuldiging stellen.'

'Dat kan wel als ze ontoerekeningsvatbaar is,' zei Miles deskundig. 'We kunnen de gerechtelijke stappen laten stopzetten om redenen van ontoerekeningsvatbaarheid, haar in een gesticht laten stoppen en wachten tot ze daar haar geheugen weer in het gareel hebben gebracht. Daarna laten we haar berechten en zorgen we ervoor dat ze wordt vrijgesproken. Een tweede mogelijkheid is om haar helemaal niet als getuige op te roepen.'

'Ik wil graag nog iets zeggen, Miles,' zei Connors. 'Deze vrouw is het prototype van een kinderlokker. Ze heeft geen kinderen, maar wil dolgraag een baby. Haar man en zij hebben alle specialisten afgelopen. Ze gedraagt zich bizar. Bovendien staat ze op de nieuwsfilm die in Kansas is gemaakt, op de plaats van het misdrijf. Hoe denk je deze zaak dan te kunnen winnen?'

'Heb je die film gezien?' vroeg Miles. Aangezien ze de zaak nog niet officieel op zich hadden genomen, was veel van het bewijsmateriaal voor hen nog niet toegankelijk.

'Iedereen heeft die film gezien,' zei Connors. Hij keek Miles aan met een blik die zei: waar heb jij de afgelopen twaalf uur gezeten? 'CNN heeft er vanochtend zijn hele nieuwsprogramma aan gewijd. Ik dacht dat je dat wel had gezien. Eerst zag je filmopnamen van de brand. Inclusief close-ups. Daarna lieten ze beelden zien van haar arrestatie. Het is dezelfde vrouw, Miles, geen twijfel mogelijk.'

Miles had de nieuwsuitzending die ochtend gemist. 'Heb je het programma opgenomen?'

'Natuurlijk,' zei Connors.

'Dan zal ik het straks bekijken.' Hij keek de kamer rond. 'Hebben jullie allemaal dat programma gezien?'

Driekwart van de aanwezigen knikte; de rest schudde het hoofd. Miles vroeg hun: 'Moeten we deze zaak nemen?'

'Ik vind van niet,' zei Connors. Hij vouwde zijn handen op het gesloten dossier, een symbolisch gebaar dat hij vond dat dat beter gesloten kon blijven. 'Het gaat hier om zware aantijgingen, Miles, en het is de onduidelijkste en moeilijkste zaak die ik ooit onder ogen heb gekregen. Drie afzonderlijke beschuldigingen van moord. Dat kan op de doodstraf uitlopen. Samen met de aanklacht over de ontvoering zullen we hier jaren aan vastzitten.'

'Mmmmm,' zei Miles peinzend. 'Maar het is ook een sensationele zaak, nietwaar?'

Connors trok een gezicht en wendde zijn blik af. Een koor van stemmen klonk op toen de anderen hun mening uitten. Ze wisten allemaal dat het een sensatiezaak was, vooral degenen die hadden gezien hoe Toy Johnson met haar T-shirt van de California Angels achter in de politieauto werd geduwd.

Ann Rubinsky nam het woord. Alle ogen werden meteen op haar gericht. Ze was midden dertig, een jonge vrouw die pas rechten was gaan studeren nadat ze een gezin had gesticht en die nu Spencers nieuwste rijzende ster was. Ze had een scherp verstand, was welbespraakt, droeg haar steile bruine haar in een knotje en was vandaag gekleed in een marineblauw kostuum en een blouse met een kanten kraagje. 'Dit is een geweldige kans, Miles,' zei ze, voorover leunend zodat ze hem aan kon kijken. 'Ik ben het absoluut niet met Phil eens. Het publiek smult van dit soort zaken. En volgens mij zal het geen probleem zijn om de vrouw vrij te krijgen. Er moet sprake zijn van een misverstand. Ze heeft blijkbaar in Kansas een dubbelganger. Denk er eens aan wat de mensen zullen zeggen als je deze arme, onschuldige vrouw van een gevangenisstraf weet te redden. Ze is mooi, charmant, theatraal. Ze had zelfs een T-shirt aan met California Angels erop toen ze is gearresteerd, met aureool en al. Ze ziet er zo onschuldig uit dat je zou denken dat ze ieder moment vleugeltjes kan krijgen en naar de hemel opstijgen.'

'Heb je dit gezien?' vroeg Miles, de *Post* over de tafel naar haar toeschuivend. Op de voorpagina stond een foto van Toy met daarboven de kop: ENGEL OF KIDNAPPER?

Een geroezemoes van stemmen klonk op. Connors wierp een woedende blik op Rubinsky. Miles klikte de rugleuning van zijn stoel rechtop. 'Ik heb besloten de zaak te nemen. We moeten om te beginnen alles in het werk stellen om te voorkomen dat ze naar Kansas wordt overgebracht. Ze heeft in een ziekenhuis gelegen,' zei hij, nu met zijn bril op zijn neus, terwijl iedereen in de startblokken zat. 'Een van jullie gaat naar de gevangenis. Ik wil haar medische dossier hebben, maar daar moet ze voor tekenen. Zoek uit waarvoor ze is behandeld en of het soms gevaarlijk voor haar is om te reizen. Zoek ook uit of we dit kunnen gebruiken om haar uit de gevangenis en naar een ziekenhuis te krijgen. Haar gezondheidstoestand is misschien het enige waarmee we haar hier in New York kunnen houden. Laat iemand naar het ziekenhuis gaan om uit te zoeken of ze daar weten waar ze is opgepakt. We moeten de agent vinden die haar naar het ziekenhuis heeft teruggebracht.' Miles stopte, nam een slok koffie, legde het dossier opzij en begon aantekeningen maken op een gele blocnote. 'Ann, zoek een expert die de film kan bestuderen...'

'O,' zei ze opgewonden, 'ik ben nog vergeten je te vertellen wie haar heeft opgepikt toen ze met dat meisje in haar armen Central Park uitkwam.'

'Wie dan?'

'Niemand minder dan onze eigen senator, Robert Weisbarth.'

'Heeft er al iemand met hem gepraat?' vroeg Miles, verheugd over deze ontwikkeling. 'Wat vond hij van haar?'

Ann Rubinsky gooide haar hoofd achterover en lachte. 'Hij vond niets. Zijn chauffeur heeft de politie verteld dat de senator die avond stomdronken was. Nadat de vrouw bij de auto verdwenen was, begon hij als een idioot wartaal uit te slaan en heeft hij een kalmerend middel toegediend gekregen.'

'Je zei "bij de auto verdwenen was",' zei Miles nerveus. 'Wat bedoel je daar precies mee?'

'Net wat ik zeg,' zei Rubinsky. 'Ze stond bij de auto en opeens was ze verdwenen. Ik heb vanochtend met de chauf-

204

feur gesproken en die zegt hetzelfde. Hij keek in zijn spiegeltje naar de vrouw en toen verdween ze opeens in het niets.'

'Je bedoelt dat ze het portier heeft opengedaan en is uitgestapt,' zei Miles. Zijn ogen vernauwden zich tot spleetjes en zijn vingers speelden met de rand van de krant met Toy's foto op de voorpagina. 'Daar is toch niets vreemds aan?'

'Ze verdween, Miles,' herhaalde Rubinsky. 'Zowel Weisbarth als zijn chauffeur blijft erbij dat ze niet het portier heeft opengedaan om uit te stappen. Volgens hen stond het portier nog open. Ze stond over het kind gebogen en praatte tegen haar en toen was ze er opeens niet meer. Een betere uitleg heb ik niet. Maar mensen verdwijnen natuurlijk niet zomaar, dus is het duidelijk dat ze moet zijn weggedoken en bij de auto weggeslopen zonder dat ze haar konden zien.'

Miles Spencer had zijn hand nu uitgespreid op de krant liggen. Hij liet zijn blik naar de krant dalen en zag alleen Toy's foto en het woord engel, omdat zijn hand de rest van de krantekop bedekte. Zijn gezicht verstrakte en hij staarde een poosje in doodse stilte naar de foto. Alle ogen waren op hem gericht. Toen stond hij op, pakte de krant van de tafel en liep zonder een woord te zeggen de kamer uit.

'Help, help!' gilde Bonnie Mendoza door de tralies. 'Ze ademt niet meer!' Ze draaide zich om naar de gedaante op de vloer en drukte haar hoofd tegen Toy's borst om te horen of ze een hartslag kon waarnemen. 'O God,' schreeuwde Bonnie. 'Ze is dood. Haar hart staat stil. Help! Help! Kom nou toch! Help!'

Toy's ogen stonden wijd open. Ze lag op haar rug op het vuile zeil met een onzekere Bonnie over zich heen gebogen. Ze hadden ieder op de rand van hun bed gezeten en over Toy's zaak gepraat, toen Toy opeens was verstijfd en op de grond gevallen.

Hollende voetstappen kwamen de gang in. De andere gevangenen maakten een kabaal van jewelste en drukten hun gezichten tegen de tralies om te zien wat er aan de hand was. Een van de vrouwen had een spiegeltje en stak dat door de tralies om te kijken wat er gebeurde.

Sandy Hawkings kwam buiten adem aangehold. Zodra de

deur van de cel openging, duwde ze Bonnie Mendoza opzij en legde ze twee vingers in Toy's nek. 'Ik begin met kunstmatige ademhaling,' riep ze in de walkie-talkie. 'Bel een ziekenwagen en laat een brancard komen. Ik heb hulp nodig. Snel.'

Ze gooide de walkie-talkie op het bed, boog zich voorover en betastte Toy's middenrif om haar borstbeen te lokaliseren. Toen ze dat had gevonden begon ze op haar borst te drukken. 'Wat is er gebeurd?'

'Ze zat gewoon op het bed,' zei Bonnie, 'en toen viel ze opeens op de grond.'

Sandy boog zich voorover en blies haar eigen adem in Toy's mond. Vanuit haar ooghoek zag ze een tweede gevangenbewaarster in de cel.

'De ziekenauto is onderweg,' zei de vrouw tegen haar, terwijl ze Bonnie met uitgestrekte arm op afstand hield. 'Zal ik het van je overnemen?'

'Nee,' zei Sandy. Ze drukte weer pompend op Toy's borst, vastbesloten haar bij te brengen. Sandy had tijdens haar lange loopbaan op veel mensen kunstmatige ademhaling toegepast. Wanneer ze haar mond op die van een ander drukte en hen adem inblies, waren het geen gevangenen meer, geen vreemdelingen. Dan waren ze Sandy's verantwoordelijkheid. 'Waar is de brancard?' stootte ze uit voor ze zich weer over Toy's open mond boog.

Het antwoord vloog de cel binnen. Twee mannen met een brancard. Sandy's collega nam Bonnie mee naar buiten om hen de ruimte te geven en bleef samen met haar staan kijken.

'We mogen niet ophouden met de kunstmatige ademhaling,' zei Sandy gejaagd terwijl ze op Toy's borst drukte. 'Til haar op de brancard. Ik ga met jullie mee.'

De mannen deden wat ze zei. Sandy liep met hen mee en bleef mond-op-mondbeademing toepassen terwijl ze de brancard wegdroegen. Om de paar seconden bleven de mannen staan en lieten ze de brancard op de grond zakken, zodat Sandy op Toy's borst kon drukken. Dan liepen ze weer verder terwijl Sandy Toy adem inblies. Ze passeerden een hek naar een ander celblok, en liepen nog een lange gang door tot ze eindelijk in de buitenlucht kwamen.

Een ziekenwagen stond langs de stoeprand met de achterdeuren open. Er was een ziekenzaal in de gevangenis, maar die was niet geschikt om dergelijke ernstige problemen op te vangen. Als de gevangene doodging, kon dat beter buiten de gevangenismuren gebeuren. Anders was het zo slecht voor de statistieken.

Sandy Hawkings bleef op haar knieën op de stoep zitten en sloeg haar handen voor haar gezicht toen de ziekenwagen met Toy Johnson met zwaailicht en gillende sirenes wegscheurde. Een paar van haar collega's kwamen bij haar staan en een van de vrouwen sloeg haar arm om Sandy's schouders. 'Ik heb haar niet kunnen redden,' zei Sandy met een snik in haar stem. 'Ik heb het geprobeerd. Ik heb het geprobeerd. O God, ik heb echt mijn best gedaan.'

'Je hebt het goed gedaan,' troostte haar collega haar.

'Ja,' zei Sandy, opkijkend, 'maar was ik goed genoeg?'

Toy liep over een lang, smal pad van gladde stenen. Aan weerskanten van het pad waren groene velden vol lentebloemen, waarvan de verschillende geuren samensmolten tot een heerlijk aroma, zo zoet, zo teer dat Toy er vreugdetranen van in haar ogen kreeg. In de verte zag ze Margie Roberts in een prachtige perzikkleurige jurk. De jurk was gemaakt van de duurste soort satijn en afgezet met schitterende kant. Rond haar middel had ze een brede satijnen ceintuur en in haar haren zaten witte satijnen strikjes. Toy hield beschermend haar hand boven haar ogen want Margie scheen vlak onder een enorme zon te staan, badend in het warme gele licht. Ze lachte en was gelukkig. Toen Toy dichterbij kwam, zag ze een grote witte tent waarvan de flappen iets opbolden in de zachte bries. De wind droeg het klingelende geluid van gelach en vrolijke stemmen met zich mee. Het klonk alsof er een verjaardagsfeestje of een trouwreceptie werd gehouden.

Toen Toy zo dichtbij was gekomen dat ze Margies gezicht duidelijk kon onderscheiden, zag ze dat het meisje naar haar wuifde en haar uitnodigend wenkte om deel te nemen aan het feest. Toen kwam er opeens een eind aan de droom, even abrupt als hij was begonnen. Het laatste wat Toy zich kon herinneren was Margie die haar hand naar haar uitstak.

In plaats van Margie Roberts zag Toy dokter Esteban toen

ze haar ogen opendeed, plus een man in een politie-uniform, een aantal verpleegsters en, tot haar verbazing, de gerimpelde gezichten van haar vader en moeder. Ze deed haar ogen weer dicht en liet zich weer door de duisternis opnemen. De man in het uniform zou haar terugbrengen naar de gevangenis. Ze kon het niet meer verdragen.

Toen hoorde ze haar naam noemen, keer op keer. 'Toy, word eens wakker. Toy, ik ben het, Stephen. Hoor je me? Je ouders zijn er.'

Ze hoorde zijn stem maar kon er niet op reageren. Iets hield haar tegen, sloot haar op binnen in haar eigen lichaam.

'Toy, lieverd,' zei haar moeders stem in de duisternis. 'O, mijn kleine meisje, mijn lieve, kleine meisje. Zeg eens iets tegen me, Toy. Knijp in mijn hand als je me kunt horen.'

Toy voelde de aanwezigheid van haar eigen lichaam, haar identiteit, maar ze kon geen antwoord geven noch in haar moeders hand knijpen. Ze had geen handen. Ze had geen stem. Haar lichaam leek op een massa ronddraaiende onderdelen die door elkaar werden geroerd tot een schuimende, kokende massa en wegdreven in het heelal.

'Toy, popje,' zei de diepe, versleten stem van haar vader, 'vooruit, lieverd. Waar is mijn kleine vechtersbaas, waar is mijn kleine Toy?'

Een scheut van pijn vlamde door haar borst en Toy kreunde. Toen deed ze haar ogen open en zag ze het gezicht van dokter Esteban. 'Ze is bij bewustzijn,' zei hij tegen het groepje terwijl hij zich omdraaide. Toen keek hij snel weer naar Toy. 'Hoe voelt u zich?'

Waarom vragen ze dat toch altijd? dacht Toy. Ze deed haar ogen weer dicht terwijl ze binnensmonds bitter mompelde: 'Hetzelfde, hetzelfde, hetzelfde.' Hetzelfde ziekenhuis, dezelfde arts, dezelfde bezorgde uitdrukkingen op dezelfde niet-wetende gezichten. Beseften ze niet dat ze in een draaimolen zaten, dat ze dit al eerder hadden meegemaakt?

'Mevrouw Johnson,' vervolgde dokter Esteban, 'ik weet dat u me nu kunt horen. Als u niet kunt praten, luistert u dan alleen. U hebt een operatie ondergaan. U ligt nu in de verkoeverkamer van het Roosevelt. We hebben een pacemaker bij u ingebracht. De operatie was een succes.'

Even later deed Toy haar ogen open en keek ze naar haar vader en moeder. Vlak achter hen zag ze Stephen. 'Hebben ze een pacemaker ingebracht?'

'Ja, lieverd,' zei haar moeder. 'En nu komt alles in orde. Al die problemen zijn nu verleden tijd.'

Toy staarde liefdevol naar haar moeders gezicht. Ze was ooit erg mooi geweest. Maar nu was ze oud en was haar gezicht droog en gerimpeld. Toy richtte haar aandacht op haar bruine ogen, op de genegenheid en het begrip die daarin lagen. 'Waarom heb je het goedgevonden, mamma?'

'We hadden geen keus, Toy. Je bent bijna doodgegaan. Waarom heb je ons nooit verteld dat je ziek bent?' Opeens drukte haar moeder haar hand tegen haar mond en verschenen er tranen in haar al vochtige ogen. 'We zagen het op de televisie... dat onze lieve Toy gearresteerd was.'

Haar vader boog zich voorover en gaf haar een zoen. Zijn adem rook naar tabak. 'Je hebt weer gerookt, pappa,' zei Toy.

'Klopt,' zei hij.

Nu keek Stephens gezicht van dichtbij op haar neer. Toy draaide haar gezicht van hem weg. 'Ga weg. Je had er geen recht op me te laten opensnijden en een machine in mijn lichaam te laten stoppen.'

'Ik had geen keus, Toy,' zei hij op scherpe toon. 'Als ze je niet hadden geopereerd, was je doodgegaan. Wat had je liever gehad?'

'Dat ik was doodgegaan,' zei ze.

Even later hoorde ze dat hij in de hoek van de kamer fluisterend met haar ouders sprak. 'Ze wil niet naar me luisteren,' zei hij. 'Dat is nu al drie of vier maanden zo.'

Toy meende wat ze had gezegd. Ze wilde sterven, ze was er klaar voor om te sterven. Zodra ze op de been was zou de man in het uniform haar weer naar de gevangenis brengen. Iedereen verachtte haar. Iedereen dacht dat ze een kinderlokker was, een waanzinnige. Dacht ze nu werkelijk dat ze mensen kon redden? dacht ze bitter. Ze kon zichzelf niet eens redden.

Sylvia had nu al een paar dagen geprobeerd Toy in het hotel te bereiken, maar was haar steeds misgelopen. Ze was erg bezorgd en had zelfs het Roosevelt een paar keer gebeld. Toen ze hoorde dat Toy niet meer in het ziekenhuis lag, had dat haar plezier gedaan. Dat was een goed teken, dacht ze bij zichzelf.

Op dinsdagochtend stond ze laat op. Haar broer was al naar zijn werk. Ze vroeg zich af of haar vriendin nog steeds in Manhattan was en zo ja, of ze vandaag samen met haar terug zou vliegen, zoals ze van plan waren geweest. Ze schonk in de keuken een kop koffie in en ging aan de tafel zitten om de krant te lezen. 'Dank je wel, Abe,' zei ze toen ze een donut uit de doos op het aanrecht pakte en er een grote hap uit nam.

Toen zag ze de krantekop en Toy's gezicht dat haar aanstaarde, en spuugde ze de hap met kracht uit.

'Wat krijgen we nu!' riep ze uit. Gearresteerd? Toy was gearresteerd wegens moord. Sylvia voelde zich duizelig worden. Wat had dat te betekenen? Waar hadden ze het in vredesnaam over? Ze liet haar ogen snel over de tekst glijden en vond het het vreemdste dat ze ooit had gezien. Maar daar had je Toy, even mooi als altijd, in dat malle baseball T-shirt.

Ze holde naar de telefoon en begon te bellen. Ze moest erachter zien te komen waar ze Toy naar toe hadden gebracht.

Sarah was moe en suffig. Dat kwam niet door haar werk, want ze had de zolderverdieping nu al dagenlang amper verlaten. Ze was emotioneel uitgeput. Tot haar droefenis had ze zich gerealiseerd dat ze in haar relatie met de verwarde, jonge artiest een mijlpaal had bereikt. Als Raymond niet snel aan de beterende hand raakte, zouden ze de zolderverdieping moeten verlaten en Sarah wist niet wat er dan van hen zou worden. Als ze niet werkte, zouden ze geen geld hebben, maar ze kon Raymond zoals hij nu was niet alleen laten. Ze durfde amper een kwartiertje de deur uit om wat boodschappen te doen. Hij wist absoluut niet wat hij deed en kon makkelijk aan het zwerven gaan en in grote moeilijkheden raken.

Sarah wist dat ze gedwongen zou zijn hem in een inrichting te laten opnemen. Ze kon een dergelijke zware en tijdrovende verantwoordelijkheid eenvoudigweg niet op haar eigen schouders nemen.

Raymonds toestand was iets verbeterd, maar niet veel. Hij

zei nog steeds amper iets en wanneer hij een beetje tot leven kwam, gedroeg hij zich kinderlijk en vreemd. Hij scheen opgesloten te zitten in een zich steeds herhalende herinnering aan die ene dag in zijn leven, de dag waarop hij de mysterieuze roodharige vrouw had ontmoet. Op een avond, toen hij opeens erg helder was geweest, had hij haar verteld wat er die dag was gebeurd, maar in zulke verwarde, half afgemaakte zinnen dat Sarah er niet veel van had begrepen. Maar het was haar al genoeg wanneer hij iets zei. Ieder woord dat hij uitte was als manna uit de hemel.

Ze pakte de *New York Times* en bekeek afwezig de voorpagina, maar opeens stokte haar adem in haar keel. 'Daar heb je haar!' riep ze tegen Raymond. Hij zat met bungelend hoofd in zijn pyjama aan tafel. Sarah schoof de krant naar hem toe, sprong overeind en liep snel om de tafel heen tot ze naast hem stond. 'Kijk, Raymond,' zei ze opgewonden, 'het is jouw engel. Zie je wel? God, ze heeft zelfs hetzelfde T-shirt aan als op de schilderijen. Kijk, Raymond. Kijk dan!'

Toen hij niet reageerde, draaide Sarah zijn hoofd zodanig dat zijn ogen op de krant gericht werden. Toen hield ze hem die schuin voor. 'Je móet het zien,' riep ze. 'Zie je het niet? Ze is het, Raymond, de vrouw die ik in het ziekenhuis heb ontmoet. Het is jouw engel.'

Zijn armen hingen slap langs zijn zij, maar Sarah zag dat zijn rechterhand open- en dichtging. Toen hoorde ze zijn voeten bewegen onder de tafel.

'Ze verkeert in moeilijkheden, Raymond,' zei ze op luide toon. Ze wilde dat hij haar hoorde en bad dat dit het wonder was waarop ze hadden gewacht. 'Jouw engel verkeert in moeilijkheden en heeft je nodig. Wil je dat ze haar in de gevangenis stoppen? Ga je niet eens proberen haar te helpen? Heeft ze jou niet geholpen?'

In de *Times* stond dezelfde foto van Toy als in de *Post*, maar de tekst was heel anders. Veel minder sensationeel. Er stond alleen dat Toy ervan werd beschuldigd geprobeerd te hebben een kind te ontvoeren. Hoewel Sarah de vrouw niet echt kende, voelde ze in haar hart dat het niet waar kon zijn. Hoe kon Raymonds mysterieuze vrouw een misdadigster zijn?

Sarah leunde naar voren en bekeek Raymonds gezicht. Ze

zag zijn ogen heen en weer bewegen. Opeens besefte wat hij aan het doen was en trok er een opgetogen gevoel door haar heen.

Raymond zat te lezen.

Hij las het kranteartikel. Ze bleef roerloos staan, bang dat ze hem anders zou afleiden. Na een minuut of vijf keek hij op.

'Ze is het, hè?' zei ze zachtjes.

Raymonds lippen vormden een cirkel en heel even wist Sarah niet zeker of hij iets zou zeggen of op een kinderlijke manier naar haar blazen. Maar hij wendde zijn ogen niet af en bleef haar met trillende lippen aankijken. Uiteindelijk stootte hij de woorden uit. 'Ja,' zei hij en een brede glimlach spreidde zich uit over zijn donkere gezicht. 'Je... je hebt haar gevonden.'

Op dat moment ging de telefoon. Ze probeerde het geluid te negeren, maar zag dat het Raymond irriteerde. Ze griste de hoorn van de haak en blafte: 'Hallo?' De zijdeachtige, gladde stem van Francis Hillburn gaf antwoord.

'O,' zei hij, 'jij bent zeker dat lieftallige meisje dat voor onze Raymond zorgt. Het spijt me, lieve kind, maar ik ben je naam vergeten.'

'Onze Raymond?' zei Sarah sarcastisch, terwijl ze met de telefoon naar de keuken liep zodat Raymond het gesprek niet kon horen. 'Wat heeft dat te betekenen? Ik dacht dat u hem op straat wilde zetten? Zei u dat niet toen we elkaar voor het laatst hebben gesproken?'

'Nee,' zei Hillburn. 'Dat moet een vergissing van jouw kant zijn. Waarom zou ik een van mijn begaafdste mensen zijn huis uitzetten? Raymond Gonzales is een genie.' Hij pauzeerde en vervolgde toen op een snelle, slijmerige toon van opwinding: 'Maar we moeten hem niet meer Raymond noemen. Nee, nee, mijn lieve kind. We moeten hem voortaan altijd Stone Black noemen. Dat is de naam die we bij onze promoties gaan gebruiken.'

Sarah was perplex. Ze gluurde om de hoek om te zien wat Raymond aan het doen was en keek toen naar het levensgrote portret van Toy, dat met de uitgestrekte vleugels. Natuurlijk, dacht ze. Nu Raymonds model beroemd was en alle kranten op primeurs uit waren, zou Hillburn ongetwijfeld een manier weten om daar voordeel uit te trekken. 'Aha,' zei Sarah langzaam. 'U hebt het artikel in de *Times* gelezen.'

'Ik weet niet waar je het over hebt,' zei Hillburn verdedigend. 'Maar nu ik je toch aan de lijn heb, ik stuur een chauffeur om Raymonds schilderijen op te halen voor een tentoonstelling die deze week wordt geopend. Wil je ervoor zorgen dat hij er geen eentje vergeet en dat ze behoorlijk worden verpakt?'

'Raymonds schilderijen zijn niet te koop,' zei Sarah.

'Hoe bedoel je?' zei Hillburn kwaad. 'Wie denk je eigenlijk dat je bent? Natuurlijk zijn ze te koop. Hij is kunstschilder. Hij moet zijn schilderijen verkopen om te kunnen eten, dom wicht dat je bent, en ik ben zijn officiële vertegenwoordiger. Wie ben jij? Een snolletje dat hij van de straat heeft gehaald.'

'Dat kan best zijn,' zei Sarah, bereid zijn beledigingen te accepteren zolang ze er zelf een had die beter was. 'Maar ik ben degene die nu op de zolderverdieping zit, Hillburn, en bezit is negen tiende van de wet. Als ik jou was zou ik dus geen moeite doen iemand hierheen te sturen, want ik laat hem toch niet binnen.'

'Ik... ik laat jullie op straat zetten,' zei Hillburn op giftige toon. 'Ik sleep jullie voor de rechter. Ik ben de eigenaar van die zolderverdieping en alles wat die bevat. Hoor je dat? Probeer met mij geen spelletjes te spelen.'

'Raymond is niet je eigendom,' zei ze, 'en zijn schilderijen ook niet.' Daarmee gooide ze de hoorn op de haak en glimlachte ze tevreden.

Toen ze de keuken uitkwam, zat Raymond niet meer zwijgend aan tafel. Hij had een nieuw doek op zijn schildersezel gezet en schilderde als een bezetene, bukkend, zich weer oprichtend, werkend met gestrekte armen. Sarah liep zachtjes naar hem toe en de adem stokte in haar keel toen ze zag wat hij aan het doen was. Weer kwam de vage omtrek van de engel met het vlammende rode haar tot leven onder zijn snel bewegende handen. Alsof ze regelrecht van zijn penseel op het doek sprong.

13

Toen Toy haar ogen weer opendeed stroomde er daglicht door het raam naar binnen en was een verpleegster bezig haar hartslag en bloeddruk te controleren. 'Alles prima in orde,' zei ze. 'Zin in ontbijt?'

'Nee,' zei Toy, 'laat me met rust. Ik wil alleen maar slapen.'

Ethel Myers verscheen opeens naast haar bed en de verpleegster verdween. 'Goeiemorgen, lieverd. Heb je lekker geslapen?'

'Wie is hier nog meer?' vroeg Toy. Ze zag niemand maar wilde er zeker van zijn. Ze wilde Stephen niet zien. Nu niet en nooit niet.

'Niemand, schattebout. Maar kijk eens,' zei haar moeder. Ze hield een plastic zak omhoog. 'Dit zijn allemaal brieven. Brieven aan jou.'

'Hoe bedoel je?'

'Het is fanmail. Ze komen van over de hele wereld, Toy. Van kleine kinderen en volwassenen, en al die mensen schrijven hetzelfde.'

'Wat dan? Dat ik een kinderlokker ben en de doodstraf moet krijgen?'

'Nee,' zei haar moeder. Ze schudde haar hoofd en zette de zak op de grond. 'Ik heb ze natuurlijk niet allemaal gelezen, daar heb ik geen tijd voor gehad, maar in de brieven die ik heb gelezen, Toy, staat dat die mensen geloven dat ze je gezien hebben en dat jij hen op de een of andere manier hebt geholpen.'

Toy was stomverbaasd. Ze leed zeker weer aan een waanvoorstelling. Het enige verschil was dat dit keer haar moeder haar gezelschap hield op haar trip door de twilight zone.

'Hier,' zei haar moeder. Ze hield een van de brieven omhoog. 'Ik zal je deze voorlezen. Dit meisje woont in Japan. Ze heeft de brief zelf geschreven en ze moet erg pienter zijn, want haar Engels is foutloos. "Lieve Engel" ' – Toy's moeder zweeg en keek Toy over haar bril heen aan – 'vind je dat niet lief? Ze noemt je engel. Goed, daar gaan we. "Ik speelde bij de beek achter ons huis toen ik in het water viel en er niet uit kon. Jij bent gekomen en hebt me eruit gehaald. Je was zo mooi. Je had een T-shirt aan met een grote A waar een krans omheen zat. Mijn moeder zegt dat ik verdronken zou zijn als jij niet was gekomen. Ik hou van je, Engel. Mitso." Wat vind je daarvan, Toy? Is dat niet lief?'

Toy gaf geen antwoord. Ze was in gedachten verzonken. Ze herinnerde zich iets, een donkerharig kind met de kleinste en volmaaktste handen en voeten die ze ooit had gezien, de beek, de vreemde huizen, allemaal zo laag bij de grond. Wanneer had ze daarover gedroomd? vroeg ze zich af. Ze wist het niet meer. Ze had zo vaak gedroomd, over zoveel verschillende kinderen.

'Zal ik er nog een voorlezen?' vroeg haar moeder.

Toy voelde zich warm en behaaglijk, vredig en rusteloos tegelijk. Ze ging wat hogerop liggen en keek naar haar moeder. 'Ik hou van je, mam,' zei ze. 'Wat er ook mag gebeuren, ik hou van je en dat zal altijd zo blijven. Je bent de beste moeder van de hele wereld.'

'Ik hou ook van jou, lieverd,' zei ze, 'maar je hebt niet gezegd of je nog een brief wilt horen. Ze zijn zo schattig allemaal. Daar knap je vast van op.'

Toy bekeek het lieve gezicht van haar moeder. Vroeg ze zich niet af waarom die mensen haar dochter hadden geschreven? Vroeg ze zich niet af waarom haar dochter terechtstond wegens moord? Maakte ze zich helemaal geen zorgen dat haar dochter levenslange gevangenisstraf zou krijgen? Het antwoord op al die vragen was nee. Haar moeder bukte zich en koos een andere brief.

'Lees ze allemaal maar voor,' zei Toy.

'Wat? Allemaal, zei je? Al die brieven? Gut, maar het zijn

er zo veel. Zo verschrikkelijk veel. Allemaal van lieve, kleine kinderen.'

'Lees ze allemaal maar, mam. We hebben niets beters te doen.'

Haar moeder glimlachte en haalde een handvol brieven uit de zak. 'Dat is waar, lieverd.'

Tegen de tijd dat Miles Spencers chauffeur die dinsdagmiddag de auto tot stilstand bracht voor het Roosevelt Hospital, stond er een vijftigtal mensen op de stoep, velen met grote spandoeken in hun hand. LAAT DE ENGEL VRIJ stond erop. Een paar mensen hadden zelfs spandoeken waarop ze zijn cliënte niet alleen een Engel noemden, maar de Engel van Californië. Toen Miles met half toegeknepen ogen door het getinte glas van het raampje naar hen keek, besefte hij dat al die mensen hierheen waren gekomen vanwege één televisie-programma, een paar radioberichten en een stuk of wat artikelen in de kranten. Het was niet te geloven. Maar ach, dacht hij voldaan, dit was Manhattan. Hier liepen heel wat vreemde figuren rond.

Toen hij uit de auto stapte, werd hij bijna omvergelopen door een man met een lange, golvende baard die op hem afstoof. 'Ze hebben Christus gekruisigd. Nu proberen ze Zijn engel op te sluiten.'

Miles duwde hem opzij, veegde zijn hand af aan zijn jas en liep het ziekenhuis in. In de hal moest hij zich langs een lange rij wringen om bij de balie te komen. 'Ik wil Toy Johnson graag spreken.'

'Ga maar in de rij staan,' zei de vrouw. Ze had sneeuwwit haar dat eruitzag als een schuurspons en was gekleed in het roze met wit gestreepte uniform van de vrijwilligers die in het ziekenhuis werkten.

Hij keek om naar de lange rij. 'Willen al die mensen Toy Johnson spreken?'

'Dat zeggen ze tenminste. Maar er mag niemand bij haar binnen. Ze wordt bewaakt. Ze is nog steeds een gevangene, ziet u.'

'Ja, dat weet ik,' zei Miles. 'Ik ben haar advocaat en ik moet haar spreken. Het is dringend.'

Ze bekeek hem aandachtig. 'Doe me een lol,' zuchtte ze. 'Het is een lange dag geweest.'

Miles grinnikte. Ze deed hem denken aan zijn moeder. 'Alstublieft,' zei hij en legde zijn visitekaartje op de balie.

Op hetzelfde moment kwam een gezette vrouw met dik, donker haar en een koffer in haar hand naar hem toe. Er lag een gejaagde uitdrukking op haar gezicht. 'Ik hoorde u zeggen dat u Toy Johnsons advocaat bent,' zei ze amechtig. 'Kunt u me soms mee naar binnen smokkelen? Ik ben haar beste vriendin en ik sta hier al uren te wachten. Ik moet vandaag terug naar Californië. Mijn vlucht is al geboekt.'

'Sorry,' zei hij. Hij wierp een afkeurende blik op Sylvia en liep weg.

'Alstublieft,' riep ze hem na. 'Ik moet haar spreken. Kunt u tegen haar zeggen dat ik hier ben? Vraag of ik even boven mag komen.'

Miles wierp een korte blik over zijn schouder, maar liep door. Sylvia riep nog iets, maar hij verstond niet wat ze zei. 'Wat?' zei hij, geërriteerd dat deze vreemde vrouw hem lastig viel.

'Zeg maar tegen haar dat ik van haar hou,' zei Sylvia, 'dat ik voor haar bid en dat alles best in orde komt.'

Miles liep door en even later stond hij voor Toy's kamer en sprak hij kort met de agent die daar op wacht stond. Toen deed hij de deur open en liep hij naar binnen, even nerveus als op de dag dat hij zijn doctoraalexamen had gedaan.

'Goedemiddag, mevrouw Johnson,' zei hij met een vluchtige glimlach, 'ik ben uw advocaat, Miles Spencer.' Toen zakte zijn mond open en staarde hij naar haar. De vrouw in het bed was zo klein, zo kinderlijk. Haar rode haar lag uitgespreid op het kussen, haar gezicht was verstoken van make-up en haar ogen keken dwars door hem heen. Hij voelde een huivering door zich heen trekken en deed een stap achteruit, bij het bed vandaan.

'Dit is mijn moeder, Ethel Myers.'

'Aangenaam kennis te maken,' zei hij. Hij schudde haar magere hand en keek toen weer naar Toy. 'Ik heb goed nieuws voor u. Ik durf er iets onder te verwedden dat u vandaag nog geen goed nieuws hebt gehad.'

Toy en haar moeder keken naar hem zonder iets te zeggen. Bij beiden lag een vage glimlach rond de lippen.

'We zijn erin geslaagd agent Kramer van de burgerwacht op te sporen. Hij heeft uw verklaring bevestigd dat hij u op de dag van de brand heeft gesproken.'

'Hoor je dat, Toy?' zei haar moeder, haar arm strelend.

'Houdt dat in dat ik weer vrij ben?'

'Nee, niet precies. Ik bedoel, ze zullen u hoogstwaarschijnlijk wel vrijlaten, maar er kunnen nog een paar dagen overheen gaan. We zijn er in ieder geval in geslaagd voor de hoorzitting inzake het uitleveringsverzoek uitstel te krijgen tot donderdag, vanwege uw gezondheidstoestand. De artsen hebben me de verzekering gegeven dat u tegen die tijd weer op de been zult zijn. We hebben contact opgenomen met de autoriteiten in Kansas en die sturen nu iemand om de verklaringen van agent Kramer en het ziekenhuispersoneel op te nemen. Ze willen bovendien wachten op uitsluitsel van hun laboratorium over de filmopnamen.'

'Uitsluitsel?' vroeg Toy. Ze hield haar moeders hand nu vast.

'Ze laten de opnamen van de vrouw in Kansas door deskundigen vergelijken met de beelden die van u zijn gemaakt op de dag dat u bent gearresteerd. Als die beelden niet overeenstemmen, is het allemaal voorbij.'

'En hoe zit het met de zaak hier in New York?'

'Die ben ik uiteraard niet vergeten,' zei hij langzaam. 'Ik weet echter bijna zeker dat die beschuldigingen ingetrokken zullen worden wanneer men de verklaring van het kind hoort. Ik ga haar volgende week als karaktergetuige gebruiken. Die jongedame bezit veel overredingskracht.'

'Lucy?' zei Toy. Haar ogen lichtten op. 'Hoe is het met haar? Ik heb me zo ongerust gemaakt.'

'Ze maakt het uitstekend,' zei Miles aarzelend. Hij kon zijn ogen niet van Toy's gezicht afhouden. Ze had iets vreemds over zich. 'Mevrouw Johnson,' zei hij op indringende toon, 'als u het niet erg vindt had ik graag dat uw moeder ons een paar minuten alleen liet zodat we uw zaak kunnen bespreken.'

'Waarom moet ze weg?' zei Toy. 'U kunt vrijuit praten. Ik heb niets te verbergen.'

218

'Ik... het punt is, dat ik u een paar persoonlijke vragen moet stellen.'

'O ja?' zei Toy. Ze keek hem achterdochtig aan. 'Wat voor vragen?'

'Het is allemaal erg intrigerend,' zei hij. Hij liep naar het raam en keek neer op de menigte voor het ziekenhuis. Verbeeldde hij het zich of was hun aantal opeens verdubbeld? Terwijl hij stond te kijken stapten er nog meer mensen uit taxi's en personenwagens en voegden zich bij de anderen. 'Waarom staan die mensen daar allemaal?' zei hij zonder erbij na te denken. 'Ik kan me niet voorstellen dat ze echt in engelen geloven. Dat is dwaas.'

Toy wisselde een blik van verstandhouding met haar moeder en zei toen: 'Waarom is dat dwaas?'

'Engelen zijn een produkt van de verbeelding,' zei Miles, nog steeds met zijn rug naar hen toe, starend naar de mensen in de diepte. 'Ze komen alleen in verhalen voor. Ieder weldenkend mens weet dat engelen niet bestaan.'

'Hebt u de bijbel wel eens gelezen?' vroeg Toy.

Miles Spencer draaide zich om en keek haar aan. 'Ja, natuurlijk.'

'Maar u bent niet gelovig, hè?'

Alle kleur trok weg uit het gezicht van de advocaat en hij zag eruit alsof hij ziek was. 'Daarop wens ik geen antwoord te geven,' zei hij hees.

Toy volgde haar instinct, en dat instinct vertelde haar dat ze deze man niet mocht. Hij had iets over zich dat haar tegenstond, hoewel ze niet kon zeggen wat het was. Maar opeens zag ze het. Een vreemde rode gloed straalde uit zijn lichaam, bijna alsof hij in een gloeiende vuurzee stond. Toy wist meteen wat het was. Het was agressie en cynisme, hebzucht en slechtheid. Deze man gaf niets om haar lot, noch om het lot van iemand anders.

Het enige waar hij iets om gaf, was om zichzelf.

Miles Spencer kwam dichter bij het bed staan en deed zijn mond open om iets te zeggen, maar deed hem weer dicht. Hij probeerde het nog een keer. 'Als u... iets weet... dan wil ik...' Hij hield op met zijn gestamel en bleef zwijgend staan, alsof hij vergeten was wat hij had willen zeggen.

219

Toy ging rechtop zitten. 'Ik kan u maar één raad geven,' zei ze. 'U zei dat u de bijbel had gelezen, nietwaar?'

'Eh, ja, maar...'

'Hoe lang is dat geleden?'

'O,' zei hij, zich iets ontspannend maar nerveus glimlachend, 'toen ik nog klein was.'

'Het is misschien goed om hem nog een keer te lezen.'

Ze raakte hem niet aan, maar Miles Spencer bracht zijn hand naar zijn gezicht, er bijna zeker van dat hij een klap had gekregen. Ze wist het, dacht hij. Vanaf dat moment was hij er volkomen van overtuigd dat de vrouw die hij vertegenwoordigde een mythisch, magisch wezen was. Hij was daar zo van overtuigd dat hij bereid was om zelf ook een spandoek te maken en zich bij de menigte voor het ziekenhuis te voegen.

Ze had een plek in hem beroerd waar niemand het bestaan van vermoedde. Ze had het kleine, verlegen jongetje gezien, het zoontje van de dominee van een methodistenkerk op het platteland van Pennsylvania. Hij zag opeens zijn vader weer op de preekstoel en voelde het zachte leer van de bijbel die hij altijd met zich mee had gedragen. Iedere zondag, wanneer hij naar de preek van zijn vader had zitten luisteren, had hij ervan gedroomd dat hij zelf ook dominee zou worden en een eigen parochie zou hebben. 'Heb je vandaag in de bijbel gelezen?' vroeg zijn vader altijd voor het slapengaan. Meestal las Miles de hoofdstukken die zijn vader voor hem uitkoos, maar vaak vergat hij de boodschap die erin stond. 'Dan moet je ze nog maar een keer lezen,' zei zijn vader dan.

Hij was in die dagen zo vroom geweest, zo menslievend en bezorgd om het lot van anderen. Waar was dat allemaal gebleven? Hoe was hij dat kwijtgeraakt?

Ja, zei hij in zichzelf, Toy Johnson wist wat hij wilde weten, wat hij nodig had om aan eeuwige verdoemenis te ontsnappen. En ze wist dat hij er meer naar verlangde om erachter te komen wat dat was, dan naar wat dan ook ter wereld. Wie was dit vreemde, tere wezen dat op twee plaatsen tegelijk kon zijn? Waar was ze vandaan gekomen en waar zou ze naar toe gaan wanneer ze wegging?

Ze wist het, maar ze was niet van plan het hem te vertellen.

Ze had in zijn hart gekeken en gezien dat hij niet goed genoeg was.

Toen de advocaat een paar minuten later de deur uit slofte, zette de dienstdoende agent grote ogen op. Hij dacht even dat er een andere man naar buiten was gekomen dan degene die naar binnen was gegaan. De man die hij had binnengelaten had een vorstelijke houding gehad: opgeheven hoofd, rechte schouders, een autoritaire en superieure uitdrukking op zijn gezicht. De man die naar buiten kwam, liep gebogen, had een grauw gezicht en slofte met schuifelpasjes de gang door. De agent deed de deur open en keek of er nog iemand in de kamer was. 'Alles in orde hier?'

'Ja,' zei Toy's moeder beleefd. 'U doet goed werk, jongeman.' De agent trok zich terug en Toy's moeder pakte nog een brief. 'Klaar voor de volgende, meisje? Kijk eens aan, deze komt helemaal uit Arizona.'

Toy's moeder ging tegen de avond weg en Toy sliep bijna toen de deur opeens openging en Sylvia gejaagd naar binnen kwam. 'Ssst,' siste ze met een blik over haar schouder. 'Ik doe net of ik een verpleegster ben. Dat is de enige manier om bij je binnen te komen.'

Toy keek naar haar vriendin en barstte in lachen uit. Boven op haar hoofd stond een piepklein verpleegsterskapje met een groot rood kruis op de voorkant en om haar nek hing een stethoscoop. Ze droeg een witte blouse en een witte stretchbroek die haar twee maten te klein was. 'Is dat een speelgoedding?' zei Toy giechelend. Ze wees naar de stethoscoop.

'Ja,' zei Sylvia. Ze pakte de stethoscoop en drukte hem tegen Toy's voorhoofd. 'Helaas, hier zit niets in,' zei ze, waardoor Toy weer begon te giechelen.

'Waar heb je die spullen vandaan?' vroeg Toy toen ze was uitgelachen. 'Heb je ze van een heel klein verpleegstertje gestolen of zo?'

Sylvia lachte terug. 'Ze wilden me niet binnenlaten, dus heb ik een carnavalskostuum gekocht, maar ik paste niet in de jurk. Toen heb ik maar een blouse van mezelf aangetrokken en bij Woolworth deze broek gekocht.' Ze wiegde met haar heupen. 'Vind je hem te strak zitten?'

'Een beetje maar,' zei Toy, lachend haar hoofd afwendend. 'Maakt niet uit,' zei Sylvia, aan het kruis trekkend. 'Hij was gelukkig in de uitverkoop.' Ze zweeg, trok een ernstig gezicht en kwam op de rand van Toy's bed zitten. 'Ik heb mijn vliegtuig gemist.'

'Waarom ben je niet gegaan?' vroeg Toy bezorgd. 'Je moet morgen weer aan het werk. Nu ik hier ben, moet iemand...'

'Waarom ben ik niet gegaan?' zei Sylvia hoofdschuddend. 'Mijn beste vriendin ligt in het ziekenhuis en wordt beschuldigd van moord. En jij denkt dat ik rustig naar huis kan gaan zonder me ergens iets van aan te trekken?'

'Ik voel me uitstekend,' verzekerde Toy haar. 'Echt waar, Sylvia. Ze hebben me een pacemaker gegeven, zodat ik geen hartaanvallen meer kan krijgen. Je moet echt naar huis gaan. Ik had graag dat je even bij Margie langsging. Ik heb over haar gedroomd en ik maak me zorgen.'

'Dat kan wel zijn,' zei Sylvia, terwijl ze haar ogen toekneep, 'maar hoe zit het met de politie? Ik heb op het bureau een verklaring afgelegd, maar ze zijn hard, Toy. Ze geloven echt dat je die afgrijselijke dingen hebt gedaan.'

'Ze kunnen niets bewijzen,' zei Toy. 'Ik had een hartverlamming toen die brand in Kansas uitbrak. Je was zelf bij me. Dat heb je ze toch wel verteld?'

'Natuurlijk,' zei Sylvia, 'maar ze geloven me niet. Ze denken dat ik lieg, dat ik als dekmantel dien.'

Sylvia zweeg lange tijd. Toen zei ze: 'Ik heb me suf zitten piekeren en ik kom er niet uit. In de krant staat dat ze je gefilmd hebben toen je dat jongetje redde. En alles was precies zoals je het had beschreven: de brand, de school, zelfs het veld. Hoe kan dat?'

Toy haalde alleen maar haar schouders op, met een ondeugende uitdrukking op haar gezicht.

Sylvia haalde scherp adem. 'O, God,' zei ze op luide toon, 'ik zit hier met je te praten alsof je een gewoon mens bent, maar dan ben je niet. Je was echt bij die brand, hè?'

Toy knikte.

Sylvia sprong onmiddellijk overeind en drukte Toy's hoofd tegen zich aan, haar ogen groot van verbijstering. 'Ik wist het wel,' zei ze. 'Ik wist dat het een wonder moest zijn. Ik vind het alleen zo onvoorstelbaar dat je mijn vriendin bent, dat een zo bijzonder iemand mijn vriendin wil zijn.'

'Ik hou van je, Sylvia,' mompelde Toy tegen haar borst. De vrouw had haar armen om haar nek geslagen en wurgde haar bijna. Toen ze haar eindelijk losliet, keek Toy op. 'We zullen niet meer bij elkaar zijn als je op een andere school gaat werken.'

Sylvia zette haar handen in haar zij. 'Waar heb je het over? Wie gaat er op een andere school werken? Ik kijk wel uit. Ik wil helemaal niet bij Jefferson weg.' Ze schudde haar hoofd. 'Dat zei ik maar voor de grap.'

'Nee, je meende het echt,' zei Toy beslist.

'Welnee,' ging Sylvia ertegenin. 'Ik ben dol op Jefferson. Ik vind het heerlijk om met die kinderen te werken. Ze hebben me nodig. Waarom zou ik er weggaan?'

'Ze hebben je inderdaad nodig,' zei Toy. 'Ze hebben behoefte aan iemand met een positieve kijk op het leven en veel gevoel voor humor.' Toen glimlachte ze en voegde ze eraan toe: 'En er willen op Jefferson nog wel eens ongelukjes gebeuren en je bent erg goed in mond-op-mondbeademing.'

Sylvia zette een hoge borst op van trots. 'Ja, dat heb ik er niet gek afgebracht, hè? En ik was nog wel zo bang dat ik het fout zou doen.'

'Je was geweldig,' zei Toy vol vuur. 'Ik heb mijn leven aan je te danken, Sylvia. Dat meen ik echt.'

Toen Toy zag dat haar vriendin begon te huilen, kreeg ze zelf ook tranen in haar ogen. 'Vooruit,' zei ze aandringend. 'Ga nu maar gauw, dan kun je het laatste vliegtuig nog halen.'

'Maar ik kan je hier niet achterlaten,' snikte Sylvia.

'Jawel. Ga nou maar,' zei Toy weer, op overredende toon. 'Toe nou, Sylvia, ze hebben je nodig op school. We kunnen niet allebei wegblijven. Je moet echt teruggaan.'

'Ik wil alleen nog zeggen dat ik in je geloof,' fluisterde Sylvia. Ze nam Toy's hand in de hare. 'Ik heb altijd gedacht dat je een engel was, zij het niet een èchte. Je bent altijd zo'n goed mens geweest dat je best een engel had kunnen zijn. Nu weten andere mensen dat ook en zo hoort het. Het is goed dat ze weten wat een bijzonder iemand je bent.'

Toy boog zich naar voren en drukte een kus op haar voorhoofd. Sylvia stond aarzelend op. Ze liep langzaam naar de deur, bleef daar staan en keek met een verwarde uitdrukking op haar gezicht om naar Toy. 'Houdt dit in dat ik niet joods meer ben?'

'Dat geloof ik niet,' zei Toy grijnzend. 'Waarom zeg je van die malle dingen?'

'Nou, als jij een engel bent en ik in je geloof, dan weet ik het niet meer,' zei ze peinzend. 'Het klinkt gewoon niet erg joods.'

'Hoor eens,' zei Toy ernstig. 'Ik kan niet uitleggen wat er met mij is gebeurd. Maar ik kan je één ding zeggen. Ik geloof dat er iemand aan het roer van dit schip staat, Sylvia, en ik geloof ook dat iemand een specifiek plan voor ieder van ons heeft. Ik geloof niet dat het iets uitmaakt of je joods bent of een mormoon of wat dan ook. Snap je wat ik bedoel?'

'Ik snap het,' zei Sylvia. Ze kreeg een vastberaden blik in haar ogen. 'Ik weet nu dat ik terug moet gaan naar die school en de beste lerares moet worden die die kinderen ooit hebben gehad.'

Voor Toy nog iets kon zeggen, had Sylvia zich omgedraaid en was ze verdwenen.

De volgende ochtend zei Toy tegen haar moeder dat ze Stephen wilde spreken. Toen haar moeder weg was om de boodschap door te geven, kwam dokter Esteban binnen. Hij vertelde Toy dat hij haar morgen uit het ziekenhuis moest ontslaan en dat ze dan teruggebracht zou worden naar de gevangenis.

'Het spijt me,' zei hij. 'Ik heb het zo lang mogelijk gerekt. U komt daar natuurlijk op de ziekenzaal, maar...'

'Dat weet ik,' zei Toy. 'Ik ben u erkentelijk voor alles wat u voor me hebt gedaan.'

Toen hij weg was, trok Toy het blad dat aan het bed bevestigd zat naar zich toe. Ze borstelde haar haar en deed wat lippenstift op. Ze wilde sterk zijn wanneer Stephen kwam. Ze wilde er goed uitzien.

Stephen stond om een uur 's middags naast het bed van zijn vrouw. Voor hij was aangekomen had Toy toestemming ge-

224

kregen uit bed te komen en een stukje door de gang te lopen met een politieagent naast zich. Nu had ze een badjas aan en zat ze rechtop in bed, met een paar kussens in haar rug.

Zijn stem klonk ijzig en zijn gezicht stond strak. 'Je hebt naar me gevraagd. Hier ben ik.'

'Ik heb in het hotel wat spullen in een safe gelegd. Zou je die even voor me willen halen voor je naar huis gaat? Het gaat om een videofilm en nog een paar dingen en je moet me beloven dat je dit voor me zult doen. Het kan erg belangrijk zijn.' Ze zweeg en gaf hem iets. 'Hier heb je de sleutel.'

'Heb je me daarvoor laten komen?' vroeg hij kwaad. 'Denk je soms dat je nu beroemd bent en dat je me als loopjongen kunt gebruiken?'

'Ik heb besloten dat ik de scheiding wil doorzetten, Stephen.' Toy voelde een steek in haar binnenste. Ze had het gezegd. Ze probeerde kalm te blijven en sprak op rustige toon. 'Ik weet dat je al een paar jaar niet gelukkig bent, al weet ik niet waarom. Ik bedoel, ik heb geprobeerd te doen wat je van me verlangde, maar we waren blijkbaar toch niet voor elkaar bestemd.'

Hij zweeg en staarde naar haar, met een doffe, verre blik in zijn ogen.

'Ik zal je niet ruïneren,' ging Toy door. 'Je mag het huis en de auto's en al het andere houden. Ik heb alleen wat geld nodig om mijn advocaat te betalen en een nieuw leven te beginnen.'

'O ja? Wat zijn je plannen?' vroeg hij minachtend.

Toy reageerde daar niet op. Het had geen zin. Die tijd had ze gehad. 'Ik wil alleen nog zeggen dat ik echt van je heb gehouden,' zei ze zachtjes. 'Mijn trouwdag was de fijnste dag van mijn hele leven.'

Zijn gezicht verzachtte en hij schuifelde met zijn voeten over het zeil. 'Ik hou nog steeds van je, Toy, maar ik heb begrepen dat je niet meer van mij houdt. Alles wat ik doe of zeg, schijnt de laatste tijd verkeerd te zijn.'

'Dat heb ik nooit gezegd,' antwoordde Toy, hem nu in de ogen kijkend.

'Zo doe je anders wel. Ik bedoel, ik maakte me alleen zorgen over je gezondheid. Ik wist dat er iets vreselijks zou gebeuren, al had ik natuurlijk nooit kunnen dromen dat je zou worden gearresteerd wegens moord. Als je niet zo overhaast was vertrokken, zou er niets gebeurd zijn. Je had thuis moeten blijven, zoals het hoort.'

'Zie je wel?' zei Toy snel. 'Weer zo'n opmerking. Denk daar eens over na, Stephen. Je behandelt me als een imbeciel.'

Hij schudde langzaam zijn hoofd. 'Nee, Toy, je hebt het mis,' zei hij. 'Ik vind je alleen zo breekbaar, bijna te goed voor de wereld waarin we leven. Ik word er bang van. Bang dat iemand je pijn zal doen.' Hij kreeg een brok in zijn keel en kon niet meer praten. Tranen blonken in zijn ogen. 'Je geeft zo veel van jezelf dat er niets overblijft. Moet je me haten omdat ik geprobeerd heb je te beschermen?'

'Nee,' zei Toy met een diepe zucht. 'Dat neem ik je niet kwalijk. Ik begrijp het wel, Stephen. Echt waar.'

'Waarom wil je dan van me scheiden?'

Nu rolden de tranen ook over Toy's gezicht. 'Ik weet gewoon dat het tijd is,' zei ze, naar een papieren zakdoekje tastend.

'Tijd waarvoor?' vroeg hij.

Ze fluisterde: 'Tijd om uit elkaar te gaan.'

'Nou,' zei hij stijfjes. 'Dan moet het maar.'

'Ja,' zei Toy bedroefd. 'Maar wil je me nog een keer omarmen? Een paar minuutjes maar. Ik heb behoefte aan een omarming.'

Stephen ging dichter bij het bed staan, vlak naast zijn vrouw. Toen trok hij haar tengere lichaam in zijn armen. 'Was het echt zo erg?' fluisterde hij. 'Ik heb geprobeerd je alles te geven. We hebben een prachtig huis, mooie kleren, een nieuwe auto.'

'Ja, het was echt zo erg, Stephen,' zei Toy spijtig. 'Het enige wat ik echt nodig had, heb je me niet kunnen geven.'

Zijn gezicht was verwrongen van verdriet. 'Hoe bedoel je?'

'Je geloofde niet in me.'

Toy wendde haar gezicht af toen haar man zich terugtrok. Toen ze weer omkeek, viel de deur dicht en was Stephen verdwenen.

De dag daarop werd Toy overgebracht naar de ziekenzaal

van de gevangenis. Die middag mocht ze een bezoeker ontvangen. In haar badjas en op haar pantoffels zat ze in de bezoekerskamer met Jeff McDonald tegenover zich. 'Wat zei u?'

'Ik vind dat u op de televisie moet komen,' zei hij. 'U moet de hele wereld vertellen wat u mij hebt verteld, over de dromen die u had wanneer uw hart bleef stilstaan, en dat achteraf is gebleken dat het geen dromen waren maar dingen die echt zijn gebeurd. We hebben mensen uit de hele wereld hierheen gehaald. We gaan er een programma van anderhalf uur aan wijden.'

De verslaggever leunde achterover in zijn stoel en zuchtte. Deze vrouw kon net zo goed een gevaarlijke misdadigster zijn, of volslagen krankzinnig, maar dat wilden de mensen thuis niet weten. Net als bij ET en andere domme films wilden ze geloven dat ze een engel was. Fielder en de rest van de kopstukken bij CNN hadden dan ook besloten het publiek te geven wat het wilde. Als ze een seriemoordenaar wilden, kregen ze die. Als ze een engel wilden, konden ze die ook krijgen. Hij werd er niet goed van. Hij had fantastisch speurwerk verricht en nu maakten ze er sensatiejournalistiek van.

'Nee,' zei Toy. 'Dat kan ik niet doen. Om te beginnen zit ik in de gevangenis.'

'Dat is geen probleem,' zei hij vermoeid. 'Ik heb al met de directrice van de gevangenis gesproken. We kunnen uw aandeel in het programma hier filmen.'

'Ik weet het niet,' zei Toy. Ze herinnerde zich deze man van de avond dat ze was gearresteerd. Hij en de cameraman. Hij was degene die haar naam had geroepen waardoor ze had opgekeken en ze haar gezicht hadden kunnen filmen. Nu zat hij hier en wilde hij haar in een televisieprogramma hebben.

'Hoor eens,' zei McDonald, op de tafel leunend, 'dit is de enige kans die u krijgt om uw kant van het verhaal te vertellen en de hele wereld te laten zien wie u bent.' Hij pauzeerde. 'Dit is misschien uw enige kans om te bewijzen dat u onschuldig bent. Als de staat de aanklacht intrekt, zal niemand ooit weten of u schuldig was of niet.'

Toy wist wat hij daarmee wilde zeggen. Hij bedoelde dat ze altijd de kinderlokker zou blijven, de vrouw die een schoolgebouw vol kinderen in brand had gestoken. Ongeacht wat ze de rest van haar leven zou doen, dit zou haar altijd achtervolgen. Toy vroeg zich af of ze haar baan zou kwijtraken en zo ja, of ze ooit nog op een andere school werk zou kunnen vinden.

'Goed,' zei ze uiteindelijk. 'Ik doe het.'

'Mooi zo,' zei McDonald. Hij stond op en stak haar een hand toe. 'Ik zal de voorbereidingen treffen. We komen waarschijnlijk morgen al. Kunt u dat aan?'

'Dat denk ik wel,' zei Toy. 'Wat moet ik precies doen?'

'Alleen maar antwoord geven op de vragen en de waarheid vertellen.'

'Goed,' zei Toy. Ze knikte peinzend. 'Maar ik wil mijn moeder erbij hebben.'

McDonald trok een gezicht. Er zaten altijd voorwaarden aan vast. Ze vroeg tenminste niet om geld zoals alle anderen. Ze moesten zorgen dat ze haar verhaal zo snel mogelijk de lucht in kregen, anders zou iedere studio in de stad proberen de rechten op te kopen voor een televisie- of speelfilm. In het hele land hadden ze het over haar. Ze kon vragen wat ze wilde. 'Ik zal zien wat ik kan doen.'

Toen Sandy Hawkings de volgende ochtend op haar werk kwam, stonden er meer dan tweehonderd mensen voor de gevangenis. Ze droegen allemaal borden en spandoeken waarop stond: LAAT DE ENGEL VRIJ. Er was politie aanwezig om de orde te bewaren.

'Hoe lang staan die daar al?' vroeg Sandy aan de bewaker bij de poort.

'De hele nacht. Toen het donker werd hebben ze kaarsen aangestoken.'

'God,' zei ze, 'ze hebben zeker gehoord dat er hier vandaag wordt gefilmd. Iedereen wil natuurlijk op de televisie komen.'

'Heb je die mensen bekeken?' vroeg de bewaker. Hij staarde vanuit zijn glazen hokje naar de straat. Zonder op Sandy's antwoord te wachten zei hij: 'Er zijn kleine kinderen en oude mensen bij, van alle rangen en standen. Weet je wie die man in de zwarte regenjas is? Dat is senator Weisbarth. En dat is echt geen type voor demonstraties.'

228

'Nee,' zei Sandy. Ze tuurde door het raam met een kop koffie in haar hand. 'Wat doet hij daar dan?'

'Hij zweert dat hij geen druppel alcohol meer heeft gedronken vanaf het moment dat hij haar heeft gezien. Hij blijkt al jaren alcoholist te zijn en heeft problemen met zijn lever. Heb je dat niet gelezen? Het heeft in alle kranten gestaan. Hij is ervan overtuigd dat ze zijn leven heeft gered. Wat vind jij daar nou van?'

'Massahysterie,' zei Sandy. Het cynisme droop van haar stem. 'Zo noem ik het.'

De bewaker draaide zijn stoel om en keek op naar de lange gevangenbewaarster. 'Zou je het kunnen regelen dat ik even met haar kan praten?'

'Met wie?' vroeg Sandy, die met haar gedachten heel ergens anders was. Ze kon haar ogen niet afhouden van de menigte aan de overkant van de weg.

'Je weet wel,' zei hij schalks.

Ze schudde haar hoofd. 'Jij, Zeb? Geloof jij opeens ook in die vrouw?'

'Ik heb niet gezegd dat ik in haar geloof. Ik zei alleen dat ik even met haar wil praten. Wie weet, misschien is ze echt een soort engel. Zo ja, dan wil ik ook mijn drie wensen vervuld krijgen.' De man lachte, maar het klonk gedwongen. Hij meende het echt.

'Volgens mij ben jij een beetje in de war, Zeb. Engelen laten geen wensen uitkomen,' zei Sandy, die vond dat dit ver genoeg was gegaan. Ze liep naar de deur van de portiersloge om aan haar dienst te beginnen. 'Dat doen feeën, sufferd.'

Sarah las alles wat er in de kranten en tijdschriften over Toy Johnson werd geschreven en liet ieder artikel aan Raymond zien. Ze zag hem zienderogen bijkomen. Hij had al een paar keer uit zichzelf iets tegen haar gezegd en was weer gaan schilderen. Bovendien was de blik in zijn ogen helderder en meer gericht. Ze zaten op de vloer met twee glazen wijn en een half opgegeten pizza tussen hen in toen Sarah zei: 'We moeten iets doen, Raymond. Stel dat ze haar naar Kansas brengen en haar daar terechtstellen wegens moord? De hoorzitting is morgen.' Ze zweeg even en keek hem aan. 'Maar ik weet niet wat ik moet doen. Ik heb het ziekenhuis en de gevangenis gebeld, maar ik krijg haar niet te spreken.'

De kranten lagen om hen heen uitgespreid op de grond. Raymond pakte er een. 'Kijk,' zei hij, wijzend op een foto bij een van de artikelen.

'Ja, ik weet het,' zei Sarah toen ze zich vooroverboog om de foto te bekijken, 'dat is het jongetje dat ze in Kansas heeft gered.'

'We moeten hem bellen,' zei Raymond. Zijn ogen vlogen gejaagd door het vertrek.

'Die jongen? Hij is gewond, Raymond. Wat zou hij kunnen doen?'

'Hij kan de rechter vertellen wat er in werkelijkheid is gebeurd.'

Sarah kamde met haar vingers door haar haar terwijl ze erover nadacht. Wat hij voorstelde, was eigenlijk niet zo onhaalbaar. Als ze Jason Cummings konden overhalen morgen voor de hoorzitting naar New York te komen, werd Toy misschien niet aan Kansas uitgeleverd. Als er iemand was die de autoriteiten ervan kon overtuigen dat het niet Toy's bedoeling was geweest een kind te ontvoeren, was het het kind dat ze had gered. 'Daar zit iets in,' zei Sarah tegen Raymond. 'Geef me die krant maar even, dan zal ik proberen contact op te nemen met zijn ouders.'

'Nee,' zei Raymond met kracht. Hij stond op en keek op Sarah neer. 'Dit is iets wat ik zelf moet doen.'

14

Op donderdagochtend kreeg Toy haar groene broekpak terug, opdat ze netjes gekleed voor de rechter kon verschijnen. Ze was gespannen en bang. Ze wist dat dit geen rechtszaak was, maar het was de eerste stap daarnaar toe en dat was op zich al beangstigend.

Ze werd samen met een paar andere gevangenen in een bus naar het gerechtsgebouw gebracht en daar door een doolhof van gangen naar de bewuste rechtszaal geleid. Toen ze de zaal binnenging, was het meteen een lawaai van jewelste. Veel mensen sprongen overeind en applaudisseerden alsof ze op het toneel was gestapt. Ze zag Miles Spencer die stijfjes bij zijn tafel stond en ontdekte toen tussen de vele gezichten die van haar vader en moeder, met Stephen naast hen. Ze liet haar ogen over de menigte glijden in de hoop Joey Kramer te zien, maar kon hem niet vinden. Haar moeder glimlachte en wuifde naar haar. Stephen zat er met een ongelukkig, beschaamd gezicht bij.

'Stilte in de zaal,' zei rechter Antonio Valerio. Hij sloeg met zijn hamer en keek met boze ogen de zaal rond. 'Stilte in de zaal, zei ik. Als u nog een keer zo'n kabaal maakt, laat ik de zaal ontruimen.'

Nadat de formaliteiten waren afgewerkt, stond Miles Spencer op en richtte zich tot de rechter. 'We hebben een aantal getuigen, edelachtbare.'

'Getuigen?' zei de oudere rechter. 'Hoe bedoelt u? Dit is een hoorzitting inzake een uitleveringsverzoek. Het enige waarover we vandaan een besluit moeten nemen is of deze

231

vrouw overgedragen dient te worden aan de autoriteiten van Kansas.'

'Dat weet ik,' zei Miles gedecideerd, 'maar mijn cliënte is beschuldigd van zware misdaden, te weten drie moorden met voorbedachten rade. Ik geloof dat ik kan bewijzen dat ze die misdaden niet heeft gepleegd, dat de staat Kansas geen reden heeft haar in staat van beschuldiging te stellen en dat mijn cliënte ten onrechte gevangen is gezet. Mevrouw Johnson lijdt aan een hartziekte, edelachtbare, en is onlangs geopereerd. Het zou een karikatuur van rechtvaardigheid zijn als ze naar een gevangenis in een andere staat werd overgebracht.'

'Ik protesteer, edelachtbare,' zei de officier van justitie. 'Dit is hoogst ongepast.'

Rechter Valerio zat met zijn kin op zijn hand geleund en begon aantekeningen op een blocnote te maken. Na een poosje hief hij zijn hoofd op en maakte hij zijn besluit bekend. 'Deze zaak is zo ongebruikelijk dat we naar mijn mening van de normale procedure kunnen afwijken. Meneer Spencer, ik geef u toestemming uw getuigen te laten verschijnen. Ik verzoek u alleen het kort te houden, want er staat vandaag nog een hoorzitting op het programma.'

'De verdediging verzoekt Raymond Gonzales naar voren te komen,' zei Spencer.

Achter in de zaal werd het doodstil toen een donkere jongeman door het middenpad naar de getuigenbank liep. Toy rekte haar nek en zette toen grote ogen op. Ze kende hem ergens van, maar ze wist niet waarvan. Ze wilde iets tegen Miles zeggen, maar de advocaat rommelde nerveus in zijn paperassen en lette niet op haar. 'Dit kan lastig worden,' zei hij tegen Toy. 'Hij is autistisch en kan zich nauwelijks uiten, maar volgens zijn vriendin is hij in staat te getuigen.'

Raymond was keurig gekleed in een zwarte blazer, wit overhemd en bruine broek. Zijn lange haar was achterovergekamd en in zijn nek tot een staartje gebonden. Toen hij eenmaal in de getuigenbank zat en naar de volle zaal keek, trok hij wit weg en liet hij angstig zijn hoofd zakken. Maar in zijn hand had hij de ring met de robijn en de diamanten die Toy hem jaren geleden had gegeven. Hij hield de ring zo strak in zijn vuist geklemd dat de stenen in zijn vlees gedrukt werden.

Nadat hij de eed had afgelegd, begonnen ze.

'Wanneer hebt u de beklaagde voor het eerst ontmoet?' vroeg Spencer.

Raymond keek recht voor zich uit en sprak zonder hakkelen. 'Toen ik dertien jaar was.'

'En waar was dat?'

'Op een zondagsschool in Dallas.'

'Wat gebeurde er die dag?' vroeg Spencer.

Langzaam, moeizaam, vertelde Raymond zijn verhaal, de woorden uit zijn binnenste scheurend. Een geladen stilte viel in de rechtszaal. Het was een belangrijke gebeurtenis voor de jonge kunstschilder. Sarah had een van de levensgrote schilderijen waarop Toy als engel stond afgebeeld, meegebracht naar de rechtszaal. Het schilderij stond tegen de achterwand waar iedereen het kon zien. Het was iedereen natuurlijk meteen opgevallen dat de vrouw op het schilderij een T-shirt van de California Angels aanhad, hetzelfde T-shirt dat Toy had gedragen op de dag dat ze was gearresteerd. En de gelijkenis was verbazingwekkend. Het schilderij was zo levensecht en opvallend dat de meeste ogen in de rechtszaal daarop gericht bleven tijdens Raymonds getuigenis, waardoor hem de kans werd geboden ongedwongener te spreken.

Hoewel de vrouw naar wie Raymond al die jaren had gezocht en die hij zo obsessief had geschilderd, nu vlak voor hem zat en hij zich aan iedere trek van haar gezicht kon verlustigen, stoorde het hem dat hij was omgeven door zoveel mensen. Stemmen, geuren en lelijke kleuren draaiden rond in zijn hoofd. Maar hij hield vol. Een blik op Toy en hij voelde zich weer sterk en vol zelfvertrouwen. Ze was echt. Ze was hier. Niets kon hem nu nog deren.

Hij vertelde hoe hij vanwege zijn autisme het gevoel had gehad dat hij in een glazen gevangenis zat en hoe de vrouw die achter de tafel van de verdediging zat hem had bevrijd. Op emotionele, overtuigende toon verklaarde hij dat Toy een mystiek wezen was, een engel die naar hem toe was gezonden toen hij hulp nodig had. De wetenschap dat ze echt bestond, vertelde hij, had hem de kracht gegeven de brokstukken van zijn leven te lijmen en door te gaan, te blijven schilderen, en hier tot hen te spreken. Haar aanwezigheid op aarde hield in

233

dat er nog hoop bestond voor de wereld, hoop voor de toekomst.

'Dank u,' zei Spencer toen Raymond was uitgesproken. Hij had het aardig gebracht, dacht hij, en wat drama aan de procedure toegevoegd, maar zijn verhaal was lang niet genoeg om Toy vrij te krijgen.

Toen Raymond uit het getuigenbankje stapte gingen de deuren achter in de zaal open en kwam er een rumoerige groep mensen binnen. Er was een aantal kinderen bij en een van hen zat in een rolstoel en werd geduwd door een burgerlijk uitziende vrouw in een paarse trui en zwarte broek. Raymond liep snel naar hen toe en kwam toen terug naar Miles Spencer. 'Hij is er,' zei hij. Zijn ogen gleden naar Toy en toen terug naar de advocaat.

Toy voelde een trilling in haar borst, alsof de nabijheid van de jonge, donkere artiest een soort alarmklok in werking bracht. Toen ze naar zijn gezicht staarde kwamen flitsen van die dag in Dallas bij haar boven. Ze herinnerde zich dat ze op haar eigen lichaam had neergekeken in het ziekenhuis terwijl de artsen met haar bezig waren, en dat haar later was verteld dat haar hart had stilgestaan. Het was alsof ze in een hoekje van de kamer ernaar had staan kijken. Ze herinnerde zich dat ze de kerk was binnengelopen, volkomen verbijsterd omdat ze geen idee had waarom ze daar was. Opeens had ze zijn gezicht gezien, niet zoals het er vandaag uitzag, maar zoals toen. Hij was een kind geweest, net zoals alle anderen, en nu was hij een volwassen man.

'Mooi zo,' zei Spencer. 'Ik zal hem meteen oproepen. Is Lucy er ook?'

'Ja,' zei Raymond.

De rechter sloeg met zijn hamer. Hij wilde net zo graag weten wat er nog ging komen als het publiek. Raymond liep weer naar achteren en Toy wendde zich tot Spencer. 'Ik wil met hem praten,' zei ze opgewonden. 'Kunt u er na de hoorzitting voor zorgen dat ik hem te spreken krijg?'

'Dat weet ik niet,' fluisterde Spencer gespannen, naar Toy toe geleund.

Toy keek hem strak aan. 'Als u het echt wilt, lukt het u vast wel. U bent immers een belangrijke man? Ik vraag het u als een gunst tussen vrienden.'

Het bloed trok weg uit het gezicht van de advocaat en hij knikte fel. 'Ja,' zei hij, 'natuurlijk, zoals u wilt. Ik zal met de rechter praten.' Hij stopte en scheen toen hardop te denken. 'Desnoods koop ik de bewaker om.'

'Goed zo,' zei Toy met een klopje op zijn arm. 'Dat stel ik erg op prijs.'

Spencer keek naar de plaats op zijn arm die Toy had aangeraakt. Het was alsof haar hand hem een elektrische schok had bezorgd. Hij scheen de hoorzitting helemaal vergeten te zijn en wendde zich naar haar toe. Zijn stem was doordrenkt met emoties. 'Ik ben een goed mens,' zei hij. 'Ik bedoel, ik was vroeger een goed mens. Misschien kan ik nog iets goedmaken. U weet wel, voor ik doodga.'

De rechter riep luidkeels iets en dat bracht Spencer weer bij zijn positieven. 'Onze volgende getuige is Jason Cummings, edelachtbare.'

Jason Cummings werd naar de getuigenbank geduwd. Zijn genezing verliep naar wens, maar hij was nog te zwak om te kunnen lopen en zijn linkerarm was dik ingepakt. De vlucht naar New York had veel van hem gevergd, maar hij had zijn ouders gesmeekt hem hierheen te brengen. Nadat Raymond hen had opgebeld, was het jongetje vastbesloten geweest naar de hoorzitting te komen en had hij zich door niets en niemand laten tegenhouden. Wat Raymond precies tegen hem had gezegd, zou niemand ooit te weten komen.

'Ze zou me nooit kwaad kunnen doen,' zei Jason nadat de eerste vragenronde voorbij was. 'Ik stond in brand en ze liet zich boven op me vallen. Daardoor gingen de vlammen uit, anders zou ik helemaal verbrand zijn. Daarom weet ik dat ze een engel is.'

'Heeft ze je verteld wie ze was of wat ze daar deed?' vroeg Spencer formeel.

'Mijn kleren stonden in brand, meneer,' zei het jongetje. 'Ik heb echt niet op die dingen gelet.'

'Vertel dan maar eens met je eigen woorden,' zei Spencer, 'wat je je van die dag herinnert.'

'Ze heeft me een verhaaltje verteld,' zei het kind opgetogen.

235

'Het was een verhaaltje over een kleine, blauwe locomotief die probeerde een lange trein vol speelgoed over een bergtop te trekken. Eerst zei de locomotief: "Ik kan het niet, ik kan het niet." En toen zei hij: "Ik kan het wel, ik kan het wel."' Jason maakte een gebaar met zijn hand en loeide met getuite lippen: 'Oehoe-oe! Dat is de stoomfluit, snapt u wel?' Iedereen barstte in lachen uit. Het jongetje begon te tjoek-tjoeken als een trein.

'Dank je, Jason,' zei Spencer vermoeid. Hij voelde zijn reputatie door zijn vingers glippen. Hij had nog nooit dergelijke getuigen in de rechtszaal gehad. Het was een farce, een circus.

De rechter fronste naar hem. 'Meneer Spencer, Jason is een alleraardigst jongetje, maar zijn verklaring heeft niet veel licht op de zaak geworpen. Misschien kunnen we overgaan op de behandeling van het uitleveringsverzoek, voor we in tijdnood komen.'

'We hebben nog één getuige,' ging Spencer ertegenin. De rechter bleef hem streng aankijken en hij voegde er snel aan toe: 'Ik beloof u dat ik het kort zal houden.'

De rechter zuchtte en knikte toen.

'Laat Lucy Pendergrass naar voren komen,' zei Spencer.

Toen Toy Lucy's naam hoorde, keek ze met een ruk om, verlangend het meisje te zien. Ze hoefde niet lang te wachten. Een mooi meisje holde de zaal door en stortte zich in Toy's armen. Toy's stoel viel ervan achterover tegen de bank achter haar en werd door de parketwachter opgevangen. Lucy streelde met beide handen Toy's gezicht en haar. Toen begon ze haar te zoenen. Natte kinderzoenen belandden op Toy's neus, haar voorhoofd en het kuiltje in haar kin. 'Mijn mooie engel,' zei ze, met een aai over Toy's hoofd.

'Het spijt me, edelachtbare,' zei Spencer verontschuldigend, 'zoals u ziet is de getuige erg aan mijn cliënte gehecht.'

'Kunnen we doorgaan, meneer Spencer?' zei de rechter op scherpe toon.

Lucy liet zich van Toy's schoot glijden en trok haar blauwe jurk recht. Een deel van haar blonde krulhaar werd bijeengehouden door een bijpassend blauw satijnen strikje met lange linten. Met rechte rug marcheerde ze naar de getuigenbank en ging ze parmantig zitten.

'Hoe oud ben je, Lucy?' vroeg Spencer.

'Negen jaar,' zei Lucy kordaat, 'maar ik zit in het Gate-programma. Dat wil zeggen dat ik meer weet dan de meeste kinderen van mijn leeftijd.'

'Wat is het Gate-programma precies?'

'Een project voor begaafde kinderen.'

'Aha,' zei Spencer. 'Kun je de rechtbank vertellen hoe je met mevrouw Johnson in contact bent gekomen?'

'Ja,' zei ze, 'maar eerst wil ik u een vraag stellen.' Lucy draaide haar hoofd om naar de rechter en glimlachte. 'Als hij zoveel vragen mag stellen, mag ik hem toch ook wel iets vragen?'

De rechter glimlachte genegen op haar neer. 'Daar zit iets in, jongedame,' zei hij. 'Wat wilde je vragen?'

'Ik snap iets niet,' zei ze, de vraag uiteindelijk tot de rechter zelf richtend. 'Hoe komt het dat die slechte mannen naar onze kerk konden komen en mij ontvoeren? Het was bij de kerk en op zondag. Dat is niet juist, weet u dat?'

'Je hebt gelijk, lieve kind,' zei de rechter zachtjes, 'dat is niet juist. Was dat je vraag?'

'Niet helemaal,' zei ze. 'Als die slechte mannen niet hier zijn zodat u ze straf kunt geven, waarom is mijn engel dan hier? Bent u van plan mijn engel weg te sturen en laat u de slechte mannen zomaar vrij rondlopen zodat ze nog meer kinderen pijn kunnen doen? Dat is niet erg slim. Ik dacht dat alle rechters slim waren.'

De rechter schraapte zijn keel terwijl hij nadacht over een antwoord. Toen glimlachte hij alleen maar tegen haar. 'Meneer Spencer,' zei hij met een ingehouden lach, 'u mag het weer van me overnemen. Ik geloof niet dat ik tegen deze jongedame op kan.'

De zaal barstte in lachen uit. Deze keer deed de rechter geen pogingen het publiek tot de orde te roepen. Hij kreeg schik in de zaak.

Toen het tumult was bedaard, nam Miles Spencer samen met zijn getuige de gebeurtenissen van die zondag door. Hij deed zijn best niet verstrikt te raken in de details van de misdaad zelf, en richtte het grootste deel van zijn vragen op de tijd die Lucy Pendergrass samen met Toy Johnson in Central

Park had doorgebracht. Toen stond de officier van justitie op met de vraag of hij de getuige mocht ondervragen.

'Nadat mevrouw Johnson je op de achterbank van de limousine van de senator had gezet, waar is ze toen naar toe gegaan?' vroeg de officier van justitie.

'Ze is weggegaan,' zei Lucy met fier opgeheven kin. 'Ze had natuurlijk nog meer te doen. Wanneer je een beschermengel bent, heb je niet de zorg over maar één kind, ziet u, maar over een heleboel.'

'Ik wil je nog iets vragen, Lucy,' vervolgde hij. 'Je bent een bijzonder intelligent meisje. Waarom zou iemand die probeerde je te helpen zomaar opeens verdwijnen? Hoe wist ze dat alles in orde zou komen, dat de mannen in de auto je echt naar een ziekenhuis zouden brengen? Als mevrouw Johnson zich zoveel zorgen om je maakte, waarom is ze dan niet meegegaan naar het ziekenhuis?'

'Dat was niet nodig,' zei Lucy met een air van vertrouwelijkheid. 'Ze wist allang dat alles in orde zou komen. Hebt u niet gehoord wat ik zei? Ze is een engel. Engelen weten alles.'

'Laten we even teruggaan naar de manier waarop ze de auto heeft verlaten. Ze heeft zich toch op de vloer van de auto laten zakken en is naar buiten gekropen? Zodat niemand haar kon zien? Alleen iemand die ergens schuldig aan is en bang is gearresteerd te worden zou er op zo'n manier tussenuit knijpen.' De officier van justitie keek op naar de rechter. Hij wilde dit punt benadrukken: dat Toy zich door te vluchten had gedragen als een misdadigster en allesbehalve een heilige was.

Lucy keek neer op haar handen en staarde naar Toy's hartvormige medaillon. Ze maakte het voor de zoveelste keer open en bekeek de kleine fotootjes van Toy en Stephen in hun trouwkleding. Toen keek ze weer de zaal in en zag ze Stephen zitten.

'Lucy,' zei de officier van justitie, 'heb je mijn vraag niet gehoord?'

'Jawel,' zei ze. 'Ik zat te denken. Ze heeft namelijk niet gedaan wat u zei. Ze is gewoon weggegaan. Ik had mijn armen om haar nek geslagen en toen was haar nek er opeens niet meer.'

'Hoe kan dat nou?' zei de officier van justitie. 'Ze is toch niet de onzichtbare vrouw?' Hij lachte, maar niemand in de zaal vond zijn opmerking grappig.

Alle ogen waren gericht op Lucy Pendergrass. Dit was de vraag waar ze op hadden gewacht. Hoe kon een vrouw op twee plaatsen tegelijk zijn? Hoe kon iemand ergens anders zijn, terwijl hij of zij een hartaanval had en klinisch dood was? Tot nu toe was dit vraagstuk door iedereen zorgvuldig omzeild.

'Nee domoor,' zei Lucy. Ze keek met een frons naar de officier van justitie. 'Ze is niet onzichtbaar. Ze is een engel.'

'Heb je niet geprobeerd haar vast te houden?'

'U weet blijkbaar niets van engelen af,' zei Lucy gedecideerd, haar neusje rimpelend tot een knopje. 'Engelen helpen je, maar ze doen niet alles voor je. Zodra ze gedaan hebben wat ze moeten doen om iets weer voor je in orde te maken, vliegen ze gewoon weg.'

'Met vleugels, bedoel je?' zei de officier van justitie sarcastisch. 'Net zoals een vlinder? Lucy, is mevrouw Johnson dan een vlinder? Kijk, daar zit ze. Heeft ze vleugels?'

Het meisje stampte met haar voet op de vloer van de verhoging waarop ze zat en haar gezicht werd vuurrood. 'U probeert me belachelijk te maken,' zei ze boos. 'Ik ben niet dom. Ik ben intelligent. U bent zelf dom. Ik wil wedden dat u vlinders in glazen potten hebt gestopt toen u klein was. Bah. Dat is zo gemeen.' Toen verdween haar woede en glimlachte ze weer. 'Maar ik maak me geen zorgen,' zei ze, een krul uit haar gezicht strijkend, 'omdat je nooit en te nimmer een engel te pakken kunt krijgen. Nee,' zei ze hoofdschuddend, 'hoe belangrijk je ook bent en hoe je ook je best doen. Het lukt gewoon niet. U hoeft het dus niet eens te proberen.'

'Ik heb geen vragen meer,' zei de officier van justitie. Hij ging zitten met de onaangename gedachte dat hij haar beter niets had kunnen vragen.

Lucy stapte uit de getuigenbank, glimlachte naar de rechter en liep de zaal door. Toen ze bij de rij kwam waar Stephen zat bleef ze staan. 'Hier,' zei ze. Ze gaf hem het gouden medaillon. 'U hebt uw hart verloren en ik heb het gevonden.'

Stephen keek naar het voorwerp dat ze hem had gegeven en zag meteen dat het Toy's medaillon was. Hun trouwdatum stond zelfs op de achterkant gegraveerd. 'Hoe kom je hier-aan?' vroeg hij op scherpe toon. 'Dit is van mijn vrouw.'

'Uw foto zit erin,' zei ze. Ze keek hem met een vreemde blik aan alsof ze luisterde naar iemand aan de andere kant van de zaal. 'Ze vindt dat u het moet meenemen.'

'Heeft ze je dat verteld?' vroeg hij nieuwsgierig.

'Niet precies,' zei ze. Ze keek om naar Toy. 'Ze heeft zelf geen hart meer nodig, ziet u, maar u wel.'

Terwijl Stephen met een verbijsterde blik bleef zitten, zich er scherp van bewust dat hij door een klein kind op zijn plaats was gezet, gooide Lucy haar blonde krullen achterover en liep de rechtszaal uit.

De rechter verzocht Miles Spencer naar hem toe te komen. 'Ik heb gehoord dat er een filmopname is gemaakt van de brand in Kansas en dat deze vrouw daarop voorkomt. Is dat juist? Hebt u die film?'

'Nee, edelachtbare,' zei Spencer. 'Ik kan wel vragen of ze bij het televisiestation een kopie ervan hebben, maar het ori-gineel is in het politielaboratorium per ongeluk vernietigd. Dat is me vanochtend verteld.'

'Er is dus,' zei de rechter langzaam, 'geen bewijs meer dat uw cliënte in Kansas was, en alle andere bewijsstukken geven aan dat ze hier in New York in het ziekenhuis lag.'

'Dat klopt,' zei Miles.

'Juist,' zei hij. 'U mag gaan zitten.'

Zodra Miles weer op zijn plaats zat, nam de rechter het woord. 'Dit is geen rechtszaak,' zei hij, zoals hij al eerder had gezegd. 'Waar we vandaag een beslissing over moeten nemen, is of de beklaagde al dan niet moet worden overgedragen aan de autoriteiten in Kansas. Meneer Spencer, ik moet zeggen dat ik uw getuigen redelijk geloofwaardig vond, ook al waren het kinderen.' Hij zweeg even, zette zijn bril recht en keek naar het portret van Toy dat Raymond had geschilderd. 'Ik weet niets van engelen en ik weet ook niet hoe iemand op twee plaatsen tegelijk kan zijn. Misschien is daar een logische ver-klaring voor die ons te zijner tijd duidelijk zal worden. Ik weet alleen dat deze kinderen ervan overtuigd zijn dat mevrouw Johnson het goed met hen voorhad en niets misdadigs heeft.' Hij wierp een blik op de nerveuze officier van justitie. 'Soms gebeuren er dingen die we eenvoudigweg niet kunnen begrijpen, meneer de officier van justitie, en als rechter moet ik zo nu en dan een besluit nemen dat vanwege de afwezigheid van aanwijsbaar bewijsmateriaal gebaseerd is op intuïtie. Senator Weisbarth is een vooraanstaand, gerespecteerd man. Hij heeft me vanochtend gebeld en aangeboden voor deze vrouw te getuigen. Het gebeurt niet vaak dat een hoogwaardigheidsbekleder als hij bereid is zijn reputatie op het spel te zetten om een volkomen vreemde die beschuldigd wordt van een zware misdaad, te helpen. Verder ben ik van mening dat de autoriteiten van Kansas allesbehalve voldoende bewijsmateriaal hebben. Hun belangrijkste getuige, Jason Cummings, heeft zich daarnet ten gunste van mevrouw Johnson uitgesproken.' Hij pauzeerde om diep adem te halen en maakte toen zijn besluit bekend. 'Het verzoek om Toy Johnson aan Kansas uit te leveren, is hierbij afgewezen.' Hij gaf een klap met zijn hamer, glimlachte vluchtig naar Toy en verliet toen snel de rechtszaal.

Toen Toy de beslissing van de rechter hoorde, voelde ze een ongelooflijke opluchting. Het publiek juichte en applaudisseerde terwijl verslaggevers en fotografen elkaar verdrongen om bij de tafel van de verdediging te komen om haar vragen te stellen en te fotograferen.

Spencer probeerde aan Toy uit te leggen wat de beslissing van de rechter inhield en wat de gevolgen ervan waren. De rechter had de gerechtelijke procedure in feite tenietgedaan. Hij kon de autoriteiten van Kansas niet dwingen hun beschuldiging in te trekken, maar hij was gerechtigd hun verzoek om uitlevering te weigeren. De autoriteiten van Kansas konden nu ofwel de zaak bij het hooggerechtshof aanhangig maken, of eenvoudigweg wachten tot Toy een keer op het grondgebied van Kansas kwam.

De politie van New York was op het spoor gekomen van twee mannen die mogelijk Lucy Pendergrass hadden ontvoerd en de staat had besloten geen gerechtelijke stappen tegen Toy te ondernemen.

'Ik ben vrij,' zei Toy. 'Dat is toch zo? Word ik echt vrijgelaten?'

Hij knikte en glimlachte, tevreden over wat hij had bereikt.

'Dank u,' zei Toy verheugd. 'Ik ben nog nooit van mijn leven zo gelukkig geweest.' De parketwachter vertelde haar dat het nog een paar uur zou duren voor alle betreffende documenten zouden zijn getekend en dat ze in de tussentijd naar de gevangenis teruggebracht zou worden.

'Wacht, neem haar nog niet mee,' pleitte Spencer toen de man Toy de rechtszaal uit wilde leiden.

De parketwachter haalde zijn schouders op en wachtte geduldig terwijl hij de drom verslaggevers en de mensen die haar wilden feliciteren op een afstand hield.

'Ik heb besloten u mijn honorarium terug te geven,' zei Spencer tegen Toy. 'Ik wil uw geld niet hebben.'

'Dat is aardig van u,' zei Toy met een glimlach, 'maar het geld was van mijn man, niet van mij. Geeft u het dan maar aan hem terug.'

Spencer keek om naar Stephen en wendde zich toen weer tot Toy. 'Dan geef ik het liever aan een liefdadigheidsinstelling,' zei hij zachtjes, 'tenzij u een beter idee hebt.'

Toy legde haar hand op zijn arm en fluisterde terug: 'U gaat de goede kant op.' Toen schoot haar iets te binnen. Ze deed haar tas open en haalde er een velletje papier uit. 'Hier hebt u de namen en adressen van een aantal arme gezinnen die ik probeer te helpen. Stuurt u het geld maar naar hen. Aangezien ik eerdaags ga scheiden, zal ik zelf waarschijnlijk geen geld meer hebben om hen te helpen.'

'Met alle plezier,' zei Spencer meteen. 'Ik ben bereid alles te doen wat u zegt.'

'Meent u dat?' zei Toy. Ze klapte zachtjes in haar handen alsof ze een spelletje deden. 'Doet u er dan wat geld van uzelf bij.'

'Dat zal ik doen,' zei hij meteen. 'Ik geloof trouwens dat ik het nu wel voor elkaar kan krijgen dat ze Raymond Gonzales bij u toelaten. Ik ga dat meteen even regelen. Zult u me niet vergeten? Zult u een goed woordje voor me doen?'

'Dat hangt ervan af,' antwoordde Toy. Ze wist niet precies bij wie ze een goed woordje voor hem moest doen, maar dat vond ze niet belangrijk.

'Waarvan?' vroeg Spencer opgewonden toen hij zag dat de

parketwachter weer naar Toy toe kwam. 'Snel! Vertel me wat u daarmee bedoelde.'

'Het hangt ervan af hoeveel geld u bereid bent af te staan.'

Dat gezegd hebbend draaide Toy zich om naar de zaal. Ze glimlachte en wuifde naar de mensen. Toen leidde de parketwachter haar de rechtszaal uit en was de hoorzitting officieel voorbij.

Toy zat onder bewaking in een kleine kamer achter de rechtszaal te wachten tot ze teruggebracht zou worden naar de gevangenis. Ze hoorde de sleutel in het slot draaien en zag de donkere kunstschilder in de deuropening staan. Ze stond snel op en trok haar jasje recht. Ze had zoveel vragen voor hem, maar om de een of andere reden kon ze er opeens niet meer opkomen. 'Ga zitten,' zei ze zachtjes.

Raymond stond er roerloos bij en staarde vol liefde naar haar gezicht. 'U bent nog precies hetzelfde. U bent helemaal niet veranderd.'

Toy lachte. 'Nou, jij wel. Je bent minstens dertig centimeter gegroeid en een stuk knapper dan toen.'

'Dat komt omdat ik sterfelijk ben.'

'Ik ben ook sterfelijk,' zei Toy met opgetrokken wenkbrauwen. 'Echt waar. Zo sterfelijk zelfs, dat ik bijna voor de rest van mijn leven in de gevangenis was gekomen. Nogal angstaanjagend, moet ik zeggen.'

Raymond schudde zijn hoofd. 'Weet u niet dat u mijn leven hebt gered? U was mijn verlosser. Ik wist niet dat de buitenwereld bestond tot u die dag bij me kwam.'

Toy was er verlegen mee. Ze stak haar hand uit, pakte de zijne en streelde die zacht. 'Ik weet niet wat er is gebeurd, Raymond, net zomin als ik weet wat er in Kansas is gebeurd. Maar zolang de resultaten gunstig zijn, vind ik dat ik me niet druk hoef te maken over de details.'

Ze trok hem mee naar een stoel bij de kleine tafel en ging zelf ook zitten. Raymond stak haar zijn vuist toe en maakte die toen open. 'Herinnert u zich deze ring?'

'Mijn ring,' riep Toy uit. 'Heb je die nog? Het is niet te geloven. Ik heb de jouwe ook, maar die ligt bij me thuis in Californië.'

'Neem hem maar mee,' zei hij, 'hij is van u.'

'Nee,' zei Toy. Ze sloot zijn vingers weer om de ring. 'Ik wil hem niet. Ik heb hem aan jou gegeven. Als ik iemand iets geef, pak ik het later niet terug. Bovendien heb jij me iets gegeven dat voor mij nog veel waardevoller is. Je pompoen-ring. Weet je dat nog?'

'Ja,' zei Raymond met neergeslagen ogen, 'maar dat was alleen maar een waardeloos dingetje.'

Toy boog zich naar voren, stak haar hand uit en tilde zijn kin op om hem aan te kunnen kijken. 'In jouw ogen was het geen waardeloos dingetje. Je was erg op die ring gesteld, toch?'

Raymond grinnikte toen hij eraan dacht dat de plastic ring zijn dierbaarste bezit was geweest. Zijn ouders hadden nooit speelgoed voor hem gekocht omdat ze hadden gedacht dat hij het alleen maar kapot zou maken. Hij had de ring onder in een doos cornflakes gevonden toen hij acht was en hem sinds-dien altijd bij zich gehouden. Vijf jaar had hij zich vastge-klampt aan een stukje plastic. 'Hij was oranje,' zei hij. 'Ik heb oranje altijd een mooie kleur gevonden.'

'Nou,' zei Toy, 'in veel opzichten heb je mij ook gered. Die oranje ring bezat een magische kracht, Raymond. Iedere keer dat ik me ongelukkig of gedeprimeerd voelde, deed ik die ring om en dan voelde ik me meteen een stuk beter.' Toy zuchtte diep. 'Je hebt geen idee hoe vaak ik hem om heb gedaan.' Toen kwam ze op een idee. 'Weet je wat, stel dat je op een dag iemand tegenkomt die met problemen te kampen heeft of het leven niet goed aankan. Geef hem dan de ring en vertel hem ons verhaal. Dan kunnen nog meer mensen van onze ervaringen profiteren.'

'Ik heb nu iemand,' zei hij na een ogenblik van stilte. 'Een vrouw. Ze is mooi en goed vanbinnen, net als u. Ze is niet zoals de anderen.'

'Sarah?' vroeg Toy. 'Ik heb haar in het ziekenhuis ontmoet. Dat is fijn voor je, Raymond.'

'Ja,' zei Raymond. 'Ik moest wel schilderen, ziet u.'

'Hoe bedoel je?'

'Omdat de oude schilderijen aan het verbleken zijn,' zei hij op een zo zachte toon dat ze hem amper kon horen, 'en er geen nieuwe waren om hun plaats in te nemen.'

Toy wist niet waar hij het over had, maar vroeg niets. Ze wist alleen dat deze man iets tijdloos over zich had. Hij had begrip voor vragen zonder antwoorden. Hij wist het misschien zelf niet, maar Toy was ervan overtuigd dat hij alles begreep, waarschijnlijk veel meer dan zij.

Op dat moment kwam de gevangenbewaarster binnen met de mededeling dat de bus er was. Toy moest terug naar de gevangenis. Raymond sprong overeind, was met twee stappen bij haar en sloot haar stijf in zijn armen. Hij snoof de frisse geur van haar haar op, bracht zijn hand omhoog en liet zijn vingers zachtjes langs haar gezicht glijden. 'Laat me niet alleen,' zei hij met een stem die bijna oversloeg van de emoties. 'Hoe weet ik of ik u ooit nog terug zal zien?'

Toy maakte zich van hem los en gaf hem een zoen op zijn wang. 'Je hebt me niet meer nodig, Raymond. Je hebt je werk en je hebt Sarah. Wat wil je nog meer?'

'We moeten nu gaan,' zei de gevangenbewaarster ongeduldig.

'Bovendien,' voegde Toy er snel aan toe, 'heb je al die schilderijen waar ik op sta. Ik heb het schilderij in de rechtszaal gezien. Prachtig.'

'Die zal ik nu niet lang meer kunnen houden,' zei Raymond met een schouderophalen. 'Iedereen wil ze kopen.'

'Dan maak je toch nieuwe?' zei Toy opgewekt. 'Of misschien is het tijd om iemand anders te schilderen.' Ze glimlachte tegen hem en liep de deur uit.

Sandy Hawkings stak haar hoofd om de hoek van de deur van de ziekenzaal waar Toy moest wachten tot haar vrijlating was geregeld. 'Gefeliciteerd,' zei ze. Ze gaf Toy een zak met haar spullen.

'Dank je,' zei Toy. 'Wat heerlijk, hè? Zo dadelijk ben ik weer vrij.'

'Er heeft iemand van de televisie opgebeld. Ene Jeff McDonald,' zei Sandy. 'Hij zei dat ze een limousine zullen sturen zodra de paperassen zijn geregeld. Nu je weer vrij bent, gaan ze het televisieprogramma live uitzenden vanuit de studio.'

'Goed,' zei Toy, al wenste ze dat ze er nooit in had toegestemd aan het programma deel te nemen. 'Maar als die auto er niet staat, wacht ik er niet op.'

De gevangenbewaarster dacht aan de rusteloze menigte die voor de ingang van de gevangenis stond. Ze moesten Toy via de achterdeur weg zien te krijgen, anders overleefde ze het niet. 'De limousine is al onderweg. En je vader is hier. Hij wil afscheid van je nemen. Ik neem aan dat hij teruggaat naar Los Angeles. Zal ik hem binnenlaten?'

'Natuurlijk,' zei Toy. Ze keek om zich heen. Er waren meerdere bedden, maar die waren geen van alle bezet, zodat ze ongestoord konden praten.

Toen haar vader de kamer binnenkwam, keek Toy zwijgend naar hem. Ze was verbaasd toen hij regelrecht naar haar toeliep en zijn armen om haar heen sloeg, want hij was geen man die met zijn gevoelens te koop liep. 'Ik hou van je, pappa,' zei ze met haar hoofd tegen zijn borst.

Hij maakte zich van haar los en keek verlegen. 'Toy... ik... ik heb veel nagedacht sinds je ziek bent geworden. Ik ben bang dat ik niet een erg goede vader voor je ben geweest.'

'Doe niet zo mal,' zei Toy oprecht. 'Je bent een geweldige vader geweest.'

'Ik heb je nooit veel kunnen geven. Ik heb nooit genoeg geld verdiend.'

Nu voelde Toy zich verlegen. Ze had haar vader nog nooit zo meegemaakt, zo sentimenteel. 'Je hebt me alles gegeven wat ik nodig had, pa. Kom,' zei ze. 'Laten we even gaan zitten.'

Ze zaten tegenover elkaar op metalen stoelen. Haar vader leunde met zijn onderarmen op zijn knieën, tastte in zijn borstzak naar een sigaret, maar liet zijn hand weer zakken. Hij wist dat hij in de ziekenzaal niet mocht roken. 'Toen je klein was hield je ervan om je te verkleden, weet je dat nog? Je kon goed dansen. Je was zo schattig om te zien.'

'Ja, dat weet ik nog,' zei Toy. Prettige herinneringen kwamen bij haar boven. 'Weet je nog dat ik een keer een trapeze heb gemaakt en dat ik daar toen af ben gevallen en mijn arm heb gebroken? Dat was vlak nadat ik met jullie naar het circus was geweest.'

'Alsof ik dat zou kunnen vergeten,' zei hij. 'Ik heb je zelf naar ziekenhuizen gebracht. Je arm zat helemaal naar achteren gedraaid. Ik dacht dat het nooit meer in orde zou komen.'

'Je hebt niet anders gedaan dan me naar het ziekenhuis brengen, pa. Ik brak steeds wat.'

Hij lachte. Toen keek hij weer ernstig. 'Ik weet dat Stephen en jij gaan scheiden,' zei hij. 'Ik kan je nu wel vertellen dat ik hem nooit heb gemogen. Hij heeft altijd op je moeder en mij neergekeken. Hij behandelde ons echt als armelui. Zijn vader mag dan arts zijn, maar dat wil nog niet zeggen dat hij zijn kind beter heeft opgevoed dan ik het mijne.'

'Je hebt volkomen gelijk, pa. Laat Stephen nou maar, die kijkt op iedereen neer. Maar waarom heb je me nooit verteld dat je hem niet mocht? Ik dacht dat mamma en jij dol op hem waren.'

'Je hebt er nooit naar gevraagd.'

Ze lachten allebei.

'Nou,' zei hij, zich overeind duwend, 'ik moet maar eens gaan, anders mis ik mijn vliegtuig. Je moeder is vreselijk opgewonden over dat televisieprogramma. Ik heb haar nog nooit zo nerveus meegemaakt.'

Toy liep met hem naar de deur, drukte op de bel en wachtte samen met hem op de gevangenbewaarster. 'Ik blijf misschien in New York,' flapte ze eruit. 'Ik ga misschien niet terug naar L.A.'

'O,' zei Tom Myers, 'dat is goed, hoor. Je moeder en ik zagen je toch al zo weinig. We zullen net doen alsof je nog bij ons in de buurt woont, maar gewoon wat minder vaak langskomt. Zolang je denkt dat iemand dichtbij is en het goed maakt, hoef je hem niet in levenden lijve te zien.'

Toy glimlachte om haar vaders praktische houding ten opzichte van het leven. Toen pakte ze zijn hand. 'Ik zal altijd dicht bij jullie zijn, pappa, waar ik ook ben.'

'O,' zei hij, 'er is nog iets. Over die artiest die al die schilderijen van jou heeft gemaakt.'

'Bedoel je Raymond Gonzales?'

'Ik geloof dat hij zo heet, ja. Ik hoorde net op de radio dat er volgende week een grote veiling van zijn schilderijen wordt gehouden. Een beroemde kunsthandelaar heeft hem meteen na de rechtszaak een contract laten tekenen en er komen mensen uit de hele wereld om zijn werk te bekijken.' Haar vader pauzeerde en wreef met zijn hand over zijn kin. 'Ik zou zelf wel zo'n schilderij willen hebben,' zei hij met een verlegen glimlach. 'Denk je dat hij er een voor me kan maken? Ik denk alleen niet dat ik geld genoeg heb. Op de radio zeiden ze dat ze veel geld waard zijn.'

'Dat doet hij vast wel,' zei Toy zacht. 'Vraag het hem. Hij is een heel aardige man.'

De gevangenbewaarster klopte op de deur. Toy's vader duwde de knop naar beneden, maar bleef staan en schuifelde met zijn voeten over de vloer. 'Ik...'

'Wat is er, pappa?' vroeg Toy. Ze zag hem naar woorden zoeken en er lag een uitdrukking op zijn gezicht die ze nog nooit eerder had gezien.

'Ik hou van je, Toy. Dat heb ik je nooit met zoveel woorden gezegd, maar niet omdat ik dat niet wilde. Ik dacht alleen dat je dat wel wist.'

'Natuurlijk wist ik dat,' zei Toy, bang dat hij in huilen zou uitbarsten.

Hij bukte zich en kuste haar wang. Toen liep hij naar buiten en deed de bewaakster de deur weer op slot. Toy bleef verrukt staan. Het was de eerste keer in haar hele leven dat haar vader had gezegd dat hij van haar hield.

Toy ging onder de douche, waste haar haar en schoor haar benen met het wegwerpscheermes dat ze haar hadden gegeven. Ze had zich graag opgemaakt, maar had haar makeuptasje niet bij zich. De mensen van de televisie hadden haar verzocht haar donkerblauwe California Angels T-shirt aan te doen. Het T-shirt bleek helemaal onder in de zak te zitten. Toen Toy het over haar hoofd trok, bedacht ze dat ze het nodig eens moest wassen.

Eenmaal aangekleed, ging ze op de rand van het bed zitten wachten. Opeens voelde ze zich duizelig en misselijk worden. Zwarte vlekken dansten voor haar ogen en ze was bang dat ze flauw zou vallen. Ze wilde net de verpleegster bellen, toen ze bedacht wat daarvan de gevolgen zouden zijn. Weer terug naar het ziekenhuis. Daar had ze echt geen zin in. Ze drukte haar hand tegen haar borst op de plek waar het kleine ma-

248

chientje haar hart aan het kloppen hield. Rustig maar, zei ze tegen zichzelf. Het was vast en zeker plankenkoorts. Een paar minuten later trok het nare gevoel weg en slaakte Toy opgelucht een diepe zucht.

'Alle papieren zijn getekend en de auto is er,' zei Sandy Hawkings toen ze binnenkwam. 'Je bent vast blij dat je hier weg mag.'

'Zeg dat wel,' zei Toy. Ze stond op. 'Ik heb gehoord dat jij degene bent geweest die me die dag mond-op-mondbeademing hebt gegeven. Daar heb ik je nog helemaal niet voor bedankt.'

'Dat is wel goed,' zei Sandy. Ze wendde verlegen haar hoofd af. 'Het hoort bij mijn werk.'

'Dan ben je erg goed in je werk.'

'Jij ook.' Sandy legde haar hand tegen Toy's rug en leidde haar de deur uit.

Ze liepen een lange gang door naar de achterkant van het gebouw. Aan de ene kant van de gang waren ramen. Sandy liep ernaar toe en wenkte Toy. 'Zie je al die mensen?' zei ze tegen Toy. 'Die staan allemaal op jou te wachten. Dat is jouw werk, zal ik maar denken. Ervoor zorgen dat al die mensen zich goed voelen, dat ze blijven dromen, om zo maar te zeggen.'

Toy schudde verwonderd haar hoofd. Ze liepen weer door naar de achterdeur en wachtten daar tot die openging. Even later zat ze achter in een limousine. Veel gevangenen hadden hun neus tegen de ramen gedrukt en zwaaiden naar haar. Toy deed het raampje open, stak haar hoofd naar buiten en zwaaide terug.

Ze reden niet naar de hoofdingang van de televisiestudio. Ook daar stond een grote menigte achter de dranghekken die de politie had neergezet. Toy keek van achter de getinte raampjes naar de mensen toen de chauffeur doorreed naar een besloten parkeerplaats achter het gebouw. Hij stapte uit om het portier voor haar open te doen. Toy stapte uit de auto. Haar hart klopte razendsnel en het zweet stond in haar handen. Kon ze dit echt opbrengen? Durfde ze het aan om op de televisie te komen?

Een kwieke brunette in een kort zwart jurkje stond bij de achterdeur op haar te wachten en ging haar voor een gang door. 'U gaat eerst een paar minuutjes naar de schminkkamer.' Ze bekeek met een vluchtige blik Toy's kleding en zag tot haar genoegen dat Toy het California Angels T-shirt had aangetrokken, zoals haar was verzocht. 'Ik breng u naar de groene kamer. Daar is een monitor en er staat koffie en frisdrank. Neemt u gerust iets als u daar zin in hebt.'

'Waar is mijn moeder?' vroeg Toy. 'Ik heb gezegd dat mijn moeder erbij moest zijn, maar ik zie haar niet.'

'Ik geloof dat ze in een van de kleedkamers is,' zei het meisje. 'Ik zal het even gaan vragen.'

Toy ging op de rode kunstleren bank zitten en pakte een tijdschrift. Ze had geen idee waarom ze dit de groene kamer noemden. Er stond niets groens in. Ze zat in het tijdschrift te bladeren toen Joey Kramer opeens in de deuropening stond. 'Joey!' zei Toy, dolblij hem weer te zien. 'Hoe ben jij hier binnengekomen?'

'O,' zei hij, 'ik kom overal binnen waar ik maar wil. Hoe is het ermee?'

'Uitstekend,' zei Toy, maar zo voelde ze zich niet. Toen ze naar Joey keek, zag ze weer zwarte vlekken. 'Ik geloof alleen dat ik aan plankenkoorts lijd. Ik dacht dat dit een fluitje van een cent zou zijn, maar dat is het niet.'

'Niets is makkelijk,' zei Joey prompt. Toen verbeterde hij zichzelf. 'Nee, da's niet waar. Sommige dingen zijn juist erg makkelijk. Je hoeft dit niet te doen, als je niet wilt.'

'Dat weet ik,' zei Toy, 'maar ik heb al toegestemd en ik breek nooit een belofte.'

'De omstandigheden zijn veranderd,' zei Joey. Hij ging naast haar op de bank zitten. 'Je hoeft niets te bewijzen. Degenen die in je geloven, zullen in je blijven geloven. En degenen die niet in je geloven, zullen dat ook nooit doen. Weet je wat, laten we ergens een kop koffie nemen.' Hij maakte een afwijzend gebaar. 'Wat moet jij nou met al dat televisiegedoe?'

'Ik kan toch niet zomaar weggaan?' zei Toy. 'Mijn moeder is er ook.'

'Nou en? Die begrijpt het best, daar is ze je moeder voor. Laat haar maar in jouw plaats optreden, dan kan ze de hele

250

wereld vertellen wie je bent. Grote sterren als jij hebben altijd iemand als intro. En als je later, wanneer je wat bent uitgerust en alles weer rustig is, besluit dat je het alsnog wilt doen, kun je altijd nog terugkomen.'

Toy leunde naar hem toe en fluisterde: 'Kan ik echt zomaar weggaan?'

Joey lachte. 'Natuurlijk. Wil je dat?'

'Meen je het?' fluisterde Toy. Ze voelde zich hoe langer hoe beroerder. Ze wilde niet aan de televisieshow meedoen en zich belachelijk maken.

'Zullen we gaan?' vroeg Joey. Hij stond op en keek glimlachend op haar neer. Toen haalde hij een pen uit zijn zak en stak haar die samen met een van de tijdschriften toe. 'Hier, scheur een bladzijde uit dit blad en schrijf een briefje aan je moeder. En dan gaan we ervandoor.'

Toy schreef: 'Mam, het spijt me, maar je zult het in je eentje moeten doen. Veel plezier. Ik ga weg met Joey. Ik hou van je. Tot straks.' Ze stond op het punt haar naam eronder te zetten toen ze er nog iets aan toevoegde.

'Wat heb je er bijgezet?' vroeg Joey. Hij had over haar schouder meegelezen.

'Toy toi toi,' zei Toy. 'Mijn moeder heeft altijd aan het toneel gewild. Dat weet niemand behalve ik. Zelfs mijn vader niet.'

'Meen je dat? Nou, zoals je ziet komen sommige dromen uit.'

Toy leunde tegen Joey aan toen ze door de gang liepen. 'Stel dat iemand ons ziet?'

'Niemand zal ons zien. Waarom maak je je toch zoveel zorgen? Laat alles nu maar gewoon aan Joey over. Ik heb een plan, zie je. Joey heeft altijd een plan.'

Hij trok aan de zware metalen deur aan het eind van de gang, aan de achterkant van de studio, en ze slopen als dieven naar buiten, giechelend en gekke gezichten trekkend. Om de wachtende menigte te ontwijken, liepen ze weg door een steegje achter de studio. 'Mijn auto staat daar op de heuvel,' zei hij tegen Toy. 'Sorry, maar ik kon geen andere parkeerplaats vinden met al die mensen hier.'

Toy keek om zich heen en zag dat hij naar een steile heuvel

wees, het soort heuvels dat je in San Francisco had. 'Moeten we die heuvel op?'

'Helaas wel,' zei Joey met een schouderophalen. 'Ik heb geen limousine, Toy. Het is maar een doodgewone wagen en ik moest hem op een doodgewone parkeerplaats zetten. Ik heb niet eens dienst vandaag. Ik heb alleen mijn uniform aangetrokken zodat ik de studio binnen kon komen.'

'Sorry,' zei ze, terwijl ze haar best deed hem bij te houden, hijgend en puffend de steile heuvel op. Het zweet droop over haar gezicht in haar nek en liep tussen haar borsten door. 'Ik gedraag me als een verwend kind. Maar dat komt omdat ik me niet erg goed voel.'

'We zijn er bijna,' zei Joey. 'Gaat het nog?'

Toy bleef gebukt staan. Ze kon bijna geen adem krijgen. Toen voelde ze de pijn en trok ze een gezicht. 'Ik haal het niet, Joey.'

'Zal ik je dragen?'

Toy keek hem aan. 'Nee,' zei ze, 'maar als ik die pacemaker niet had, zou ik zweren dat ik een hartaanval had.'

Hij lachte. 'Welnee, je hebt gewoon geen conditie. Je hebt de laatste tijd een veel te lui leven geleid. Je moet nodig weer aan het werk.'

Nu kon Toy de top van de heuvel zien. 'Staat je auto daarboven?'

'Ja,' zei Joey. 'Dat zei ik toch?'

'Als je liegt, Joey Kramer,' zei Toy gedecideerd, 'kijk ik je nooit meer aan.'

'Liegen? Ik zou niet durven!' Hij lachte nu hardop. 'Nog een klein stukje. Vooruit. Je kunt het best. Niet zeuren, hoor.'

Nog een klein stukje, dacht Toy, hijgend en met haar hand tegen haar borst gedrukt. Nog een klein stukje, dan kon ze zitten en uitrusten tot ze weer op adem was. Ze bleef staan en keek achterom. Geen wonder dat ze buiten adem was. Het leek wel of ze boven op de Mount Everest stond. In de diepte zag ze de menigte die nog steeds op haar wachtte. Was het echt juist dat zij hier boven stond en zij daar beneden? Ze geloofden in haar en hadden zich voor haar ingezet en nu had ze hen zomaar in de steek gelaten. Niks aan te doen, dacht Toy en ze draaide zich weer om naar Joey.

Nog een stap en ze was over de top heen. Joey was er al en wenkte haar met een malle grijns op zijn gezicht. 'Hè hè,' zei ze toen ze naast hem stond en haar gezicht naar hem toe wendde. Ze voelde zich als een marathonloper die zojuist de finishlijn had bereikt. De pijn was verdwenen en ze voelde zich gewichtloos en vrij.

'Kijk eens,' riep Joey uit.

Toy draaide haar hoofd langzaam om in de geurige, zachte bries. Ze voelde de zon die haar gezicht verwarmde en de wind die haar haren optilde uit haar nek. Toen gleed de zon over haar hoofd heen. Toy keek vol ontzag toe. Onder haar lag een ongelooflijk landschap. Het was alsof ze in een vliegtuig zat. De huizen en gebouwen waren piepklein. Ze zag dingen die eruitzagen als privé-zwembaden en besefte opeens dat ze naar meren, rivieren en oceanen keek.

De hele wereld lag in al zijn schoonheid aan haar voeten.

Joey wees haar opgewonden van alles aan. 'Daar heb je de Big Ben. En kijk eens, de Eiffeltoren. En daar rechts heb je de piramiden.'

Toy glimlachte een glimlach die haar lichaam binnenging en daar bleef zitten. 'Jij was het dus,' zei ze.

'Ja,' zei Joey met een knipoog. 'Een gewone jongen uit Brooklyn. Ik heb gelogen wat de auto betrof, dat geef ik toe. Maar ik ben niet de *grote baas*. Ik ben alleen maar een soldaat.'

Toen Toy naar hem keek en hem voor het eerst echt zag, besefte ze dat zijn politie-uniform in werkelijkheid een uniform was zoals ze op speelgoedsoldaatjes schilderen. Het lichtblauw was in rood veranderd en aan de jas zaten koperen knopen. Hij deed haar denken aan de soldaatjes die haar vader had zitten maken toen ze hem voor het laatst in zijn werkplaats had opgezocht. Heel even dacht ze dat ze weer aan het dromen was, dat dit een visioen was. 'Joey, tenzij ik weer aan het hallucineren ben, is dat daarbeneden de hele wereld en niet alleen Manhattan. Dat houdt in dat jij een engel bent en niet een soldaat.'

'Ach,' zei Joey, 'vleugels zijn er tegenwoordig niet meer bij. De mensen vatten dat niet serieus op. Het was vroeger al een heel gevecht, zie je, maar vandaag de dag is het een ware oorlog, en de Baas is streng. Hij noemt ons Zijn leger.'

Joey zweeg, haalde een soort walkie-talkie te voorschijn en hield die voor zijn mond. 'Komt in orde. L.A., zei je? Ja, ik stuur meteen iemand. Ik weet het. Ik heb het een beetje druk gehad.' Joey wendde zich tot Toy. 'Dit wordt eerdaags jouw gebied. We komen in Californië mensen te kort. Er zijn gewoon niet genoeg geschikte mensen die zich voor het werk aanmelden.'

Toy volgde zijn blik naar een hoekje van het landschap in de diepte.

'Je bent vervroegd ingezet, Toy, omdat het de bedoeling is dat je in Californië gaat werken. De Baas heeft nogal de smoor in, zie je. Dit was vroeger een best stukje land, waar Hij veel goed werk heeft gedaan.'

Toy volgde Joey's blik naar beneden en zag lange, witte stranden, glinsterend blauw water, palmbomen die wuifden in de wind. Toen veranderde het landschap en zag ze een lange, hoekige scheur die ze herkende als de San Andreasbreuk. 'Als de situatie niet gauw beter wordt,' zei Joey bedroefd, 'wordt de Baas echt nijdig. Maar wees niet bang,' voegde hij er snel aan toe, 'je redt het best, Toy. Je zult die mensen het een en ander bijbrengen voor het te laat is.'

Ze waren terug op de heuvel en liepen over een smal pad van kinderhoofdjes dat Toy bekend voorkwam. Aan weerskanten waren velden met bloemen die een zo zoete geur verspreidden en zo prachtig bloeiden dat Toy er verrukt over was. 'Waar gaan we naar toe?'

'Naar de eetzaal. We werken hier niet non-stop, hoor. Vanavond is er een dansavond.'

Toy slikte. 'Komt de Baas dan ook?'

'Nee,' zei Joey. Hij trok zijn ene wenkbrauw op. 'Die werkt wel full-time. Dat krijg je als je de Baas bent.'

In de verte stond een grote, witte tent, waarvan de zijkanten opbolden in de zachte wind. De hemel erachter was een mengeling van schitterende kleuren. Toy zag mensen rondlopen en meende muziek te horen.

Joey's ogen waren helderblauw. Die van Toy heldergroen. Ze keken elkaar aan, ontmoetten elkaar, dit keer voor het eerst. Toen haakte hij zijn arm om de hare en liepen ze door in de richting van de tent.

'Hoe moet het met al die mensen daarbeneden,' zei Toy. 'Degenen die in me geloven?'

'De Baas heeft daar regels voor.'

Toy was nieuwsgierig. 'Wat voor regels?'

Joey glimlachte voor hij antwoord gaf en zijn schouders schokten van nerveuze energie. 'Nou, je weet wel, de Baas doet de dingen op Zijn eigen manier.'

Nu kon Toy haar nieuwsgierigheid helemaal niet meer bedwingen. 'Toe nou, Joey, wat zijn dat voor regels? Vertel op.'

'Het is heel eenvoudig,' zei Joey. 'De Baas laat ze graag met wat vraagtekens zitten.'

'Vraagtekens?' vroeg Toy. Ze vond het nogal nonchalant klinken, nogal oppervlakkig.

'Hij heeft er een andere naam voor,' zei Joey. 'Dit is mijn eigen interpretatie.'

'Hoe noemt Hij het dan?'

'Geloof,' zei Joey met een brede glimlach op zijn gezicht. Toen keek hij weer voor zich uit naar iemand die in de verte op het pad naar hen toe kwam. 'Kijk eens wie we daar hebben.'

Toy stond doodstil en haar ogen werden groot van verbazing. Margie Roberts kwam op haar af in haar perzikkleurige jurk. Toen ze Toy zag, stortte ze zich in haar armen. Toy drukte het meisje tegen zich aan. 'O, Margie,' zei ze, terwijl tranen van vreugde over haar wangen stroomden, 'wat ben je mooi, zo sterk, zo gelukkig.'

'Ben je er eindelijk?' riep Margie uit. 'Ik heb zo lang op je gewacht.'

'Je hebt een lastig vriendinnetje, Toy,' zei Joey lachend toen hij Margie en Toy bij elkaar zag, elkaar vol genegenheid omhelzend. 'Ze heeft me niet met rust gelaten tot ik je ben gaan halen, en ik had al zo veel te doen. New York is geen makkelijk terrein, hoor.' Hij schudde zijn vinger tegen Margie. 'Wacht maar tot je zelf een territorium hebt, jongedame, dan piep je wel anders.'

Op het moment dat hij ophield met praten hoorde Toy het geluid van trompetten en zag ze opeens hele drommen engelen die in en rond de grote tent bij elkaar kwamen, druk pratend en lachend. Er waren donkere, lichte, kleine, grote. Er waren kinderen bij en volwassenen. Ze hadden geen vleugels of halo's, maar Toy zag dat ieder van hen gebaad was in een tere kleur en voelde hun overweldigende liefde.

Joey stond stram rechtop voor de groep engelen, nu op en top een soldaat. Margie Roberts was ook min of meer in de houding gaan staan, maar ze giechelde en duwde Toy naar een cirkel van helder licht. Weer klonk trompetgeschal en toen begroette het engelenlegioen de nieuwe Engel van Californië en werd ze in hun midden opgenomen.